KB213544

평등증후군

평동중후군

발행 2024년 12월 03일
저자 평동중학교 2,3학년
펴낸이 한건희
펴낸곳 주식회사 부크크
출판사등록 2014. 07. 15(제2014-16호)
주소 서울특별시 금천구 가산디지털1로 119 A동 305호
전화 1670-8316
E-mail info@bookk.co.kr
ISBN 979-11-419-1954-2

www.bookk.co.kr

평동중후군

평동중학교 2,3학년 지음

BOOKK

차례

평동중학교에 오게 되면 아이들이 빠지게 되는 여러가지 증상이 있습니다. 이를 '평동증후군'이라고 이름을 붙였습니다. 화목리그 플라잉 디스크를 자신의 몸보다 더 소중하게 여기는 증상, 1학기 때 빼먹었던 체육수업은 2학기가 되어도 꼭 챙기는 증상, 선생님과 했던 간식 약속은 절대 잊어버리지 않는 증상, 1년에 소설 1편을 꼭 서야 하는 증상, 선후배의 친목이 가족의 친목보다 중요한 증상, 활동수업을 지극히 사랑하는 증상, 고무신을 신고 텃밭으로 나도 모르게 가는 증상, 길을 가다 모르는 꽃을 만나면 야생화인지 확인하는 증상 등이 평동중학교에 다니게 되면 갖게 되는 공통된 특징입니다. 그래서 이 책의 이름을 평동만의 창작 이야기를 담았다는 뜻에서 '평동증후군'이라고 붙였습니다.

이 책의 소설은 시를 재구성하는 단원에서부터 시작했습니다. 시에서 아이디어를 얻고, 이야기의 줄기를 고민하고, AI를 친구 삼아 창작했습니다. 실제 창작 과정에서 문학 글쓰기의 다양한 어려움을 극복해 나갔고, 고쳐 쓰기 과정에서 많은 즐거움을 느꼈습니다. 또한 친구들의 독특한 아이디어들을 공유하면서 서로 성장하는 시간을 보냈습니다.

어떤 어려움이 있더라도 무슨 일이든 끝까지 완수해야만 하는 평동 증후군. 어려운 과정이었지만 평동인들이 자랑스럽고 대견합니다. 분량 때문에 실리지 못한 작품들에 미안한 마음을 전하면서 작년에 이어 올해도 출판 결과물을 얻었다는 점에서 뿌듯합니다.

한강 작가님이 유년시절을 보낸 고향에서 작가님에 대한 아이들의 사랑을 담아 보냅니다. 아울러 평동이라는 먼 곳까지 아이들을 보내주시는 학부모님들의 지지와 성원에도 감사의 마음을 드립니다.

국어교사 고영석 드림

올빼미

김소정

2018년 6월 15일

오전 6시 43분. M은 집에 들어서자마자 외투를 벽에 걸어 두고 침대에 몸을 뉘었다. 밖에서 사람들이 만들어내는 발걸음, 벽 너머로 간간히 들리는 옆집의 소음들, 사람들의 대화들까지 크게 들렸다. 가만히 천장을 바라보며 하루를 되짚었다. 그가 오늘 해결한 사건은 작은 절도였고, 범인을 검거해 본부에 넘기면 그의 임무는 그걸로 끝이었다. 생각을 이어가던 그는 감고 있던 눈을 천천히 뜨고 천장을 바라보았다. 어느새 밖에는 해가 뜨고 있었고 방에도 햇빛이 드리웠다. 그의 눈은 태양 아래서 무력했고 점점 흐려지는 천장을 응시하며 긴 한숨을 내쉬고는 다시 눈을 감았다.

방을 가득 채운 시끄러운 전화벨 소리에 M은 눈을 비비며 몸을 일으켰다. 그는 고개를 돌려 어두운 창밖을 눈에 담으며 윙윙거리는 전화를 집어 들어 귀에 가져다 댔다.

"M입니다."

방에서 기어 나와 부엌으로 향하며 잠긴 목소리로 말했다.

"선배, 저 S예요."

냉장고를 열자 텅 비어 있었다. M은 냉수 한 병을 꺼내 벌컥벌컥 들이켰다.

"몇 시야?"

M이 하품을 했다.

"오후 7시 조금 안 됐어요."

"나 좀 쉬면 안 되나."

"지금은 안 돼요. 본부로 바로 와주실래요?"

"뭔 데?"

"방화. 빨리 와라."

수화기 너머로 S의 목소리가 아닌 다른 이의 목소리가 들려왔다.

"뭐야, 경감님도 거기 있어요?"

냉장고에 물병을 넣다 멈칫하며 물었다. 전화는 곧 끊어졌고 M은 한숨을 내쉬며 외투를 걸치고 집 문을 나섰다.

오후 7시 23분.

익숙하게 본부로 들어선 M은 곧바로 강력범죄수사팀 회의실로 향했다. 회의실로 들어서니 그의 동료인 S와 Y가 고개를 들어 그를 바라봤다.

"많이 심각해요?"

Y경감을 발견한 M이 물었다. Y는 조용히 고개를 끄덕이며 그에게 서류를 건넸다. 서류를 천천히 읽어 내려가는 M을 보며 S가 말을 꺼냈다.

"연쇄 방화 같아요. 벌써 3번째인데, 세 건이 일어난 시간 간격이 4시간으로 같아요."

S는 M의 반응을 살피며 말을 덧붙였다.

"그리고…. 몇 초 뒤면 마지막 불이 난 지 4시간 뒤이고요. 7시 32분."

M은 그의 말을 듣고 고개를 들어 눈을 마주쳤다. 둘의 눈이 마주치기 무섭게 벽에 걸린 시계바늘은 7시 32분을 가리켰고 세 사람은 숨을 죽이고 시계를 올려다보았다.

"뭐야. 연쇄 확실해? 심증 말고 정확한 물증을…."

그의 말이 끝나기도 전에 S의 휴대전화가 울렸다. 휴대전화 알림을 확인한 S의 표정이 굳어갔다.

"불 났어요. 재개발 지역에 원룸."

S의 말을 들은 M은 곧바로 회의실을 나섰다. S와 Y도 그 뒤를 따랐다. 급하게 도착한 사건 현장은 말 그대로 아수라장이었다. 건물은 무너져 잔해들이 나뒹굴었고 주변 건물까지 불이 옮겨 소방 인력이 부족하기까지 했다. 불행 중 다행으로 지어진 지 오래된 작은 원룸이라 인명피해는 별로 없었다. M은 단순한 화재가 아닌 연쇄 방화 사건이라고 확신했다. 그는 이 광경을 차분하게 받아들이며 곧장 건물 쪽으로 걸어갔다. 평소 알고 지내던 소방대원 한 명에게 방화복을 받아 들고 익숙하게 팔을 집어넣었다. 그는 심호흡을 한 번 하고는 아직 불이 모두 꺼지지 않은 건물 안으로 유유히 들어갔다. 건물 안으로 들어서자마자 뜨거운 불길에 감싸지는 것을 느꼈지만 가볍게 무시한 채 현장 속 타고 있는 잔해들을 살폈다. 불타는 나무와 콘크리트가 금방이라도 무너질 것처럼 흔들리고 있었다. 하지만 M은 차분하게 눈을 감고 자신의 감각을 예민하게 세웠다. 눈으로는 거의 아무것도 보이지 않았지만 그는 청각과 촉각으로 방향을 찾았다. 타는 소리, 벽 너머에서 느껴지는 미세한 진동, 발 밑에서 전달되는 작은 신호들이 그를 인도했다. 아직 빠져나가지 못한 사람들이 있는지 확인하기 위해 평소보다 더욱 신경을 곤두세웠다. 건물 안에서 자신 말고 다른 이의 소리는 들리지

않았다. 그는 천천히 눈을 뜨고 밖을 향해 몸을 돌렸다. 점점 거세지는 불길에 시야가 흐려질 때쯤, 그의 눈에 아주 익숙한, 7년 전 지겹도록 그를 괴롭혔던 그 별 문양이 눈에 띄었다.

2011년 7월 17일

M은 막 경위로 승진한 직후 도시를 휩쓸던 연쇄 방화 사건을 맡게 되었다. 네 번의 방화가 같은 방식으로 일어났고 그 현장마다 남겨진 별 문양이 유일한 단서였다. M은 이 문양을 추적하며 범인을 쫓았지만 매번 한발 늦었다. 이날도 어김없이 화재 신고가 들어왔고 그는 빠르게 현장으로 향했다. 불길은 평소와 같이 크게 치솟았고 그는 현장으로 들어가자마자 별 문양을 확인했다. 현장을 살피던 그가 2층으로 올라갔을 때 잔해 속에서 꿈틀대는 인영을 발견하곤 다가갔다. 7살 정도 돼 보이는 어린 여자아이였다. 현장의 불길은 점점 거세지고 숨도 쉬기 힘들었다. 아이를 데리고 1층까지 같이 내려가기는 어렵다고 판단한 그는 망설임 없이 방호복을 벗었다. 아이에게 미소 지으며 방호복을 입혀주고 창문을 향해 다가갔다. 밖에선 사람들이 아이를 받을 준비를 했고 그는 아이를 진정시키며 밖으로 내보냈다. 그도 나가려고 창문 틀에 발을 내디뎠을 때, 뒤에서 큰 폭발음이 들리고 그는 그대로 떨어졌다. 여전히 시끄러운 현장 속에서 그의 이름을 부르는 소리가 옅게 몇 번 들리다가 의식이 끊겼다. 눈을 뜨니 누군가 그의 손을 잡았다. 뒤이어 S의 목소리가 들려왔다.

"선배, 정신이 들어요? 잠시만요. 사람, 사람 불러올게요."

S가 말을 마치기도 전에 병실을 뛰쳐나갔다. 잠시 후 S와 의사로 보이는 남자의 목소리가 들려왔다. 남자는 S와 진지한 목소리로 그에 대한 대화를 이어갔고 M은 한숨을 내쉬며 그들을 등져 누웠다. 몇 시간 뒤 익숙한 목소리가 들려왔다.

"M, 일어나봐."

Y경감이 차분한 음성으로 그를 불렀다. Y의 목소리에 M이 천천히 몸을 일으켰다. 그는 눈을 떠 주변을 둘러보았다. 하지만 아무것도 보이지 않았다. 하얀 병실의 모습도, 조용한 Y경감의 모습도, 옆에서 불안한 목소리로 종알대는 후배 S도. 순간 머리가 띵 해졌다.

"안 보여."

M이 급하게 손을 들어 허공을 더듬거렸다.

"무슨 소리야?"

Y는 여전히 차분하면서도 옅게 떨리는 목소리로 물었다.

"안 보인다고요. 아무것도. 왜, 왜 이러는데?"

Y의 얼굴이 점점 일그러졌다. 그는 흥분해서 허공을 저어 대는 M의 양 팔을 세게 붙잡았다. S는 경악하며 남자를 바라봤다. Y는 남자를 따라 병실을 나섰다. M이 눈을 감은 채 나직이 말했다.

"S 너도 가서 듣고 와."

"네?"

"경감님은 나 좋은 얘기만 해주려고 하실 거야. 가서 듣고 사실대로 말해줘."

"그치만…."

"S."

M이 진지한 목소리로 말하자 S는 머뭇거리다가 병실을 나갔다.

병실을 나와 곧바로 Y경감님을 따라갔다.

"왜 왔어?"

"선배가 듣고 오래요."

진료실로 들어가자 아까 봤던 의사가 모니터를 바라보며 의자를 손짓했다. 나와 경감 님이 자리에 앉자 곧바로 의사가 설명을 시작했다.

"인간의 눈은 매우 복잡합니다. 우리의 안구는 9개의 신경조직으로 이루어져 있어요. 여기서 봐야 할 건 수정체, 홍채, 망막, 시신경인데. 빛을 조절하는 홍채는 빛을 많이 받게 되면 닫히면서 동공은 작아져요. 그 빛을 수정체가 굴절시켜 초점을 맞추면 망막에 상이 맺히는 거죠. 그 상을 뇌뢰 보내는 게 바로 시신경입니다. 보통 직접적으로 이런 기관들이 손상되기도 하지만 뇌가 외상을 입어서 장애가 생기기도 합니다."

"장애…."

경감님이 그 말 만을 되뇌었다.

"경위님은 사고 당시 현장에서 장시간 열에 노출되기도 했고, 마지막 폭발이 가장 큰 원인 같습니다."

S는 놀라서 경감님을 바라봤다.

"시력은 돌아오지 않을 겁니다. 아주 드물게 회복되는 경우가 있지만. 시력이 회복되는 사례가 극히 적을뿐더러 돌아와도 매우 낮을 거예요."

의사가 차분하게 말을 끝마치자 경감 님은 조용히 자리에서 일어났다.

“돌아올 거예요. 적지만 희망은 있다잖아요.”

경감님을 따라 복도를 거닐었다. 계속 옆에서 말을 걸어도 경감 님은 대답없이 앞만 보고 걸었다. 한참 뒤에 발걸음을 멈추더니 고개를 돌려 나를 바라봤다.

“M한테는 말하지 마. 괜히 나대지도 말고.”

“네? 그래도 경위님도 알고 계셔야….”

“혹시나 묻거든 치료하는데 시간은 걸려도 괜찮을 거라고 말해둬.”

“거짓말을 하라고요?”

“거짓말이 아니야. 가능성 있잖아.”

“그래도….”

“그냥 조용히 있으라고!”

경감님이 버럭 소리를 질렀다. 그래 놓고는 본인도 놀랐는지 순간 눈이 커졌다가 다시 차분함을 유지하려는 듯 숨을 골랐다.

“내가 알아서 하겠다고.”

경감님은 그 말을 끝으로 병원을 나섰다. 나는 경위님의 병실 앞에서 한참을 망설였다. 어떻게 말해야 하지. 정말 경감님 말대로 거짓말을 해야 하나? 그래도 경위님의 일인데…. 이 때, 병실안에서 경위님의 목소리가 들려왔다.

“S?”

S는 서둘러 병실 안으로 들어갔다.

“의사가 뭐래?”

경위님이 물었다. 나는 잠시 머뭇거리다가 말했다.

"실명일 수도 있다는데…. 일시적인 걸 수도 있고 회복 가능성도 있다고 괜찮을 거래요."

S는 양심에 찔렸지만 그걸 목소리에 담지 않으려 노력했다.

"…."

경위님은 한참을 말없이 계시다가 내 쪽으로 고개를 돌렸다. 눈에 초점이 없었다.

"사실대로 말하라고 보낸 건데."

"네?"

경위님이 내 손을 꽉 쥐었다.

"솔직하게 말해야지."

경위님의 차분한 태도에 꿀꺽 침을 삼켰다.

"시력이…. 돌아오지 않을 거래요."

그제야 경위님은 손을 놔주었다. 잠시 후, 경감 님이 병실로 들어오시고 분위기를 읽었는지 아무 말도 하지 않았다.

오전 3시 26분.

M은 목이 타는 듯한 갈증에 병원 침대에서 일어났다. 자연스럽게 침대 옆 냉장고를 열어 생수를 한 병 꺼내 마셨다. 그 소리에 옆 빈 침대에서 S가 눈을 비비며 일어났다.

"왜 여기서 자냐. 집에서 자지."

그는 S를 힐끗 보고는 시큰둥하게 말을 던졌다. 아무 대답이 들리지 않자 그는 고개를 돌려 S를 바라봤다. 멍하니 저를 응시하는 S의 모습에 미간을 찌푸리며 물었다.

"왜."

"선배! 보여요?"

S의 질문에 그의 말 문이 막혔다. 보인다. 하얀 병실도, 제 손에 들린 생수병도, 멍한 표정의 후배도.

"보여."

"왜? 왜요? 아니, 분명 의사 선생님이…."

"아침엔 안 보였어. 분명히."

"그럼 일시적이었나 봐요. 경감님한테 전화할게요!"

S는 한 층 밝아진 얼굴로 병실을 나갔다. M은 머릿속이 복잡했다. 진짜 일시적인 것이었나. 걱정되면서도 경위라는 직급, 형사라는 직업을 지킬 수 있다는 생각에 날아갈 듯 기뻤다. 잠시 후, S와 Y가 같이 들어와 병실 불을 켰다. M은 감고 있던 눈을 떴다.

"…뭐, 뭐야?"

그가 당황한 목소리로 말했다.

"왜요? 무슨 문제 있어요?"

S가 물었다.

"안 보여. 또 어두워."

"뭐? 보인다며. 이 시간에 이런 걸로 장난질한 거야?"

Y가 잠긴 목소리로 성을 냈다.

"아니, 아까 선배가 혼자 일어나서 물도 마시고…."

"아깐 보였어요. 진짜, 진짜인데. 분명…."

그의 표정을 본 Y는 한숨을 내쉬며 다시 불을 껐다.

"헛것인가 보지. 다시 자라."

M은 눈을 몇 번 끔뻑이었다. 흐렸던 시야가 다시 뚜렷해졌다. 저를 걱정스럽게 쳐다보는 후배의 모습과 Y 경감이 보였다.

"다시 보여요. 보여! 보인다고. 경감님, 보여요!"

흥분한 그를 본 Y는 병실을 나와 의사를 찾아갔다.

"저도 이런 사례가 있다고 듣기만 했지 실제로 본 건 처음인데." 의사가 한숨을 내쉬며 말을 이었다.

"주맹증 같습니다. 수정체가 혼탁하고 시야가 뿌옇게 변할 경우 빛이 충분하지만 주변 환경이 잘 보이지 않게 되는 걸 주맹증이라고 불러요. 그래서 어두울 때는 시야확보가 잘 되지만 밝은 곳에서는 어렵죠."

Y는 입만 벙긋대다가 곧 다시 닫았다.

2018년 6월 15일

"경위님, 뭐 하세요? 나가셔야 해요."

멍하니 별 문양만 바라보던 M의 팔을 소방대원이 붙잡았다. 그는 소방대원에게 이끌려 밖으로 나왔다. 차가운 공기가 얼굴을 스치며 이성을 되찾게 해주었다. 밖으로 나와 숨을 고르던 M은 확신했다. 7년 전의 그 방화범이 돌아왔다. 그에게 치명적인 부상을 입히고 홀연히 사라진 그 자가.

현장이 어느 정도 정리되고 M은 동료들과 현장증거들을 수집해 본부로 돌아왔다. 회의실에 들어서자마자 S에게 7년 전 사건 자료들을 가져오라 지시했다. S가 가져온 자료들을 넘겨보며 옛 기억들이 떠올랐다. 7년 전의 그 자도 지금과 같은 4시간은 아니었지만 분명 같은 간격으로 불을 냈고, 가볍게 다친 사람들 말고는 심각한 인명피해도 없었다. M빼고. 그 자는 M이 다치고 나서 바로 자취를 감췄다. 인명피해도 없고 사라진 그 자 때문에 사건은 미제로 종결됐다. M과 그의 동료들이 반대해도 상황을 바꿀 수는 없었다. 그 덕에 M은 지금처럼 불편한 생활을 이어가는 중이고, 그렇게 좋아하던 동료들과도 S와 Y빼곤 모두 멀리했다. 몇 달 간은 방에 틀어박혀 나오지도 않았다. 밝은 태양 아래서 범인을 쫓는 걸 가장 좋아하던 그에게 빛을 멀리하는 건 너무 가혹했다.

몇 시간째 서류를 넘겨보던 그가 한 페이지에서 멈췄다. 그리고는 다른 서류들도 같은 페이지를 펼쳐 놓고 책상에 나란히 올려 두었다.

"왜요?"

S가 의아한 듯 고개를 갸웃하며 물었다.

"봐. 7년 전부터 오늘까지 전부 인명피해가 일어날 가능성이 적은 재개발 구역이나 공사장에 불을 냈어."

"그렇네요. 근데 이게 그렇게 중요할까요?"

"중요할 수도 있지. 7년 전에도 M이 다치고 나서 방화를 멈춘 거면 사람들을 노리는 범죄가 아닐 수 있어."

Y가 사건자료들을 훑으며 말했다. M이 자리에서 일어나 겉옷을 챙겨 입었다.

"몇 시야?"

그가 묻자 S가 시계를 한 번 보고 답했다.

"오후 10시 47분이요. 어디 가시게요?"

"집."

"네? 지금 집에 가시겠다고요?"

"응. 아, 그리고 내일 K 면회 잡아 둬."

"K…? 연쇄방화범 말하시는 거죠? 사상자 9명이나 나왔던."

"어."

"그 사람은 왜요?"

"방화범의 심리는 방화범이 제일 잘 알겠지. 면회는 4시까지밖에 못 가니까, 내일 나 데리러 와."

"알았어요. 들어가세요."

M은 그대로 회의실을 나섰다. 그는 집으로 향하며 가로등이 없는 길만 골라 다녔다. 길을 가다가 빛이라도 마주치면 큰일이었으니까. 낮에는 집에 박혀 있었고, 밤에만 움직이는 그에겐 아직도 보이지 않는 삶이 어려웠다. 조금이라도 늦어 해가 뜨거나 가로등 불빛이라도 마주치면 그는 아무것도 할 수 없었다. 빛이 익숙해지기 위해 낮에도 돌아다녀볼까 했지만 밤부터 새벽 내내 활동하는 그의 체력에는 한계가 있었다.

오후 11시 21분. M이 집으로 들어섰다. 거실 한 켠에는 아직 정리되지 않은 짐들이 쌓여 있었다. 방으로 들어간 그는 대충 의자에 옷을 벗어 걸어 두고 바닥에 앉아 작은 책상에 놓인 노트북을 열었다. 전원이 켜지고 비번을 입력하자 빛을 최소화하기 위해 밝기를 줄여 놓은 메인 화면이 나왔다. 그는 폴더를 열고 7년 전, 그날의 사건기록을 찾았다. 범행장소, 인명피해, 범행시각, 증거물들까지 하나도 빠짐없이 전부 기록되어있었다. 그는 처음부터 다시 자료들을 읽어 내려갔다. 어깨가 결리고 눈이 감기는 것이 느껴졌지만 믹스커피를 몇 잔이나 마시며 졸음을 쫓아냈다. 그날의 사건자료와 오늘 오후에 있던 사건자료를 분석하고 비교하여 정리까지 끝마쳤을 때는 이미 닫힌 커튼 사이로 희미한 빛이 들어오고 있었다. 노트북으로 시간을 확인하니 오전 7시. 그가 하루를 마칠 시간이었다. 기지개를 한 번 쭉 켜고 노트북을 덮었다. 옆을 보니 종이컵이 쌓여 있고 그의 주변에는 서류들이 널브러져 있었다. 그는 자리에서 일어나 침대에 털썩 누웠다. 그는 천장을 응시하며 하품을 하곤 정리한 자료들을 되뇌며 눈을 감았다.

2018년 6월 16일

오전 12시 17분. 시끄럽게 울려 대는 전화 벨소리에 손을 뻗어 침대 맡을 더듬다가 휴대전화를 집어 들었다.

"M입니다."

M이 피곤하다는 듯 한숨을 내쉬었다.

"선배, 전데요. 1시에 면회 잡아 놨어요. 곧 선배 집으로 출발할 테니까 준비해요."

그 말을 끝으로 전화가 끊겼다. M은 길게 하품하고는 침대에서 일어나 욕실로 향했다.

M이 S의 부축을 받아 차에 올라탔다. 곧 차는 출발하고 M은 등받이에 기대 눈을 감았다. S가 서류 뭉텅이를 건네며 말했다.

"선배 안 계실 동안 방화 3번 더. 이것도 역시 4시간 간격이었고요."

M은 서류를 넘겨보며 사건기록을 머릿속에 담았다.

"근데…. 같은 방화범한테 묻는다고 뭐가 나올까요?"

S가 조심스럽게 물었다.

"나도 몰라. 가서 물어보면 알겠지."

M은 무덤덤하게 말했다. 차 안은 다시 정적으로 가득 찼고 얼마 가지 않아 또 한 번 정적을 깨는 S의 목소리가 들려왔다.

"도착했어요. 내려 드릴게요. 잠시만요."

오후 1시 3분. 사형수 K가 수감 되어있는 교도소의 면회실로 들어갔다. M을 위한 배려인지 어두운 면회실에 아주 옅은 불빛만 들어왔다. 면회실 구석에는 교도관 한 명이 앉아 노트북만 들여다보고 있었다. 방 한 가운데 책상에 앉아 여유로운 눈빛으로 M을 응시하는 K가 보였다.

"오랜만입니다. 우리 M경위님."

다 쉰 듯한 목소리로 능글거리며 K가 말했다. 잠시 가만히 K의 눈을 응시하던 M은 그의 맞은 편에 앉아 책상에 서류들을 탁 내려놓았다.

"그래. 오랜만이다. 못 본 사이에 많이 늙었네."

K는 M이 경위로 승진하도록 만들어준 사건의 범인이었다. 장소와 때를 가리지 않고 17번이나 불을 질러 댔던, 그 덕에 9명이라는 사상자가 발생했던 사건. K와 마주 앉으니 마지막 17번째 방화 때 목에 남은

화상 흉터가 가장 먼저 눈에 띄었다. 흉터를 시작으로 K의 얼굴을 하나씩 찬찬히 뜯어봤다. 푸석하고 거칠어진 피부, 말라버린 입술, 어딘가 풀린 듯한 동공. 몇 년 만에 마주한 그는 전혀 다른 사람 같았다.

"뭐 때문에 이런 누추한 곳에 고작 날 만나겠다고 그 귀한 발걸음을 해 주셨나?"

말이 없는 M을 한참 바라보던 K가 비꼬는 듯한 태도로 말했다.

"연쇄 방화범을 잡고 있어."

책상에 내려 둔 서류를 K의 쪽으로 내밀었다. 그는 흥미롭다는 듯 한 쪽 눈썹을 치켜 올리고는 서류를 집어 들어 한 장씩 넘겨봤다.

"…7년 전 그 녀석이야."

"재밌는 놈이네. 경찰들을 가지고 놀아."

M은 그의 말에 집중했다.

"별 문양부터 경찰한테 자신의 존재를 알리고 있잖아. 7년 전에도 지금도. 이런 놈들은 계획적이야. 어디에 불을 지를지, 어떤 방법으로, 어떤 모양새를 낼지 모두 다. 게다가 이 놈은 사람이 다치는 걸 원하는 것도 아니야. 그냥 불이 좋은 거지. 처음엔 작은 성냥 같은 거였을 거야. 그러다 점점 더 큰 불을 원하게 되고 건물이 불에 타는 걸 보면서 희열을 느꼈겠지."

K는 잠시 생각하다가 말을 이었다.

"이런 그림은 괜히 남기는 게 아니야. 너가 범인일 때 경찰들에게 힌트를 주려면 어떻게 할 것 같아?"

M은 잠시 그를 응시하다가 서류를 챙겨 자리에서 일어났다.

"행운을 빌어."

끝까지 그를 보며 비웃는 K를 뒤로하고 면회실을 빠져나갔다.

그는 곧바로 S의 차를 타고 집으로 향했다. 집에서 자신이 정리해둔 자료들을 보이는 대로 모두 챙겨 다시 S와 함께 본부로 이동했다. 강력범죄수사팀 회의실에 들어서자 퀭한 눈으로 서류들을 들여다보고 있는 Y가 보였다.

"뭐야? 금방 왔네."

회의실로 들어온 둘을 보고 Y가 힘없이 말했다. M은 자료들을 내려두고 화이트보드에 붙어있는 지도를 떼어내 책상에 펼쳤다. 그러고는 사건 기록들에서 무언가를 체크하며 지도 위에 표시했다. 지도에 열 개의 점을 찍었고 찍어 놓은 순서대로 이어 그렸더니, 선이 하나 부족한 별 문양이 나타났다. 그 모습을 보고 고개를 갸웃하며 S가 물었다.

"별 아니에요? 뭘 표시한 거예요?"

M은 지도를 보고 만족스러운 듯 웃으며 S에게 답했다.

"사건장소."

옆에서 이를 가만히 지켜보던 Y가 감탄하며 입을 열었다.

"지도상에서 별 모양으로 이어지게 불을 냈네. 그럼 별이 완성되려면 다음 범행장소는…."

여기. M이 가장 먼저 점을 찍은 곳을 손가락으로 짚었다.

"별이 완성되려면 처음 시작한 곳까지 이어야지."

그는 급하게 자리에서 일어났다. 7년 전, 범인의 첫 방화장소로 가야했다. 다음 방화까지 남은 시간은 1시간 37분. 셋은 곧바로 본부를 나서 차에 올라탔다.

M은 차에서 내리며 중얼거렸다.

"드디어 잡겠네. 7년 동안 얼마나 보고 싶었는지."

그 말을 들은 S가 조심스럽게 이야기했다.

"만약 여기가 아니면 어떡해요? 그 별 문양 하나로…."

M도 그 불안함을 떨칠 수 없었다. K의 말을 듣고 명백한 심증으로만 찾아온 곳이라 이곳이 아니라면 수사는 다시 원점이었다.

"맞기를 비는 수밖에."

오후 3시 27분.

다음 방화까지 남은 시간은 단 5분. 점점 더 초조해졌다. 그 때, 귀에 타닥거리는 불꽃소리가 들렸다. 분명히 들었다. 소리가 들리는 쪽으로 고개를 돌렸더니 옆에서 S가 말했다.

"선배, 저기 건물 안에 별!"

곧장 발걸음을 옮겼다. 눈이 보이지 않아도 소리만으로 길을 찾아갔다. 이번엔 무조건 잡아야 한다. 아니, 잡을 거다. 지금 놓치면 언제가 될지 모른다. 건물 속으로 들어가니 점점 시야가 트였다. 구석 쪽에 있는 공사 현장이었다. 건물을 올리다가 만 건지 이곳저곳 잔해들이 흩어져 있었다. 다시 눈을 감고 소리에 집중했다. 작지만 거친 숨소리. 범인의 것이라 확신했다. 소리가 들리는 곳으로 고개를 돌리자 이 쪽으로 다가오는 인영이 보였다.

"드디어 만났네."

낮은 목소리가 들렸다.

"이렇게 오래 걸릴 줄은 몰랐는데 말이야. 아, 멀쩡하지 못한 눈으로 이 정도면 빠른 건가?"

그자가 여유롭게 걸어오며 비아냥거렸다.

"날 부른 이유가 뭐야? 아니 그보다 왜 사라졌다가 다시 나타난 건데 7년 만에?"

"처음엔 계획이 틀어진 게 짜증났고 그 다음은 호기심? 눈이 그렇게 됐는데도 여전히 형사라는 직업을 못 놓는 것. 범인을 잡는 데 사력을 다 하는 게 참 인상 깊었어. 불 때문에 그렇게 됐는데 불에 대한 두려움도 없는 것 같아서."

"조용히 가자. 너나 나나 그게 편하잖아."

"형사님 내가 여기서 무슨 짓을 할 줄 알고 혼자 왔어. 빛 앞에선 아무것도 못하는 형사가 혼자. 그것도 방화범을 잡으러."

그 말을 끝으로 라이터를 꺼내더니 벽에 불을 붙였다. 불이 붙으면서 별 문양과 함께 밝은 빛이 생겼고 M은 어둠에 갇혔다. 불이 타오르는 소리가 들렸고 초점이 사라진 M의 눈을 보며 그 자가 웃는 소리가 들렸다. 점점 몸이 열기 속에 갇히는 게 느껴졌다.

그 때, '쿵-!' 하는 소리와 함께 익숙한 목소리들이 들렸다.

"S! 선배 챙겨."

Y경감의 목소리가 들리고 M은 S에게 이끌려 밖으로 빠져나왔다. 그자가 경찰들에게 붙잡혀 건물 밖으로 나왔다. S가 M의 손에 수갑을 쥐어 주고 그 자의 앞에 세웠다.

"잡혀버렸네."

M은 여전히 웃음기를 띈 채 비아냥 대는 그에게 수갑을 채웠다.

애프터 파이브 데이즈(after five days)

정주현

프롤로그

끼이익-.

버스가 들어온다. 가만히 멈춰 선 버스 안으로 수많은 사람들이 탑승한다. 주말을 앞둔 금요일의 퇴근 시간을 맞은 사람들의 얼굴은 일주일 간의 노고가 담겨있다. 앞으로 다가올 주말을 기다렸다는 듯 기쁜 얼굴을 하고 있는 사람도 있다. 버스는 도로를 가로지르고 운 좋게 좌석을 선점한 나는 그저 하염없이 창밖을 바라볼 뿐이다. 서서히 지는 해와 주홍빛으로 물들어가는 도시를 바라본다. 창 밖 전광판엔 뉴스가 진행되고 있다. 버스가 신호등에 걸린 때 아무런 의미 없이 전광판의 뉴스를 본다. 그때 버스에 탄 승객들의 스마트폰이 일제히 알람을 울린다. 모두가 당황해 휴대폰을 들여다보고 있을 무렵 전광판의 앵커가 떨리는 목소리로 말한다.

“속보입니다. 현재 다량의 운석이 지구를 향해 빠르게 다가오고 있습니다. 충돌 예상 시간은 9월 15일. 오늘로부터 정확히 5일 뒤입니다.”

9월. 강렬했던 여름의 더위가 한층 가시고 선선한 가을 바람이 불어오는 날. 이 세계는 시한부 판정을 받았다.

9월 10일 금요일.

충격적인 소식을 접한 후, 집에 어떻게 왔는지도 모르겠다. 꿈인지 현실인지 모를 어이없는 상황이 내 앞에 닥쳐왔다는 게 믿기지 않는다. 그저 침대에 누워 원룸의 천장을 쳐다보며 멍을 때릴 뿐이다. 미친 듯이 울려 대는 스마트폰을 무시한 채로.

천장의 얼룩을 눈 감고도 떠올릴 수 있게 될 무렵 침대에서 일어나 스마트폰을 든다. 버튼 몇 개를 눌러 전화를 건다. 신호음이 두세 번 울린 후 전화 건너편에서 목소리가 들린다.

“여보세요? 대리님?”

“퇴사 신청을 하려고 하는데요.”

"뉴스 보셨나 봐요. 뭐, 지구가 멸망한다는데. 뭐, 어쩌겠어요. 부모님이랑 가족들이랑 마지막 시간 보내야죠. 저도 그럴 거고요."

"부모님은…. 4년 전에 돌아가셨어요."

잠시 동안의 적막. 곧이어.

"네. 그럼 남은 생 잘 보내세요."

"그쪽도."

전화가 끊긴다.

'남은 생 잘 보내세요'라니 웃기는 인사다. 어쨌든 퇴사도 했고 가족들도 없는 나로서는 지난 생을 후회할 바에는 남은 일주일 간의 삶을 지금까지의 삶보다 더 열심히 더 즐겁게 살아야 한다. 30년의 삶보다 값진 일주일. 모순적인 말 같다만 지금은 이렇게 밖에 표현할 수 없다. 시간도 늦었으니 이제 그만 자 볼까.

9월 11일 토요일.

일주일 중 가장 신나는 토요일이다. 그러나 거리는 주말의 활기참 대신 허망감과 절망감에 잠식되어 있다. 오늘부터 후회 없는 일주일을 살기로 했지만 정작 무엇을 할지는 구체적으로 정해두지 않았다. 오늘은 멸망을 앞둔 서울을 하염없이 거닐어보도록 할까.

거리로 나와 보니 상당히 충격적인 풍경이 펼쳐졌다. 어딘가로 도망가려는 사람들로 인해 도로와 공항은 마비되었고 수많은 가게가 문을 걸어 잠궜고 몇몇 가게는 창문이 깨진 채로 털려 있었다. 한강을 가로지르는 다리들에는 스스로 삶을 마감하려는 사람들이 수없이 몰려들었고, 그들을 저지하는 사람들과 뒤엉켜 마치 하나의 지옥을 연상케 했다. 하루 전까지만 해도 질서정연하게 움직이던 도시에서 상당한 이질감이 풍겼다. 쇳조각들과 유리조각, 버려진 차들이 가득한 길을 걷다 보니, 벌써 다 털려버린 대형마트가 눈에 띈다. 자연스럽게 향한 그곳에서 점심을 만들어 먹을 재료를 산다. 그리고 만 원짜리 지폐 몇 장을 계산대에 올려 두고 홀가분하게 백화점을 나가려던 순간.

"와, 지구가 멸망한다는데 정직하게 돈을 내는 사람이 있네요."

어디선가 갑자기 나타난 여자가 나를 보며 신기하다는 듯 말했다. 긴 검정 생머리에 후줄근하게 옷을 입은 어디선가 본 것 같은 그녀는 갑자기 나에게 사과를 하나 건넨다. 어리둥절해 나에게 말했다.

"자, 선물이에요. 사과. 누군진 까먹었는데 엄청 유명한 사람이 말했다잖아요? '내일 지구가 멸망한다면, 나는 한 그루의 사과나무를 심겠다.'고. 지금 사과나무를 심어 봤자 뭐해요? 그냥 사과라도 먹어야죠."

그녀의 말에 완전히 설득당한 나는 사과를 한 손으로 받아 한 입 베어 물었다. 오늘 처음 먹는 음식이라 그런 건지 지구가 멸망해서 그런 건지는 모르겠지만 사과는 생각보다 훨씬 더 달고 맛있었다. 한 입 베어 문 사과를 들고 '감사합니다. 그럼 안녕히.'라는 말을 남긴 뒤 그녀를 지나쳐 걸어갔다. 몇 걸음쯤 걷고 나서 뒤돌아보았을 때, 그녀는 남은 사과를 베어 먹으며 초가을의 뜨거운 아스팔트 위를 춤추듯 걷고 있었다. 느릿느릿 돌아온 원룸에 협소한 조리공간에 들어섰다. 주방이라 부르기도 민망한 작은 공간에 사 온 식재료들을 꺼냈다. 사 온 식재료들은 많았지만 정작 무엇을 요리해야 할지는 생각나지 않았다. 인터넷을 뒤져 여러 레시피를 찾았지만 줄줄이 실패하고 결국에는 라면을 먹었다. 조촐한 점심을 때운 후 또 다시 거리로 나섰다. 이런 상황에서 방 안에서만 틀어박혀 있기가 싫었다. 벌써 어둑어둑 지는 풍경을 보며 정신없이 걷다 보니 점심때 들렀던 대형마트가 또다시 모습을 드러냈다. 다시 한 번 그곳으로 자연스럽게 향했다. 과일 코너로 들어서자 수북이 쌓여 있는 사과가 눈에 들어왔다. 홀린 듯 붉은 빛이 감도는 사과를 두세 개 집었다. 계산대에 돈을 내려놓고 마트를 떠났다. 마트를 나오자마자 첫 번째 사과를 덥석 베어 물었다. 단맛과 약간의 신맛이 입 안에서 감돌았다. 낮에 맛보았던 달콤함이었다. 사과를 우적우적 먹으며 한강변을 걸은 지 몇 분 되지 않아서 다리가 저려 왔다. '오랜만에 많이 걸은 것 같다.'라고 생각하니 갑자기 온 몸에 피곤한 느낌이 들었다. 지친 몸을 이끌고 한강공원에 도착했고 잔디 위로 쓰러지듯 주저앉아 해가 지는 한강을 바라보았다. 강을 보며 멍을 때린 지 몇 분쯤 지났을까 낯익은 목소리가 들려왔다.

"사과가 생각보다 맛있었나 봐요?"

뒤를 돌아보니 낮에 마주쳤던 그 여자가 내 옆에 살포시 앉았다. 그러고는 나를 바라보면서 말했다.

"이런 데서 또 보네요."

"또 만났군요."

"그런데 여기선 뭘 하고 계셨던 건가요?"

그녀가 물었다.

"그냥 강을 조금 보고 있었습니다. 당신도 마찬가지겠지만 곧 죽을 운명이라서요."

내가 답하자 잠시 동안 짧은 침묵이 흘렀다.

"아까 음식 재료들을 잔뜩 가지고 가시던데 점심은 잘 드셨나요?"

침묵을 깨고 그녀가 말을 이었다.

"아뇨. 제가 요리에는 재능이 없는지 다 맛이 없더군요. 그냥 라면으로 때웠습니다."

내가 답하자 그녀는 크게 웃기 시작했다. 한바탕 웃은 후 그녀가 일어나며 말했다.

"나중에 한 번 우리 집으로 와요. 저 당신이랑 같은 건물 사니까. 나중에 한 번 오면 제가 제대로 대접해 드릴게요."

그녀는 옷을 털고 다시 강변을 걸었다. 그리고 몇 초 뒤 길을 건던 그녀가 나를 돌아보며 말했다.

"아참, 깜빡했는데 저희 집 4층이에요!"

그 뒤 그녀는 강변을 따라 사라졌고, 나는 해가 지고 어두워진 후에 그곳을 벗어나 집에 도착했다.

9월 12일 일요일.

지구 멸망까지 D-3일. 죽음이 다가올수록 침착해져 가는 내 모습이 신기하다. 창밖의 거리는 어제의 참혹한 모습을 그대로 간직하고 있었고 정신을 차려 보니 어느새 나도 하염없이 거리를 걷고 있었다. 마치 시간이 멈춘 듯한 서울의 거리로 날아드는 햇살을 음미하며 한강변을 걷고 있을 무렵 무엇인가가 내 시야에 들어왔다. 사람 하나 없는 다리

끝 난간에 매달려 바람에 나부끼듯 휘청거리고 있던 건 스무 살쯤 되어 보이는 젊은 청년이었다. 그 젊은 청년을 발견하자마자 나는 잰걸음으로 청년이 있는 다리 위까지 달려갔다. 청년은 내가 온 것을 아는지 모르는지 그저 멍하니 흐르는 강물을 바라보고만 있었다. 강물 소리만 흐르던 고요 끝에 소년이 결심했다는 듯 난간 위에 몸을 실었다. 그 순간 내가 재빠르게 튀어나가 청년을 붙들고 버둥거리는 청년을 내동댕이쳤다. 청년이 고통스러워하며 신음 소리를 내고 있을 때 나는 난간을 막고 서서 그에게 대화를 시도했다.

"야야, 그 나이에 뭘 죽으려 그래."

그러자 청년이 나를 쏘아보며 말했다.

"아저씨, 정의로운 척하지 마요. 어차피 아저씨, 저 3일 뒤면 다 죽어요. 지금 막아 봤자 다 뒤진다고. 그걸 나보고 어쩌라는 거예요?"

소년의 말이 나를 크게 뒤흔들었다. 그의 말마따나 내가 지금 이 청년을 막아 봤자 3일 뒤면 죽게 되는 거 아닌가. 그렇다면 내가 과연 이 청년을 막는 게 맞을까? 고작 며칠 간의 삶을 위해? 복잡한 머릿속과 달리 입에서는 어디선가 들어 본 듯한 '모범적인' 답변이 나왔다.

"지금 삶을 포기하면 남은 3일을 보내지 못할 거야. 마지막인 만큼 무언가 해보고 싶지 않아?"

최악이었다. 청년에게 나는 '살 만큼 산 고지식한 아저씨'로 보일 것이다. 내가 머뭇거리는 사이, 그 젊은 청년이 일어나더니 옷에 묻은 흙먼지를 탁탁 털었다. 청년은 나를 빤히 바라보더니 뜬금없는 질문을 했다.

"아저씨, 아저씨는 자살이 더 나아요? 아니면 운석에 맞아 죽는 게 나아요?"

그의 말에 내가 답했다.

"난 기왕이면 운석에 죽을래. 어차피 죽어야 된다면 내 손으로 죽는 것 보다야 운석에 죽는 게 낫지."

나의 말을 들은 청년은 깊게 고심하는 듯했다. 그의 심정을 눈치챈 나는 그의 결정을 굳히는 마지막 쐐기를 박았다.

"야, 그리고 자살하면 천국도 못 간다. 신과 함께. 뭐 그런 것 봤지?"

나의 말에 그는 살짝 웃어 보이더니 이내 진지한 표정으로 말했다.

"알았어요. 자살. 그딴 거 안 할게요. 사실 뛰어내리기 직전까지 생각했거든요. '죽고 싶지 않다' 라고. 그래서 가만히 강물만 바라보고 있었어요. 그리고 뛰어내리기 직전에 아저씨가 오셨죠. 그 뒤는 아시다시피에요."

몇 초간의 정적이 이어지고 다시 그가 말을 이었다.

"세상이 멸망한다는 이야기를 듣고 반쯤 패닉 상태였어요. 저는 딱히 가족도 없고 애인이나 친구 하나 없는 평범한 취준생일 뿐이니까요. 누구도 저한테는 관심이 없는 줄 알았어요. 그런데…. 그런데 아저씨가 왔어요. 관심을 가져줬어요. 저를 말려 주셔서…. 감사해요."

말을 마친 그는 감정이 북받쳐 올랐는지 잠깐 동안 흐느꼈다. 비로소 그의 눈물이 멈췄을 때 내가 그에게 말했다.

"따라와. 일단 이 무시무시한 곳을 벗어나자고."

내 말을 들은 그는 훌쩍거리며 고개를 끄덕였다. 그를 데리고 몇 분쯤 걷자 작은 마트가 나왔다. 나는 그를 잠시 기다리게 한 다음 마트로 들어가 재빠르게 사과를 두 개 집었다. 그리고 나서 마트 앞에 멀뚱멀뚱 서 있는 청년에게 사과를 한 알 내밀었다. 사과를 받은 그는 어리둥절한 표정으로 나를 바라보다 말했다.

"이게 뭐예요?"

내가 말했다.

"뭐긴 뭐야. 사과지. 그런 말 안 들어 봤어? '내일 지구가 멸망하더라도 나는 한 그루의 사과나무를 심겠다'고."

어제 마주친 그녀의 말을 인용해 대답했다. 나의 대답에 그는 수긍하듯 사과를 한 입 베어 물었다.

"자, 이제 됐지? 남은 삶도 멋지게 살면 되는 거야. 뭐, 할 거 없으면 사과라도 먹든지. 그럼 간다."

나도 사과를 베어 물며 길을 걸었다. 언뜻 뒤를 돌아보니 청년이 나를 바라보며 어쩐지 슬픈 듯한 미소를 짓고 있었다. 생각해 보니 이대로 보내면 안 될 것 같은 기분이 들었다. 혹시 '그가 다시 자살을 시도하려고 한다면? 그때 아무도 주위에 없다면?' 생각이 들자마자 재빨리 왔던 길을 되돌아와 아직도 마트 앞에 서 있는 청년에게 내 스마트폰을 내밀었다.

"야, 번호. 너가 다시 자살이라도 하면 내가 두 발 뻗고 못 자잖아. 빨리 적어."

내 말을 들은 그는 건네받은 스마트폰을 꾹꾹 눌렀다. 그에게 번호를 받은 뒤 그에게 마지막 한 마디를 건넸다.

"마지막 날에 전화 걸 거니까 죽지 마라."

내 말을 들은 그는 말없이 미소 지으며 고개를 끄덕였다. 어느새 한강에는 어둑어둑 해가 지고 있었다.

9월 13일 월요일.

지구 멸망까지 D-2일. 거지 같은 월요일이다. 오늘은 알람 시계 없이도 7시에 일어났다. 지난 5년 간의 사회생활이 헛되지 않았다는 건가. 그건 그렇고, 오늘은 왠지 창 밖의 하늘이 우중충해 보이더니 갑자기 비가 내린다. 창밖의 건물들은 가을비에 적셔지고 유리조각들과 쇳조각들은 빗물에 씻겨 내려간다. 평소 같았으면 이런 날에는 밖을 잘 나가지 않았지만 왠지 오늘은 밖에 나가고 싶어 진다. '아마 내 인생에서의 마지막 비가 아닐까?' 생각을 하며 우산과 사과 두 알(혹시 누군가를 만난다면 건네 줄 용도로)을 챙겨 들고 집 밖을 나섰다. 비가 오는 거리는 늘 보던 일상 속의 거리와는 달리 스산했다. 몇 분쯤 걸었을까. 초가을 특유의 선선한 바람과 함께 불어오는 빗방울이 한층 더 거세지자 빗방울은 내 바지를 적셨다. 나는 거센 빗방울을 피해 작은 버스 정류장으로 걸어 들어갔다. 버스 정류장에 들어서니 안에는 서른 초반쯤, 어쩌면 더 젊을 수도 있어 보이는 한 남자가 떨어지는 빗방울을 바라보며 앉아 있었다. 요즘 버스는 운영되지 않으니 아마 이 남자도 비를 피해 이 작은 버스 정류장까지 흘러 들어온 것이리라. 그와 눈이 마주치자 그가 먼저 내게 인사를 건넸다.

"안녕하세요."

"안녕하세요."

나도 작게 읊조렸다. 나의 말을 들었는지 못 들었는지 그는 다시 시선을 앞으로 돌리며 떨어지는 빗방울과 흐르는 빗물을 바라보았다. 그런 그의 모습을 지켜보며 나도 그와 두 칸을 띄고 앉아 밖을 바라보았다. 오 분쯤 지나도 비는 억수같이 쏟아졌고 나는 그와의 어색한 공기를 바꾸기 위해 그에게 말했다.

"장마철도 지났는데 비가 오네요. 지구 멸망이 사실인가 봐요."

'마지막 말은 붙이지 말 걸 그랬나.'하고 생각하면서 그의 반응을 살폈다. 그러나 그는 마치 내 말을 못 들은 것처럼 묵묵부답이었다. 한층 더 무거워진 공기를 느끼며 앉아있을 무렵, 빗발이 눈에 띄게 줄어들었고 나는 버스 정류장 구석에 접어 둔 우산을 펼쳐 들고 정류장을 나섰다. 그러나 정류장을 나선 지 몇 분 만에 하늘이 뚫린 듯 비가 쏟아졌고 나는 어쩔 수 없이 다시 버스 정류장으로 돌아왔다. 버스 정류장에 들어서니 역시나 그 남자가 아직 남아 있었다. 그는 내게 아까처럼 인사를 건넸고 약간의 말을 덧붙였다.

"나가신지 몇 분 안 돼서 돌아오셨네요. 비가 많이 오네요. 세상이 진짜 멸망하려나 봐요."

그가 장난스럽게 말했다.

"그러게요, 장마철도 지났는데 말이에요."

내가 말했다. 내가 말하고 있는 동안 그는 특이하게도 내 입을 뚫어져라 쳐다보았다. 내가 은연 중에 불쾌감을 드러냈던 건지 무언가를 눈치챈 그가 난처하다는 듯이 웃음을 지으며 말했다.

"불편하시죠? 저, 귀가 안 들리거든요. 입 모양을 자세히 보지 않으면 대화가 안 돼요."

상상치도 못한 말에 나는 말을 잃고 가만히 서 있었다. 그 모습을 보던 그는 쓴웃음을 지으며 고개를 돌렸다. 나와 그의 사이에는 고요한 침묵이 감돌았고 침묵 속에 끼어든 빗소리만이 고요하고 시끄럽게 울렸다. 그렇게 십 분이 흘렀다. 빗발이 조금씩 옅어지더니 어느새 비가 그쳤고 먹구름이 점차 걷혔다. 먹구름이 걷힌 하늘은 언제 그랬냐는 듯 맑고 높은 가을 하늘이었다. 햇빛이 날아들자 나와 내 옆의 남자가 거의 동시에 일어났다. 우리는 서로 마주 보며 인사를 건넸다. 서로에게 인사를 하고 길을 떠나기 직전 내 가방 안에 있는 사과 두 알이 떠올랐다. 나는 반대편을 걷고 있는 남자의 등을 툭툭 건드렸고 뒤를 돌아본 그에게 큼지막한 사과를 쥐어 주었다. 당황하는 그에게 내가 최대한 또박또박 바른 입모양으로 말했다.

"보시다시피 사과예요. 받아요."

그래도 어리둥절해 하는 그에게 내가 '그런 말이 있잖아요? 내일 지구가 멸망하더라도 나는 한 그루의 사과 나무를 심겠다. 뭐. 그런 거.'라고 덧붙이자 그는 이해했다는 듯 미소를 지으며 고개를 끄덕였다. 그가 사과를 들고 돌아서려던 때 내가 그에게 말했다.

"혹시 수요일 날 일정 있으세요?"

그가 나를 보며 고개를 저었다.

"그럼 수요일 오후에 한강공원으로 오실래요? 물론 안 오셔도 상관없지만. 그래도 삶의 마지막 날에 외롭지 않은 추억을 만들고 싶어요.

죽어서도 기억할 만한."

나의 마지막 말에 그는 지금껏 지은 미소 중 가장 밝게 미소 지으며 말없이 고개를 끄덕였다.

9월 14일 화요일.

지구 멸망까지 D-1일. 마지막 남은 하루. 눈을 뜨자마자 본 시계는 벌써 열두 시를 가리키고 있다. 늦잠인가. 그래도 점심까지 푹 잔 탓에 머릿속은 맑게 갠 듯 개운하다. 상쾌함을 느끼며 아침 겸 점심을 간단하게 때우고 얇은 바람막이를 챙겨 밖으로 나간다. 맨날 걷던 길을 나와 걸으니 그나마 깔끔한 거리가 나온다. 아니, 정확히는 다른 엉망진창인 거리들과 달리 영업 중인 가게가 하나 있다고 하는 게 나을 것이다. 세상이 멸망하기 하루 전에도 영업을 하는 그 가게는 작은 카페였다. 오늘은 카페에서 시간을 때우기를 결심한 나는 자연스럽게 카페 안으로 들어갔다. 카페에 들어서자 시원한 에어컨 바람과 함께 '안녕하세요!' 라는 밝고 명랑한 목소리가 나를 반겼다. 목소리가 들리는 카페 카운터에는 한 여자가 앉아 있었다. 짧은 흑단발에 은은한 갈색 눈동자. 카페 유니폼을 단정히 차려 입은 그녀는 웃으며 나를 반겼다. 나는 주저 없이 카운터로 걸어갔다.

"주문 도와드릴까요?"

그녀가 밝게 웃으며 말했다.

"아이스 아메리카노…. 아니, 아이스 카라멜 마끼아또로 주세요."

내가 말했다. 평소라면 메뉴판 따위 무시하고 아이스 아메리카노를 시켰을 터이지만 오늘은 뭔가 다른 걸 마시고 싶어졌다. 계산을 마치고 느긋하게 밖을 보며 앉아 있자 주방에서 그녀가 말을 걸어왔다.

"첫 손님이에요."

"네?"

"첫 손님이요. 저희 가게 오픈한 지 오늘로 딱 5일째인데. 손님이 저희 가게 첫 방문자세요."

"아…. 그렇군요."

"성인이 되고 나서 나만의 카페를 차려보고 싶다는 꿈이 있었는데 꿈을 이루기에는 너무 늦었었나 봐요. 오픈하고 하루 만에 지구가 멸망한다니 청천벽력 같았죠."

그녀가 씁쓸하게 말했다.

"용케 장사를 하시고 계시네요."

내가 말했다.

"어차피 제 주변엔 가족들도 없고 끽해야 친구 조금이었거든요. 친구들은 가족들 본다고 가버렸고 저는 이렇게 남아서 카페를 운영하고 있죠. 보시다시피 파리만 날리지 만요."

그녀가 힘차게 말했다. 곧이어 그녀가 쟁반을 들고 나에게로 왔다. '여기 주문하신 카라멜 마끼아또 나왔습니다.'라고 말하는 그녀의 목소리에는 설렘과 기쁨, 안도감이 숨어 있었다. 그녀는 내게 음료를 내밀고는 말없이 카운터로 돌아갔다. 나는 말없이 음료를 홀짝이며 가만히 밖을 바라보았다. 몇 시간이 지났을까. 따분하다는 듯이 카운터에 앉아있던 그녀가 내게 다가왔다. 그녀는 내 옆자리를 가리키고는 '옆에 앉아도 될까요?' 라고 물었다.

"물론이죠."

내가 창문에서 눈을 떼지 않고 답했다. 그녀는 조심스럽게 의자를 꺼내 내 옆자리에 살포시 앉았다. 그녀는 내 옆에 앉자마자 몇 가지 말들을 건넸다. 오락가락하는 요즘 날씨 다사다난했던 예전 회사생활, 처음 카페를 열었을 때의 기쁨, 오픈 첫 날의 쓰디쓴 실패, 세상의 멸망에 관한 이야기까지. 그녀는 쉴 새 없이 떠들었고 나는 옆에서 가만히 들으며 가끔 고개를 끄덕이거나 맞장구를 칠 뿐이었다.

"내일 세상이 정말 멸망할까요?"

그녀가 모든 말을 마친 후 물었다.

"아마 그러겠죠. 모두가 안 그러기를 바라지만."

내가 답했다.

"놀라우실 만큼 침착하시네요."

그녀가 말했다.

"에이, 이 난리에 꿋꿋이 가게 장사하는 사람보다야."

내가 말했고 한동안 정적이 감돌았다. 곧이어 그녀가 정적을 깨고 카운터로 걸어갔다. 카페에서 몇 시간을 보낸 건지 벌써 밖에는 해가 어둑어둑 지고 있었고 그녀는 마감 준비를 하고 있었다. 나는 다 마신 음료를 들고 카운터로 걸어갔다. 그녀에게 음료를 건네고 내가 조심스럽게 말했다.

"혹시 내일도 카페 운영 하나요?"

그녀가 잠시 고민하다가 말했다.

"네!"

"그럼 내일 주문 좀 하려는 데, 혹시 여기 카페 번호 있을까요?" 내가 묻자 그녀는 카운터 서랍을 뒤지더니 카페 전단지를 내밀었다.

"여기요! 주문하시려면 언제든 전화주세요!"

그녀가 마지막까지 밝고 싹싹하게 말했다. 전단지를 전해 받은 나는 그녀에게 '내일 배달시킬게요.'라는 말을 남기고 카페를 나왔다. 뒤에서 '안녕히 가세요!' 라는 씩씩한 목소리가 들려왔다. 어둠이 내린 골목길을 뒤돌아보자 유일하게 불이 켜진 작은 카페가 눈에 들어왔다. 지저분한 거리에 혼자서만 밝게 빛나는 카페는 밤바다에 외로이 빛나는 등대 같았다.

9월 15일 수요일.

지구 멸망까지 D-0. 운명의 그날. 나는 눈을 뜨자마자 엉망인 거리를 걸어 대형 마트에 도착해서 재빨리 장을 보고 집으로 되돌아왔다. 집에 도착하자마자 계단을 타고 4층까지 올라가 문을 두드렸다. 문은 몇 번을 두드려도 반응이 없었다. 다시 돌아가려던 그때. 다급히 문이 열리며 4일 전에 본 여자가 얼굴을 내밀었다. 그녀는 나의 얼굴을 보고는 웃으며 말했다.

"이제야 오셨네요. 솔직히 잊어버리신 줄 알았어요. 저번에 제가 밥 한번 대접해드린다고 했죠?"

"맞아요. 그런데 여기서는 아니고 이따가 한강 공원에서. 괜찮으실까요?"

내가 말했다.

“오. 야외네요? 좋죠. 마지막 날이기도 하고 밖에서 먹는 것도 낭만 있겠네요. 그런데 저희 재료가 있을까요?”

그녀가 물었다.

“그거라면 걱정하지 마세요.”

내가 손에 들고 있는 묵직한 장바구니를 들어 보였다. 그녀는 내 손에 장바구니를 보고는 놀라는 기색을 감추지 못했다. 그녀는 나를 자신의 집 안으로 들이고 주방에서 내가 사 온 재료들을 하나하나 살펴보았다.

“이건 샌드위치 재료들이네요?”

그녀가 말했다.

“맞아요. 아무래도 샌드위치가 밖에서 먹기 편할 것 같아서.”

내가 말했다. 재료를 다 살핀 그녀는 ‘이거 2인분 아니죠? 딱 봐도 4~5인분은 족히 되 보이는데.’라고 말했다.

“맞아요. 앞으로 3명이 더 모일 건데. 괜찮으세요?”

내가 물었다. 그녀는 내 물음에 고민하더니 이내 미소를 지으며 말했다.

“네, 괜찮죠! 사람은 많을수록 좋잖아요?”

그녀의 말에 나도 힘이 났다. 그녀와 함께 5인분짜리 샌드위치를 요리하고 포장용기에 담아 한강공원으로 떠날 준비를 했다. 그녀가 나갈 채비를 하는 동안 나는 휴대폰으로 전화를 걸었다. 몇 번의 신호음 끝에 3일 전 다리에서 만났던 남자의 목소리가 들려왔다.

"여보세요?"

"어, 생명의 은인인데. 할 거 없으면 한강공원으로 나와라."

뒤에 그가 무어라 말하는 것 같았지만 나는 내 할 말을 전하고 매몰차게 전화를 끊었다. 전화를 마친 후 나와 그녀는 샌드위치를 챙겨 한강 공원으로 향했다. 걸어가는 도중 그녀가 말했다.

"생각해보니까, 음료가 없네요. 가는 길에 사 올까요?"

"아뇨, 음료는 시킬 겁니다."

내가 말했다.

"지금 영업하는 가게가 있긴 있어요?"

"있습니다. 아주 맛있는 카페죠."

그녀의 물음에 내가 답했다. 그녀는 의아해하며 계속 걸었다. 오후 3시쯤 우리는 한강공원에 도착했고 그곳에는 젊은 청년과 버스 정류장에서 만났던 남자가 서 있었다. 신기하게도 그들은 벌써 꽤 많은 이야기를 나눈 것 같았다. 우리는 잔디밭에 돗자리를 깔고 앉았다. 그 다음 나는 어제 들른 카페에 전화를 걸어 음료 다섯 잔을 배달시켰다. 수화기 너머 반대편의 들뜬 목소리가 어제 만난 그녀를 떠올리게 했다. 카페가 공원과 가까웠던 탓인지 어제 카페에서 만났던 여자는 10여 분 만에 도착했고 우리와 함께 놀자는 제안을 받아들였다. 그렇게 우리 다섯 명이 모였다.

"먼저 통성명부터 하죠."

내가 말했다.

"아, 저 먼저 할 게요. 저는 스물여덟 살 이연우라고 합니다."

대형마트에서 마주친 여자가 말했다.

“저는 스물둘 박주민입니다.”

다리에서 만났던 남자가 말했다.

“어, 저는 서른하나 서인호라고 합니다.”

버스정류장에서 만났던 남자가 말했다. 서인호의 나이에 박주민은 많이 놀란 것처럼 보였다.

“저는 스물아홉 김진아라고 합니다.”

카페에서 만난 여자가 말했다. 마지막으로 나의 차례였다. 모두의 부담스러운 시선을 느끼며 내가 말했다.

“서른둘 정진호입니다.”

내가 말했다. 내가 제일 연장자였다. 통성명을 하고 우리는 해가 질 때까지 떠들었다. 각자의 삶을 이야기하고 같이 웃어주고 울어주는 뭐 그런 자리였다. 그렇게 몇 시간이 지나고 하늘은 주홍빛으로 물들어 갔다.

“아직까지 유성은 안 보이네요. 좀 더 어두워져야 보이려나.”

연우가 말했다.

“어차피 서울은 밝아서 잘 안 보일 것 같아요.”

주민이 말했다. 둘의 대화를 들은 우리는 빠르게 물들어가는 하늘을 바라보았다.

“해가 지네요. 이게 제가 보는 마지막 노을이겠죠?”

진아가 말했다. 그녀의 말마따나 태양은 빠르게 저물어갔고, 우리의 앞에는 밤의 어둠이 들이닥치고 있었다. 마침내 세상이 까맣게 물들자 수많은 건물들이 불을 켜며 밤을 장식했다.

“불빛이 아름답네요. 물론 빛이 없어야 유성이 더 잘 보이겠지만.”

인호가 말을 마친 순간. 갑자기 모든 건물의 불빛이 하나 둘 꺼지더니 마침내 서울의 모든 건물의 불이 꺼졌다. 정전이었다.

“정전이네요. 뭐 지금까지 버틴 것도 대단하다 해야 하나.”

내가 말했다. 내 말을 들은 사람들은 모두 수긍했다는 듯 고개를 끄덕이곤 물끄러미 하늘만 바라보았다. 몇 분이 지났을까? 칠흑 같은 하늘 가운데 밝게 빛나는 점들이 보였다. 유성우였다. 유성우가 점점 지구를 향해 다가오고 있었다. 우리에게 죽음을 선사할 별들의 무리는 별똥별처럼 아름다운 광채를 내뿜으며 하늘을 장식했다. 형언할 수 없는 아름다움이었다.

“우아, 죽기 전에 이런 걸 다 보네요.”

아름다움에 감탄하며 연우가 말했다.

“벌써 죽기는 싫지만 말이에요.”

주민이 말했다.

“다음 생이 있다면, 좀 더 열심히 살아야겠어요.”

그가 덧붙였다.

“저도요.”

진아가 말했다.

“저는 다음 생에 자유롭고 싶어요.”

인호가 말했다.

“그럼, 다음 생이 있기를 빌어 보죠. 더 나은 삶을 위해 건배!”

내가 외쳤다.

"건배!"

내 주위의 사람들이 다시 외쳤고 우리는 잠시 동안 웃었다. 찰나의 시간이 지나고 유성우가 우리의 코앞으로 다가왔다. 내가 말했다.

"다들 와 주셔서 감사했어요."

"아뇨, 불러 주셔서 감사했어요."

주민이 말했다.

"저도요! 제 카페에 와주신 것도요!"

진아가 이어서 말했다.

"그 부분에 대해서는 저도 감사를 드리고 싶어요."

인호가 나지막이 말했다.

"그러게요. 삶의 마지막 페이지를 예쁘게 꾸며 주셔서 감사해요."

채영이 말했다. 유성들이 대기권을 뚫고 들어왔다. 작은 유성들이 하나둘 저 멀리 떨어졌고, 폭발음과 비명 소리가 귀에 맴돌았다. 죽음이 코 앞까지 다가온 지금 이 순간에도 우리는 서로 눈을 마주치며 말했다. 눈가에 따뜻한 눈물이 넘쳐 흘렀다. 하지만 입가에는 옅은 미소만 맴돌 뿐이었다.

"우리, 다음 생에서 만나요!"

콰앙.

그날, 우리의 세상은 멸망했다. 그러나 우리는 사라지지 않았다. 분명 광활한 우주의 어딘가에서 살아 숨 쉴 것이다. 기적처럼 다시 만날 날을 고대하면서.

지금 우리는

김수아

#1.

2학년 2학기 새학기가 시작된 오늘, 나는 들뜬 마음으로 반에 들어갔다. 1학기 때 사귄 친구들이랑 반이 다 떨어져 기분이 썩 좋진 않았지만 '괜찮겠지. 괜찮겠지.'하며 반으로 들어갔다. 나는 창문 옆자리를 선호해서 반에서 중간쯤 창문 옆자리로 자리를 잡았다. 조회가 시작했는데 내 옆자리엔 아무도 앉지 않았다. 조회 시간이 끝나고 앞문으로 어떤 남자애가 들어왔다. 잘 생겼다. 남은 자리가 내 옆자리밖에 없었는지 내 옆으로 성큼성큼 걸어왔다.

"안녕? 난 이혜주야. 네 이름은 뭐야?"

남자애가 잠깐 쳐다보더니 짧게 이름을 알려줬다.

"박도영."

"아. 그렇구나."

도영은 가방을 책상 옆쪽에 걸고 자리에 엎드렸다. 계속 말을 걸고 싶었지만 귀찮아 하는 것 같아 더이상 말을 잇지 못했다. 그 이후로 일주일이 지났다. 박도영과는 개학 첫날 나누었던 통성명이 처음이자 마지막 대화가 되었다. 더 말하고 친해지고 싶었지만 그럴 때마다 계속 잠만 자고 있었기 때문에 더 말을 할 수 없었다.

개학한 지 한 달이 지나고 나는 여전히 박도영과 친해지지 못했다. 대화도 기껏 해 봤자 숙제 어디냐, 책 몇 쪽이냐 이런 대화 뿐이었다. 어차피 수업 안 들으면서. 한 달 동안 반에서 친구도 만들고 담임 선생님도 괜찮고. 모든 것이 다 잘 흘러가고 있었다.

"야, 이혜주. 매점 가자."

반에서 제일 먼저 친해진 친구 민정이가 물었다.

"가자. 나 배고팠어."

매점을 다녀오고 반으로 들어가 민정이와 이야기를 나누고 있었다. 그때 밖에서 비명소리를 시작으로 이상한 소리가 들리기 시작했다.

"엥. 저게 뭔 소리야."

민정이가 교실 문 밖으로 나갈 때 민정이의 비명소리와 함께 피부색이 창백하게 변하기 시작했다. 반 아이들은 놀라 다들 소리를 지르며 도망갔고 복도를 나가보니 민정이처럼 변한 학생들이 우리반 쪽으로 달려오고 있었다. 나도 급하게 반을 나가려다 내 옆자리에 혼자 엎드려 자고 있는 박도영이 보였다. 나는 급하게 박도영의 손을 잡고 교실 밖으로 빠져나왔다.

"야! 이게 무슨 일이야."

"나도 몰라! 일단 뛰어!"

나와 박도영이 달리는 사이 뒤에선 비명소리와 함께 좀비로 변해가는 학생들의 목소리가 들렸다. 살려 달라는 소리도 들리고 울부짖는 소리도 들렸다.

나와 박도영은 좀비가 없는 음악실 쪽으로 향했다. 음악실에 들어가니 좀비로 변하지 않은 학생들 몇 명이 귀를 막고 벌벌 떨고 있었다. 나는 음악실 방음을 뚫고 나오는 학생들의 비명소리에 귀를 막고 가만히 수그리고 있었다. 옆에 인기척이 느껴져 슬쩍 고개를 돌리니 박도영이 앉아 있었다.

"괜찮아. 너무 무서워하지마."

박도영이 나를 달래기 시작했다. 개학 날 이후로 처음 말해봤다. 날 진정시키려고 한 말 같았는데 박도영의 손도 떨리고 있었다.

그때 음악실 문을 두드리는 소리와 함께 살려 달라며 우는 소리가 들렸다.

"제발 문 좀 열어주세요!!"

"열어줘야 하지 않을까요…?"

살려 달라는 말을 듣고 마음이 약해진 건지 일학년 학생이 이렇게 말하더니 갑자기 뒷문을 열었다. 뒷문을 연 순간 이미 좀비에게 물려 감염되고 있는 학생들 뒤로 이미 좀비가 된 학생들과 선생님들이 음악실 안으로 들어오려고 했다. 그 광경에 나는 일어나 앞문으로 나가려는

데 다리가 풀렸는지 움직이지 않았다.

"야! 이혜주, 뭐해?"

"아니, 나 다리가 안 움직여."

그 말을 들은 박도영이 내 손을 잡고 음악실 밖으로 향하기 시작했다. 중간중간 힘이 풀릴 때마다 박도영이 말했다.

"빨리 뛰어. 살아야지."

"응."

나는 박도영의 침착한 말에 다시 한번 힘을 주고 뛰기 시작했다. 뛰면서 잡은 박도영의 손은 떨리고 있었다. 좀비가 없는 곳으로 뛰다 문뜩 어제 민정이와 호기심에 가 본 옥상문이 열려 있다는 것을 기억했고, 나는 박도영에게 말했다.

"옥상으로 올라가자. 옥상 문 열려 있어. 옥상에 있으면 구조대원이라도 발견하고 구해주지 않을까?"

박도영은 내 말을 듣자마자 망설이 없이 바로 옥상으로 향했다. 우리는 어른들이 우리를 구해줄 거라는 믿음 하나만으로 옥상을 향해 전력을 다해서 달렸다. 옥상으로 가는 중 반에 있던 좀비 떼가 우리를 향해 달려왔다. 우리는 겨우 옥상에 도착했고 따라오는 좀비 떼들이 못 들어오게 옥상문을 잠가 버렸다. 그 좀비 떼 중에 민정이도 있었다.

옥상에 도착하자마자 다리에 힘이 풀려 그대로 주저앉아 울기 시작했다. 이 모든 상황이 너무 무섭고 갑작스러웠다.

#2.

옥상에 도착해 울고 있었을 때 박도영이 내 손을 잡아주었다. 한참 울고 난 후 목이 말라왔다.

"아, 목마르다."

"어, 목말라? 여기 물."

어디서 난 건지 박도영 손에는 물과 과자 같은 먹을 것들이 담겨있는 봉지가 손에 들려 있었다. 나는 박도영이 준 물을 벌컥벌컥 마시고 박도영에서 물었다.

"이거 다 어디서 났어?"

"이거 아까 음악실에서 가져왔어. 거기 남아있는 애들이 챙긴 거 같던데."

"아…. 훔쳤구나…."

"훔쳤다니."

"아, 장난 장난ㅋㅋ."

어느새 보니 나는 박도영과 장난을 치고 있었다. 지금까지 계속 옆자리였는데 이번이 제일 오랫동안 이야기한 것 같다. 해가 지고 점점 추워지기 시작했다. 10월 밤이 이렇게 추웠나?

"아. 춥다."

"어, 추워?"

추워하는 나를 보고 자기가 입고 있던 후드티와 웃옷을 벗어주었다. 나는 그런 박도영을 계속 말리다 후드티만 받아 입었다. 그래도 추워서 손을 떨고 있으니 말없이 손을 잡아주었다. 따뜻했다.

"박도영 너는 안 추워?"

"응. 나는 괜찮아."

"음…. 추워 보이는데."

"괜찮다니까."

박도영 아까부터 자꾸 괜찮다고 말하고 괜찮은 척 아무렇지도 않은 척하는데 손을 보면 계속 떨리고 있었다.

"박도영, 너 초등학교 어디 나왔어?"

"아…. 나 너랑 같은 초등학교 나왔는데."

"응? 너랑 나랑 같은 반이었다고?"

박도영같이 잘생긴 애가 같은 초등학교를 나왔다니.

"근데, 난 너 본적 없는데?"

"아, 그래? 너 6학년 3반아니었어?"

"엥? 어떻게 알았지."

"아니. 나 너와 친구였는데."

"설마? 너가 그 박도영이라고??"

기억이 났다. 초등학교 6학년 때 같은 반이어서 잠깐 친하게 지낸 친구였다. 초등학교 때는 이렇게 잘생긴 지 몰랐는데…. 중학교 올라오고 연락이 끊겨서 잠시 박도영의 존재를 잊고 지냈다.

"응. 기억났다."

"응! 진짜 오랜만이다."

이런 저런 이야기를 하나 옥상에서 마을을 바라봤다. 5층 높이여서 그런지 잘은 안 보였는데 학교 밖 마을도 좀비로 난리가 난 것 같다. 바닥에 깔린 좀비를 위로 건물들이 반짝이고 있었다.

"예쁘다."

"응?"

"아니…. 우리 마을 예쁘다고. 이렇게 보는 건 처음인데."

"지금 이 상황에서 그런 생각이 나?"

"그럼, 여기서 무슨 생각을 해."

"아, 맞다. 가족들. 잘 있을까?"

박도영의 말에 또 눈물이 나왔다. 우리 엄마랑 아빠. 이제 막 5살이 넘은 막둥이 동생이랑 강아지 뽀삐랑…. 잘 있을까? 내가 울기 시작하자 박도영이 당황한 표정으로 어버버하더니 조용이 날 안아줬다. 나는 박도영 품에서 울다 지쳐 잠에 들었다.

#3.

다음날, 박도영이 엄청난 걸 알았다면서 나를 깨웠다.

"내가 어제 새벽에 잠깐 깼는데 대단한 거 하나 알았다."

"뭔데?"

"저기 좀비들 소리에 반응하는 것 같아. 내가 아까 새벽에 잠깐 깼는데 좀비 소리가 안 나서 밑에 봐 보니까 다 그냥 가만히 있더라?"

"그래서?"

"그래서 돌 같은 거 던져봤는데 그쪽으로 달려들더라."

"진짜? 근데 그게 왜?"

"아니, 너 바보야? 소리만 안 나면 조심히 빠져나갈 수 있잖아."

"아, 그러네. 근데 1층까지 소리 한 번 안 내고 갈 수 있을까?"

"매점 5층에 있잖아. 식량이라도 구해야지. 여기서 구조만 기다리다 간 좀비한테 물리기 전에 굶어 죽겠다."

박도영이 가져온 식량이 양이 많은 것도 아니고 물도 다 떨어져가 박도영의 말이 희소식처럼 들려왔다. 배고프다.

"박도영, 너 배 안 고파? 뭐라도 일단 먹자."

"아, 응."

우리는 비닐봉투 안에서 크림빵 하나를 꺼내 반으로 쪼갰다. 쪼갠 빵 조각을 주려고 박도영한테 고개를 돌렸는데 잘생겼다. 원래 이렇게 잘생겼었나? 개학날보다 더 잘생겨진 것 같은데.

"뭐야? 왜 안 줘. 빨리 줘."

멍 때리고 있던 내 손에서 빵 조각을 뺏어 가더니 한입에 넣어 먹기 시작했다. 박도영이 한 말에 급하게 빵을 먹었다. 너무 급하게 먹었나. 사레에 걸렸다.

"야, 괜찮냐?"

"아, 괜찮아. 나 물 한 모금만."

"여기. 아 물 다 떨어졌는데."

물이 떨어졌다는 말에 순간 머리가 멍 해졌다.

"어, 어떡하지. 물 구해 와야 하나?"

박도영이 먼저 말을 꺼냈다. 나는 한참을 고민하다 어차피 식량도 많이 안 남은 거 5층으로 내려가서 물과 식량을 구해오기로 했다.

"문 연다."

"…응."

철컥.

문이 열리고 슬쩍 안을 들여다보니 어제 쫓아오던 좀비 떼는 다른 곳으로 간 것 같았다. 나와 박도영은 서로 눈을 한 번씩 마주치고는 고개를 끄덕이고 건물 안으로 들어갔다. 살금살금 계단을 내려가 5층에 도착하니 복도에 좀비들이 다섯 마리 정도 있었다. 매점은 계단이랑 정 반대쪽에 있어 좀비들을 제치고 매점으로 가야했다. 마음속으로 진정을 한 번 한 뒤에 박도영과 같이 살금살금 발걸음을 떼기 시작했다. 5층엔 미술실, 과학실, 음악실이 차례대로 있었고 그 끝에 매점이 자리잡고 있었다. 겨우 미술실을 지나고 좀비 2마리를 지나갔다. 친구들이랑 뛰어다닐 때는 이렇게까지 안 멀어 보였는데. 과학실을 지나고 음악실을 지나 매점으로 향하던 도중 나무바닥에서 '끼-익' 소리가 5층 복도를 울렸다. 뒤를 돌아보니 좀비 다섯 마리가 한꺼번에 우릴 쳐다봤고 음악실과 과학실, 미술실에 있던 좀비들까지 슬금슬금 나오기 시작했다. 나는 그 광경을 보고 박도영의 손을 잡고 무작정 매점으로 달리기 시작했다. 나와 박도영이 달리기 시작하자 좀비들이 한꺼번에 우리 쪽으로 달려오기 시작했다. 박도영과 나는 죽을 힘을 다해 매점으로 향해 매점 문을 잠갔다. 투명한 매점 문 밖엔 달려오던 좀비들이 매점 문에 달려들고 있었다. 그 모습을 나와 박도영은 가만히 지켜보았고 점차 서리가 줄어들더니 좀비들이 서서히 빠지기 시작했다. 나와 박도영은 서로를 한 번 쳐다보더니 한숨을 쉬고 그대로 주저앉았다. 다행히 매점 안에 다른 좀비는 없었고 그냥 바닥에 피만 조금 묻어 있었다. 문제는 어떻게 다시 옥상으로 올라 가느냐다.

"우리 옥상으로 다시 어떻게 올라가?"

"하…. 일단 매점에 좀 있자."

"매점에 있자고? 그럼 구조를 못 당하잖아."

"…우리 구조 당할지 못 당할지 몰라. 어제 너도 봤잖아. 마을 전부 다 좀비로 뒤 덮이고."

"그렇긴 한데…. 그래도!"

"일단 구조는 나중에 생각하고 일단 매점에 있자. 지금 10월이고 밤 되면 춥잖아. 감기 걸리면 어쩌려고. 그리고 너 목마르다며. 물 먼저 마셔."

"…."

내가 물을 마실 동안 박도영은 매점문과 창문 커튼을 닫고 있었다. 낮인 데도 깜깜했다. 밤 같았다. 밖과 연결되는 창문을 여니 빛이 조금 들어왔다. 밖에 보이는 운동장에는 좀비들이 깔려 있었다. 나와 박도영은 그곳에서 일주일이라는 시간을 버텼다.

#4.

매점에서 지낸 지 3주째. 나와 박도영은 점점 지쳐갔다. 매점에 처음 도착했을 때 다른 생존한 학생이 가져 갔는지 식량이 그리 많지 않았는데 3주 만에 물이 다 떨어질 줄 몰랐다. 나와 박도영은 한참 동안 말이 없었다. 그때 박도영이 입을 열었다.

"우리…. 여기서 나가자."

"응? 여기서 나가자고? 밖에 좀비들은 어쩌고."

"어차피 매점 물도 떨어졌고 수도도 끊겨서 안 나오잖아. 여기서 죽나 좀비한테 물려서 죽나 똑같아."

"그럼 어디로 가게…?"

"…."

박도영은 아무 말도 하지 못했다. 아무 말도 하지 못하는 게 당연하다. 여기서 나가서 살 수 있다는 보장도 없고 그냥 여기서 살아남을 수 있는지 모르겠다. 너무 복잡하다. 지금 어디로 가야할 지도 모르겠고. 그냥 시간이 멈췄으면 좋겠다. 여러가지 생각이 들던 중 박도영이 종이에 무언가를 적고 있었다.

"지금 뭐 쓰고 있는 거야?"

"아…. 있어."

"뭔진 모르겠지만 지금 그걸 할 때는 아닌 것 같은데."

"…."

나와 박도영 사이에 정적이 흘렀다. 한참의 정적 후, 박도영이 또 먼저 입을 열었다.

"우리 방송실로 가자."

"방송실? 방송실은 1층에 있잖아. 어떻게 갈려고."

"모르겠어. 일단 해보자."

"중간에 좀비한테 물리면 어쩌려고."

"…내가 지켜 줄게."

박도영의 지켜준다는 말에 나는 잠시 고민을 했다. 여기서 나가

자고? 박도영이 나를 지켜준다고? 우리가 그 정도로 가까운 사이였나? 박도영 얘 나 좋아하나? 오만가지 생각이 들어 입을 못 열고 있자 박도영이 매점에 있는 과자들을 챙기며 손을 뻗었다.

"나가자. 어떻게든 살아서 나가자."

"…응. 나가자."

나는 박도영의 손을 잡고 심호흡을 한 번 한 후, 조심히 매점문을 열었다. 매점문을 열자 좀비 때가 어슬렁거리고 있었다. 저번 같은 실수를 하지 않기 위해 최대한 조심히 까치발을 들고 복도를 나서기 시작했다. 복도에 있는 좀비들을 마주할 때마다 묘한 감정이 들었다. 좀비가 된 학생들 사이로 내가 아는 사람들의 얼굴이 보였다. 눈을 꼭 감고 앞으로 가기 시작했다.

겨우 5층 복도를 지나고 계단에 도착했다. 계단 사이사이에 좀비들이 조금씩 있었다. 나와 박도영은 조용히 숨을 들이쉬고 계단을 내려가기 시작했다.

#5

나와 박도영은 숨을 죽이고 한 칸 한 칸 계단을 내려가기 시작했다. 4층…. 3층…. 2층…. 방송실은 1층 계단 바로 앞에 있었기 때문에 한 층만 내려가면 된다.

톡.

박도영이 들고 있던 과자박스 하나가 땅바닥에 떨어졌다. 바로 앞인데. 조금만 더 가면 살 수 있는데. 머릿속에 주마등처럼 오만가지 생각이 떠오르기 시작했다. 복도에 있던 좀비들이 모두 나와 박도영을 쳐다 본다. 눈물이 나올 것 같았다. 이제 모든 게 끝이구나 생각했을 때 박도영이 내 손을 잡고 방송실로 뛰어가기 시작했다.

"뛰어!"

"야! 좀비들 오고 있잖아."

"아, 그냥 좀 뛰라니까."

계단 위와 1층 복도에 있는 좀비들이 모두 우리를 향해 달려오고 있었다. 나는 박도영에게 끌려가듯 달려갔다. 눈물을 흘릴 시간이 없었다.

겨우 방송실 앞에 도착했을 땐 양쪽에서 좀비가 달려들고 있었다. 좀비가 거의 물려고 할 때 박도영이 방송실 문을 열더니 나를 방송실 안으로 밀어 넣고 말했다.

"너는 꼭 살아!"

"야! 그게 무슨!"

내가 말을 하려하자 문을 닫더니 이내 문을 못 열게 잠궈 버렸다. 밖에서 좀비한테 물리는 박도영의 소리가 들리기 시작했다.

"야! 박도영! 문 열어!"

나는 울면서 소리쳤다. 잠시 후, 박도영의 고통스러운 소리가 점점 사라졌다. 나는 계속 울었다. 한 달이라는 시간 동안 무서움에 벌벌 떨고 있는 나를 항상 달래 주던 너한테 고맙다는 말 한 번 못하고 보냈다. 박도영 너도 무서웠을 텐데. 고맙다는 말, 미안하다는 말, 좋아한다는 말 한 번 못했다. 사실 박도영이 왜 나를 도와줬는지 모르겠다. 우리가 그렇게 애틋한 사이였나? 박도영이 날 도와줘서 얻는 게 뭐지? 좀비가 처음 나타났을 때 깨워준 게 고마워서 그런가? 그 질문들의 답은 얼마 안되서 바로 알 수 있었다.

한참 울고 있을 때 아까 박도영이 잡았던 손에서 무언가 잡혔다. 눈물을 그치고 확인해 보니 박도영 이름이 써 있는 명찰과 아까 매점에서 끄적이던 종이가 있었다. 종이를 펼쳐 읽어보자 이미 붉어진 눈시울에서 눈물이 쏟아졌다. 종이에는 박도영이 나에게 쓴 편지가 적혀 있었다.

-혜주야 이걸 보고 있다면 내가 네 옆에 없다는 거겠지. 사실 나 너 좋아했었어. 6학년 때 친구 없이 혼자 있던 나를 챙겨준 것도 너였고, 같이 급식도 먹고 학교 끝나고 놀기도 하고…. 그냥 그렇게 놀다 보니까 언젠가부터 좋아졌어. 그래서 언제 고백할지 계속 고민하다 결국 초등학교를 졸업하게 되었더라. 중학교 올라와서 입학식 때 너 봤는데 더 예뻐졌더라. 중학교 올라와서 너한테 고백하고 싶었는데 또 타이밍이 안 맞네ㅋㅋ. 너 정말 많이 좋아했고 계속 좋아할 거야. 그니까 너는 꼭 살아. 나 같은 거 잊고 행복하게 살아.

눈물이 계속 나왔다. 왜 바보같이 박도영이 나를 좋아했다는 사실을 알지 못했을까. 조금만 빨리 알았더라면 이런 후회는 하지 않았겠지. 편지를 읽어 보고 또 읽어 봤다. 박도영이 쓴 편지 안에 있는 꼭 살아 남으라는 말이 머릿속에 들어왔다. 애써 눈물을 참으며 방송실 기계로 다가갔다.

#6.

방송실 기계를 켜서 방송용 마이크를 잡고 눈물을 참으며 입을 열었다.

"살려주세요! 여기 사람 있어요! 제발 살려 주세요!"

방송이 학교 밖으로 울려 퍼졌다. 좀비들이 방송을 듣고 달려오는 소리가 들린다. 이제는 더이상 가만히 있을 수가 없다. 어떻게 든 살아야 했다. 박도영의 희생을 헛되게 할 수 없었다. 다시 한 번 방송용 마이크를 잡고 말했다.

"살려주세요!"

아무리 소리를 쳐도 좀비 소리밖에 더 들리지 않았다. 살 수 없는 걸까 여기서 죽는 건가. 그럼 박도영은…. 나를 위해 대신 좀비한테 물렸는데…. 박도영 생각에 다시 눈물이 났다. 그때 밖에서 좀비 소리가 줄어들기 시작했다. 무슨 일이지 하고 문 쪽으로 다가가니 사람 목소리가 들려왔다.

"안에 사람 있어요?"

"저기요!"

그 사람 목소리는 구조대의 목소리였다. 나는 필사적으로 문으로 달려가 말했다.

"사람 있어요! 살려주세요!"

나는 문을 두드리며 말했다.

잠시 후, 방송실 문이 열리며 구조대원들의 손이 보이기 시작했다. 나는 박도영의 명찰과 편지를 집어 들고 방송실 밖으로 나왔다. 밖에 나와 보니 복도에는 피와 좀비가 쓰러져 있었다. 나는 그 속에서 박도영을 찾으려고 눈을 굴렸지만 어디로 간 건지 찾을 수 없었다. 그렇게 나는 구조대원에 의해 구조되어 집으로 다시 돌아갈 수 있었다.

그 일이 생긴지 몇 달 후, 마을은 언제 그랬냐는 듯 다시 평화로워졌다. 정부에서 좀비들을 없애는 약을 만들어 내어 모든 좀비를 없앨 수 있었다. 그렇다. 박도영은 다시 돌아오지 않았다. 나는 내 친구들, 학교 선생님들과 지인들을 잃었지만 힘들 때마다 박도영이 준 편지를 읽으며 버틸 수 있었다. 박도영은 나를 위해 자신을 희생했다. 박도영의 말대로 살아야 한다. 나를 위해 희생한 박도영을 위해서라도 어떻게든 잘 살아야 한다.

스며드는 것

이랑

11월 말이었다.

정적이 가라앉은 좁은 방 안에서, 존슨은 어머니의 부재를 실감했다. 그녀는 죽었다. 그것도 2년 전 오늘. 집안의 구석구석에서 엄마의 흔적이 아직도 남아 있었다. 부엌 식탁 위에는 그녀가 마지막으로 사용한 찻잔이 있고, 거실의 낡은 소파에는 그녀가 즐겨 앉던 자리가 있다. 하지만 그 모든 것이 이제는 무의미했다. 존슨의 세상은 멈췄다. 그저 멈춰 있을 뿐이었다.

존슨은 멍하니 서 있었다. 엄마가 없는 세상은 비정상적으로 조용했다. 바람소리조차도 귓가에 울리지 않았고 창밖으로 보이는 풍경도 그저 흐릿하게 지나갈 뿐이었다. 살아있다는 실감조차도 나지 않았다.

엄마가 떠난 순간부터 존슨은 무언가 중요한 것을 잃어버린 채 텅빈 공간 속을 떠도는 존재가 되어버린 것이다.

엄마의 따뜻한 미소 다정한 손길 그리고 존슨이 힘들 때마다 곁에서 건네던 말들. 이제 그런 순간들은 모두 과거에 머물러 있었다. 그가 눈을 감으면 그녀의 얼굴이 어렴풋이 떠올랐지만 그 얼굴은 점점 더 흐릿해져 갔다. 기억 속에서도 그녀를 잃어가는 듯한 공포가 그를 휘감았다. 존슨은 더이상 멈춰 있을 수 없었다. 발전하는 세상속에서 뭐라도 해야 했다.

"그렇지만, 내가 엄마 없이 뭘 할 수 있지?"

이미 존슨은 그녀 없이 2년이라는 허송세월을 보냈다. 그럼에도 혼자서 딛고 나아갈 수 없는 이유는 무엇일까. 그가 책장 위 먼지쌓인 사진을 꺼내 들었다. 고등학교를 졸업하고 처음으로 엄마와 단둘이 찍은 사진이었다. 이로부터 5년이라는 시간이 지났지만 존슨은 아직도 이때를 생생히 기억한다.

그날은 눈이 펑펑 내리는 겨울이었고 그녀는 졸업식이 끝날 무렵에 부랴부랴 학교로 찾아왔다. 존슨은 학교 강당의 문턱에 걸쳐 서 있는 어머니를 발견하고 순간적으로 마음이 얼어붙었다. 그녀는 바다에서 막 올라온 듯한 차림새로, 몸에서 짠내가 풍겼다. 다른 학부모들이 깔끔한 정장 차림으로 나란히 앉아 있는 모습과는 대조적이었다. 해녀라는 직업상 어쩔 수 없다는 걸 알았음에도 존슨의 가슴 속에서 복잡한 감정들이 한꺼번에 요동쳤다. 한편으로는 마음 깊은 곳에서부터 안쓰러움이 일어났다. 온종일 바다에서 고된 노동을 하다가도 아들의 중요한 날을 놓치지 않으려 애쓴 어머니의 헌신이 눈앞에 그려졌다. 어머니가 자랑스러워야 마땅하다고 스스로를 설득하려 했지만 그럼에도 불구하고 들끓는 부끄러움은 지울 수 없었다.

그녀의 비린내가 주위 사람들에게까지 닿을까 조마조마했다. 졸업식장에 모인 친구들과 선생님 그들 사이에서 존슨은 본능적으로 작아졌다. 친구들이 혹시라도 뒤돌아 어머니를 보고 웃음을 참지 못할까 걱정스러웠고 이미 몇몇의 시선이 어머니에게 향하고 있다는 것을 알아챈 존슨은 부끄러움과 안타까움 사이에서 고통스럽게 흔들렸다. 어머니를 향한 사랑은 분명했지만 그 순간에는 그 사랑을 감추고 싶었다.

졸업식이 끝나고 사람들 틈에서 어머니를 향해 가까이 다가가면서도 존슨은 눈을 마주치지 못했다.

"집에 게장 해놨어. 가서 먹자."

긴 정적 속에서 어머니가 입을 열었다. 왜인지 전보다 조금 밝아진 기색이었다.

"…알았어."

허기진 뱃속을 달래며 그들이 허름한 집 안으로 들어섰다. 있는 것뿐이라곤 소파 한 짝 뿐인 방안에서 은은한 간장의 짠내가 퍼졌다.

곧이어, 낡은 책상 위로 황금빛의 찬란한 간장게장이 놓였다. 그가 두 눈을 의심했다. 그의 심장이 미친듯이 뛰었다. 게딱지에서 은은하게 빛나는 금빛 윤기가 마치 보석처럼 반짝였고 그 향은 바다의 깊은 품속에서 올라오는 신비로움을 담고 있었다. 그는 그저 한참 동안 그 음식을 바라보았다. 마치 예술 작품을 감상하 듯 손을 뻗는 것조차 아까워 보였다.

“이게, 이게 뭐야…?”

정녕 몰라서 묻는 질문이 아니었다. 생전 처음보는 황금 때깔. 황금빛을 띄우는 게는 그 자체로 눈부신 예술 작품처럼 보였다. 반짝이는 금빛 껍데기는 태양빛을 머금은 듯 영롱하게 빛나고 있었다. 껍질에 맺힌 얇은 간장 소스는 마치 투명한 유리처럼 겹겹이 덮여 있었고 금빛의 부드러운 굴곡을 따라 반사되는 빛은 자연스러운 광채를 더해주었다. 게의 다리마다 선명한 윤기가 흐르며 그 질감은 단단하면서도 매끄러워 손끝으로 느껴지는 생명력을 그대로 전달하고 있었다.

그의 얼굴에 미소가 머금어졌다. 그 어느 때보다 환한 미소였다.

“어때?”

그의 어머니가 어깨를 으쓱거리며 물었다. 말해 뭐해. 황홀하지.

“며칠 전에 전복 줍다가 발견했어. 끝내주지? 엄마도 이런 거 처음 봐.”

그와 마찬가지로 그녀도 적잖이 놀란 눈치였다. 존슨이 황금게를 천천히 집어 들었다. 게딱지는 더 깊은 황금빛으로 마치 보석처럼 빛났다. 게살은 그 딱지 안에 보물처럼 숨어 있었다. 겉은 황금빛 껍질로 감싸져 있었지만 그 속살은 순백에 가까운 은은한 색을 띠며 차가운 윤기 속에 감춰져 있었다. 게딱지를 열었을 때 드러나는 그 순백의 살은 마치 하늘의 구름이 땅에 내려온 것 같은 부드러운 느낌을 주었다.

간장이 스며든 게살은 그 자체로 또 다른 황금빛을 띠고 있었다. 반투명한 색감이 비치는 그 살은 간장의 짭짤한 향과 조화롭게 어우러져 빛나고 있었다. 마치 황금의 정수를 응축한 듯한 그 모습은 한눈에 봐도 고급스러웠으며 입에 넣기 전부터 황홀한 맛을 예고하는 듯했다.

손끝에서 느껴지는 게딱지의 단단함 그 안에 담긴 부드러운 속살 그리고 입안 가득 채우는 풍미가 그의 모든 감각을 자극했다. 그가 평생 추구해왔던 궁극의 쾌락과 마주한 순간이었다.

"그때…."

존슨이 황홀했던 지난 날을 추억하며 쓴웃음을 지었다. 이제는 볼 수도 만질 수도 없는 주름 가득한 그녀의 얼굴이 다시금 떠오르는 것 같기도 했다. 그의 손이 천천히 사진 위에 내려앉았다. 먼지를 털어내는 순간 사진이 책상 위로 떨어졌다. 사진을 집어 올리려던 존슨은 무언가 작은 종이가 사진 뒤에서 떨어지는 것을 보았다. 종이는 낡고 빛바랜 편지였다. 조심스럽게 그 종이를 펼친 존슨의 눈이 커졌다. 그의 손끝이 떨리며 글자를 따라갔다.

'너와 한 번만 더 같이 밥을 먹고 싶어. 한 번만 더 황금게를 먹어보고 싶구나.'

존슨의 가슴속에서 무언가 솟구쳤다. 그는 유서의 마지막 문장을 몇 번이고 다시 읽었다. 어머니가 만들어준 황금게장은 그의 어린 시절의 추억 그 자체였다. 그 맛은 세상 그 무엇과도 바꿀 수 없는 소중한 기억이었다.

존슨은 결심했다.

"황금게장…."

그가 낮은 목소리로 중얼거렸다. 어머니가 마지막으로 남긴 이 소망을 무시할 수 없었다. 그는 결심했다. 반드시 황금게를 다시 찾겠다고. 어머니의 유언이 그에게 남긴 것은 단순한 음식이 아니라 어머니와의 마지막 연결고리였다.

존슨은 황금게장을 찾아 전국 방방곡곡을 헤매기 시작했다. 유서를 손에 쥔 채. 그는 어머니의 마지막 소망을 이룰 수 있을 거란 믿음 하나로 발걸음을 옮겼다. 바다 내음이 짙게 배어 있는 항구도시부터 깊은 산속 마을에 이르기까지 그는 지친 몸을 이끌고 계속 걸었다.

첫 번째로 찾아간 곳은 어린 시절 어머니와 함께 자주 갔던 작은 어촌이었다. 그곳에서 그는 소년 시절의 추억을 떠올리며 부둣가를 걸었다. 바다를 마주한 작은 식당들 사이에서 황금게장을 내놓는 집을 찾으려 했지만 모두들 그에게 고개를 저었다. 누구도 그 황금게장을 들어본 적이 없었다.

"황금게장이라…. 그건 그냥 전설 같은 거야. 젊은이."

한 어부가 말을 던졌다. 존슨은 포기하지 않았다. 그는 배낭을 메고 다시 길을 떠났다. 이번엔 더 먼 곳으로 낯선 도시와 마을들을 향해. 이름도 들어보지 못한 깊은 시골 마을에서부터 동해안을 따라 이어지는 바닷가 마을까지. 존슨은 발길을 멈추지 않았다. 그곳에서도 각양각색의 게장들을 맛보았으나 그 어느 것도 어머니의 황금게장과는 같지 않았다.

존슨은 걸었다. 걷고 또 걸었다. 목적지는 없었다. 그저 바닷가를 따라 무작정 걸을 뿐이었다. 그는 피곤한 몸을 이끌고 한참을 걷다가 외진 길가에 위치한 허름한 간판 하나를 발견했다. 낡은 글씨가 바람에 흔들리는 오래된 가게였지만 그곳에서 풍겨오는 게장 냄새에 이끌린 듯 그는 발걸음을 멈추고 가게 안으로 들어갔다. 눈앞에 펼쳐진 것은 오래된 테이블과 수조가 있는 작은 가게. 하지만 그의 시선은 그보다 더 충격적인 존재에 고정되었다.

"아버지…?"

고등학교 졸업 전 이혼 후로 한 번도 본 적 없던 아버지가 그곳에 있었다. 아버지는 마치 그를 전혀 예상하지 못한 것처럼 한참을 바라보더니 천천히 입을 열었다.

"…여긴 어쩐 일이냐?"

"당신이 알 필요 없어."

매고 있던 가방을 패대기 친 존슨은 입술을 깨물며 수조로 시선을 돌렸다. 그곳엔 수십 마리의 게들이 살아 움직이고 있었지만 그 중 하나는 다른 게들과 확연히 달랐다. 빛나는 황금빛 껍데기를 가진 그 게가 눈에 띄었다. 그는 곧바로 아버지에게 다가갔다.

"이 게. 내가 가져갈게."

아버지는 헛웃음을 지었다.

"몇 십년 만에 만나서 한다는 말이 고작 그거냐? 안돼. 그게 얼마나 귀한 건데."

고민도 하지 않고 거절하는 그의 모습에 존슨의 얼굴이 일그러졌다.

"대신."

그가 말을 이었다.

“너네 엄마, 사망보험금 가져와. 그럼 게든 뭐든 다 주마.”

“…어떻게 그걸 가지고 거래할 수 있어? 그게 당신이 할말이야?”

“돈이 필요한 건 누구나 마찬가지야.”

“너도 알잖아.”

아버지는 무심하게 대꾸하며 의자를 뒤로 젖혔다. 존슨이 분노를 삭이며 주먹을 쥐었다.

“저 게는 내 마지막 희망이야. 당신은 이해 못 해.”

말싸움은 점점 격해졌고 존슨의 분노는 한계점에 다다랐다. 결국, 존슨이 그의 어깨를 거칠게 밀었다.

“지긋지긋해. 네 엄마도, 너도.”

그가 소리쳤다. 순간적으로 존슨의 몸이 벽에 부딪혔다. 그는 비틀거리며 다시 일어섰다. 몸싸움은 점점 거칠어졌다. 아버지는 비웃으며 다가와 다시 손을 뻗었고 그 순간 존슨의 눈에 수조 위의 유리병이 들어왔다. 저거라면….

존슨이 그의 다리를 강하게 걷어찼다. 그는 고함을 내지르며 넘어졌고 곧이어 유리병이 수조 가장자리에 부딪혀 아버지의 머리 위로 떨어졌다.

쨍그랑!

유리병이 머리를 강타하는 소리와 함께 아버지는 그대로 바닥에 쓰러졌다. 존슨은 숨이 멎은 듯 굳어버렸다. 그의 손끝이 떨리며 믿기지 않는 상황에 당황한 얼굴을 하고 있었다. 시간이 얼마나 지났는지 모른

채 그는 다가가 아버지를 흔들어보았지만 이미 숨이 멎은 상태였다.

"이건… 이건 아니야."

그는 주저앉아 소리쳤다. 하지만 곧바로 공포와 당혹감이 머릿속을 채웠다. 더 오래 머물면 안 된다는 생각에, 존슨은 급하게 자리에서 일어났다. 시체를 치워야 했다. 그가 아버지의 다리를 잡고 당겼지만, 그는 자신보다 10kg은 더 나갈 듯한 무게에 쉽사리 들지 못했다.

아버지의 시신을 끌고 가게 밖으로 나가 가게 바로 앞에 있는 바닷가로 향했다. 파도 소리만이 그곳을 채우고 있었다. 바다 속으로 시체를 밀어 넣으며 그의 가슴은 차가운 물결처럼 식어갔다. 존슨은 바닷가에서 아버지의 시신이 바다 속으로 사라져가는 모습을 멍하니 바라보았다. 바다 위로 넘실거리는 파도가 마치 아무 일도 없었다는 듯 그의 앞에서 출렁거렸다. 손끝이 저리고 심장이 얼어붙은 것처럼 아팠다. 그가 저지른 일이 믿기지 않았다.

존슨의 발걸음은 무거웠고 그의 마음은 혼란으로 가득했다. 황금게장을 찾아 떠난 여정이 이제는 끝없는 어둠 속으로 빠져들고 있었다.

고요한 밤. 바람이 불어왔지만 차가운 바닷바람조차 그를 깨우지 못했다. 시간이 얼마나 흘렀는지 모른 채 존슨은 무겁게 무릎을 끌어안고 있었다. 죄책감이 그의 온몸을 짓눌렀다. 그러나 그 감정의 한가운데 한 줄기의 기억이 희미하게 떠올랐다. 어머니의 목소리였다.

"황금게장을… 한 번만 더 먹어보고 싶었단다…."

그 한 문장이 그의 마음속에 다시 불을 지폈다. 그가 여기까지 온 이유. 그리고 황금게장이 무엇을 의미하는지 그는 잊어서는 안 되었다. 아버지를 죽인 충격 속에서도 어머니와의 마지막 약속이 그의 심장을 다시 두드렸다.

존슨은 천천히 자리에서 일어섰다. 비틀거리며 바닷가를 떠나 다시 그 허름한 간장게장 집으로 돌아갔다. 그의 손은 아직도 떨리고 있었지만 발걸음은 이전보다 확고 해졌다. 그가 향하는 곳은 아버지의 시신이 아니라 간장게장집 수조였다.

"황금게."

다시금 어머니의 얼굴이 뚜렷해졌다. 그는 감정을 억누를 수 없었다. 황금게의 찬란한 광채는 그가 겪은 모든 고난과 노력을 한순간에 보상하는 듯했다. 눈가에 맺힌 눈물을 닦으며 존슨은 그 황금빛 생물을 부드럽게 손에 들었다. 이 순간을 위해 그는 얼마나 기다렸던가. 세상이 멈춘 듯 그는 그저 가슴 벅차게 외쳤다.

"엄마!"

그가 한번 더 황금게를 껴안으려던 순간.

"잠깐만!"

'어?'

"존슨… 마이클 존슨 맞지?"

'게가 말을 해?'

"나야! 경자, 김경자!"

'설마'

"아들!"

'엄마?'

김경자.

날 경. 아들 자. 아들로 태어나게 해달라는 부모님의 소망으로 지은 이름이었다. 집안에서 유일하게 여자로 태어나버려 부모는 자식 취급도 안해준지 오래. 저런 부모는 절대로 되지 않겠다고 다짐하며. 16살이 됐을 때, 성질 더럽다는 마씨 집안의 차남에게 시집을 갔다. 고된 시집살이, 손 끝이 터져 나가도록 일을 시키는 구두공장, 망나니 남편, 그리고 2살이 채 되지 않은 핏덩이 자식. 머리카락이 한 움큼 뽑혀 나가도 일을 했다. 애아빠라는 것이 웬 새파랗게 젊은 여편네를 데리고 와선 이혼서류에 도장을 찍으라고 난동을 부려도. 묵묵히 도장을 찍었다. 부모라는 것들이 다짜고짜 찾아와 돈을 요구했을 때도 조용히 돈 뭉텅이를 쥐여줬다. 평생 자유라는 건 입에 담지도 못한 시절을 살아왔건만.

아이가 26살이 되었을 무렵.

죽었다. 허무하게.

….

그녀가 인상을 찡그렸다. 그저 그런 직감이었지만 경자는 지금 자신이 인간이 아니라는 것을 확신할 수 있었다. 지금 자신은 바닷속 한가운데에 있었고 손가락은 집게 모양이었으며 몸통은 화려한 황금빛에, 잠깐.

“황금게…?”

‘내가 황금게로 환생한거야?’

존슨은 방금 게가 말을 했다는 사실을 믿을 수 없었다. 그저 한 마리의 평범한 게가 그에게 말을 걸었다고? 아니, 그것도 ‘아들’이라니?

존슨은 눈을 크게 뜨고 입을 떡 벌린 채 한참 동안 말을 잇지 못했다. 분명 존슨의 어머니는 몇 년 전 사고로 세상을 떠났고 그 후로 그는 오직 어머니의 간장게장을 다시금 먹기 위해 황금게를 필사적으로 찾았다. 그런데 지금 황금게로 환생한 엄마가 눈앞에 있다니 그 사실을 어떻게 받아들여야 할지 도저히 감이 오지 않았다.

“아들…?”

존슨이 믿을 수 없다는 듯 뒷걸음질을 쳤다. 내가 미쳤나? 진짜 미쳐버린 건가? 존슨은 애꿎은 머리통을 쥐어박았다. 그럼에도 불구하고 작은 황금빛 생명체는 제가 걱정이라도 된다는 듯, 주위를 돌아다니며 그동안 묵혀왔던 말들을 쏟아냈다.

“아들 괜찮아? 왜 이렇게 말랐어? 밥은 먹고 다니니? 애인은 생겼고? 엄마 너무 보고싶었지? 회사는 잘 다녀? 안색이 안 좋은데, 선크림은 바르니? 다리가 왜 이리 얄쌍해. 운동은 하니?”

존슨에겐 아무 말도 들리지 않았다. 그에게 지금 가장 중요한 것은. 이 상황이 현실인지 아니면 자신이 만들어낸 망상인지를 구분하는 것이었다. 안 그래도 가죽밖에 없는 팔뚝을 찢어 발길 듯 꼬집으며 이 모든 게 현실이란 것을 알아낸 존슨이 외마디 비명을 내질렀다.

“엄마.”

존슨은 결심했다.

“응?”

이제부턴,

“사랑해.”

내가 엄마를 지키기로.

존슨은 그날 이후로 미친듯이 일했다. 노가다, 택배기사, 고깃집 알바, 2잡, 3잡 가리지 않고 돈만 되는 일이라면 모두 했다. 일을 다하고 좁은 집에 돌아오면 시계의 초침은 새벽 2시를 가르켰고, 존슨은 기절하듯 잠드는 게 일상이었다. 이런 생활을 1년. 그리고도 3개월쯤 더 하고 나자. 나름 돈이 모였다.

존슨과 그의 어머니는 서울의 아파트로 입주했다. 거실에는 3m 수조를 놓아 제 어미가 최적의 생활을 할 수 있도록 도왔고, 그의 어머니는 바쁜 나날을 보내는 아들에게 사랑을 주었다.

“엄마, 사랑해.”

존슨은 방 한구석에 놓인 침대를 한 번 흘끗 바라보았다. 그 위에 누워 있는 엄마의 시체는 여전히 조용했다. 숨을 쉬지 않는 그 몸은 이미 차가워져 있었지만 존슨의 눈에는 마치 곤히 잠든 모습처럼 보였다. 그는 천천히 책상으로 돌아가 앉았다. 손끝이 떨렸고 키보드를 두드릴 때마다 작은 소리들이 방안의 적막을 깼다.

존슨의 눈은 컴퓨터 화면에 고정되어 있었지만 그의 마음은 늘 침대 쪽에 머물러 있었다. 머릿속에서 엄마는 여전히 살아 있었다. 지금쯤 수조에서 존슨을 맞이할 준비를 하고 있을지도 몰랐다. 아니면 사랑스럽게 내 이름을 부르고 있었을까? 이 소설속에서 만큼은 엄마와 자신은 행복했다. 그녀는 기적적으로 살아 남았고, 그들은 함께 여러 해를 더 보내며 웃고 사랑을 나누었다.

하지만 현실은 그가 도저히 감당할 수 없었다. 엄마는 더 이상 대답하지 않았고 움직이지도 않았다. 시간이 지나면서 시체는 서서히 부패해갔지만 존슨은 그 변화를 외면했다. 그는 방 안의 썩은 냄새조차 느끼지 않으려는 듯 창문을 여는 것도 방을 치우는 것도 피했다. 그저 시체가 그 자리에 있는 것만으로도 그는 엄마가 여전히 자신과 함께 있다고 믿고 싶었다.

존슨은 글을 쓰는 동안 엄마와의 대화를 머릿속에서 상상하며 현실과 환상 사이에서 점점 더 깊이 빠져들었다. 그는 소설 속에서 엄마와 자신이 나눈 대화를 적어 나갔다.

"오늘 날씨 참 좋지, 엄마?"

"응, 그렇구나. 너랑 함께 이 날을 보내니 더 행복하구나."

그 대화는 몽상과 같았고 존슨은 이 대화가 현실이기를 간절히 바랐다. 그러나 가끔씩 현실이 그를 끌어당겼다. 눈길을 돌리면 침대 위의 엄마는 여전히 차가운 모습으로 누워 있었다. 그때마다 존슨은 더더욱 소설 속으로 깊이 빠져들었다. 그 이야기는 더 길어지고, 더 복잡해졌다. 그 속에서 엄마는 절대 죽지 않았다. 그들은 여행을 떠났고 미래에 대한 계획을 세우며 행복했다.

존슨은 엄마의 시체를 버리는 것이 아니라 그 곁에 있는 것이 자신의 마지막 선택이라고 느꼈다. 엄마가 떠난 그 사실을 인정하는 순간 그는 자신도 모든 것을 잃을 것 같았다. 그 시체는 엄마의 마지막 흔적이었고 그것이 사라지면 존슨은 그녀의 존재 자체를 잃을까 두려웠다. 그래서 그는 매일 그녀 곁에 남아 있었다. 썩어가는 시체에서 눈을 떼지 못하고 동시에 그 시체를 현실의 엄마와 동일시하며 그들이 함께하는 소설을 계속해서 써 내려갔다.

"우리는 행복해. 엄마. 정말로 행복해."

존슨은 나직하게 중얼거리며 키보드를 두드렸다. 그의 눈은 흐려져 갔고 머릿속에서는 점점 더 현실과 환상이 뒤섞이기 시작했다. 하지만 그는 그 경계를 구분하려 하지 않았다. 엄마가 살아 있는 한 그가 행복하다고 믿을 수 있는 한 그에게는 이 소설 속 세상이

전부였다. 날이 어두워지고 있었다.

"엄마."

"저녁이야."

"불 끄고 잘 시간이야."

이름의 꽃

최아영

#1.

수천 광년 떨어진 우주 한가운데 자리잡은 오메가12는 지구에서 수십 년에 걸친 여행 끝에 개척된 외딴 행성이다. 이 행성은 척박한 사막 지형과 폐허처럼 보이는 메가시티들이 혼재한 곳으로, 수많은 인류의 실험이 실패로 돌아간 무덤 같은 행성이다. 오메가12는 더 이상 발전을 이루지 못하고 멈춰버린 행성이었지만 지구와의 유일한 교역로는 유지되었다.

이 행성에서 살아가는 소수의 사람들 대부분은 지구의 명령에 따라 마지못해 남아 있는 자들이었다. 오메가12의 황량한 끝자락에는 오래전 버려진 콜로니 아웃포스트가 있었다. 이곳은 처음 행성 개척을 위해 세워졌지만 여러 실험의 실패와 자원 고갈로 인해 점차 외면 받은 곳이었다. 그곳에 사는 유일한 사람, '이름 없는 자'는 오랜 시간 홀로 살아왔다. 그는 자신을 '아르고'라 부르기 전까지 오랫동안 누구에게도 이름을 알려주지 않았다. 이 행성의 역사에 묻혀버린 그는 메가시티의 존재들도 외부에서 오는 방문객도 신경 쓰지 않았다.

그러던 어느 날, 새로운 과학자가 오메가12로 오게 되었다. 그녀의 이름은 혜원. 젊고 열정적인 과학자인 그녀는 오염되어 가는 지구를 대체할 행성을 연구하기 위해 우주 여기저기를 다니던 중 이 곳 오메가12를 연구하기 위해 이곳에 온 것이었다. 그녀는 이곳이 지구의 대체 행성이 될 수 있을 것이라는 희망과 함께 인류의 미래를 밝힐 수 있다는 신념을 가지고 있었다. 메가시티에서 머물던 혜원은 자신이 조사할 지역이 이 버려진 아웃포스트와 가깝다는 것을 알게 되고 탐험을 시작한다.

아웃포스트에 도착한 그녀는 오래된 장비와 파편들 속에서 홀로 사는 남자와 마주친다. 남자의 눈빛은 서늘했고 거칠고 먼지가 잔뜩 쌓인 그의 모습은 그가 오랫동안 이곳에 머물렀다는 것을 나타내고 있었다.

"안녕하세요. 저는 혜원입니다. 연구 목적으로 이곳에 왔어요." 혜원이 말을 걸었다.

남자는 그녀를 가만히 바라보았지만 아무런 반응도 보이지 않았다. 오랜 세월 동안 누군가와 대화한 적이 없었기 때문에 그의 입술은 굳어 있었고 마음은 닫힌 상태였다. 혜원은 그의 차가운 반응에도 미소를 잃지 않고 다시 말을 건넸다.

"이곳은 정말 흥미로운 곳이네요. 그런데 혹시 성함이 어떻게 되시나요?"

남자는 침묵을 지켰고 혜원은 그런 그를 한참 바라보았다.

"저는…. 이름이 없습니다."

그가 어렵게 말을 꺼냈다. 혜원은 놀란 감정을 숨기며 차분하게 대답했다.

"그렇다면 제가 이름을 지어 드릴게요!"

그의 표정은 변하지 않았고 혜원은 그를 바라보며 생각에 잠겼다. 한참 뒤, 그녀는 조용히 말했다.

"당신을 '아르고'라고 부르면 어떨까요? 이곳의 잊힌 역사를 지켜보는 자라는 뜻에서요."

남자는 여전히 표정 변화나 말이 없었지만, 혜원은 그에게 이름을 붙여주며 그를 '아르고'로 부르기 시작했다.

#2.

시간이 지나면서 혜원과 아르고는 서서히 가까워졌다. 혜원은 메가시티에서 자주 연구를 이어가면서도 틈날 때마다 아웃포스트를 방문해 아르고와 대화를 나누었다. 처음에는 대답조차도 안 하던 아르고도 천천히 조금씩 대답을 하며 혜원의 방문을 기다리게 된다. 혜원이 여러 차례 아르고의 과거를 물었을 때, 그는 마침내 입을 열어 자신의 이야기를 들려주었다. 아르고는 오메가12의 초기 개척자 중 한 명이었고, 중요한 실험에 참여했었다. 그 실험은 이 행성으로 매년 찾아오는 폭풍을 막기 위한 중대한 실험이었지만 결과는 참담했다. 실험은 대실패로 끝났고 그 결과 많은 동료가 행성을 떠났다. 아르고 혼자만이 이곳에 남아 폐허 속에서 잊힌 채로 살아가고 있었다.

"나는 실패자야. 누구도 나를 기억하지 않고 나는 그저 여기서 죽어가고 있었어."

아르고는 무겁게 말했다. 혜원은 그의 이야기를 들으며 그의 고독을 이해하려 했고 그에게 다가가고 싶었다. 그녀는 그가 더 이상 혼자가 아니라는 것을 느끼게 해주고 싶었다. 시간이 지나면서 혜원은 아르고에게 메가시티에서 열리는 과학 회의에 함께 가자고 제안했다. 아르고는 처음에는 완강하게 거절했지만 혜원의 간절한 부탁에 마지못해 동의했다.

#3.

회의 날이 되자 혜원과 아르고는 메가시티로 향했다. 그러나 아르고가 모습을 드러내자 회의에 참석한 다른 과학자들의 시선이 그에게 집중되었다. 그들은 아르고의 과거 실패를 기억했고, 그의 등장에 불편한 기색을 드러냈다.

"저 사람이 그 실패한 실험의 책임자 아르고 아니야?"

"왜 아직도 이 행성에 남아 있는 거지?"

"그를 기억하는 사람은 거의 없을 텐데."

수군거림은 점점 커졌고 일부 과학자들은 아르고에게 공격적으로 다가갔다. 그들은 아르고를 비난하며 과거의 실패를 다시 언급했다. 혜원은 그들을 막으려 했지만 아르고는 아무런 대꾸도 하지 못한 채 굳어 있었다.

그때, 회의장에서 예고도 없이 매년 찾아오는 그 거대한 폭풍이 발생되었다. 폭풍은 점점 더 거세어져 가고 있었다. 혜원은 폭발과 혼란 속에서 아르고를 찾아냈다. 그녀는 메가시티의 모든 시스템이 마비되었다는 것을 알아차리고 더욱 큰 위험이 닥쳐오고 있음을 직감했다.

폭풍은 점점 더 커지고 있었고, 혜원은 자신의 데이터를 바탕으로 폭풍이 곧 아르고의 아웃포스트를 휩쓸 것이라는 사실을 알게 되었다. 혜원은 전투용 드론을 이용해 아르고와 함께 아웃포스트로 돌아갔다. 아르고는 아웃포스트와 아웃포스트에 있는 자신의 실험 데이터를 포기할 수 없다고 고집했지만 혜원은 그를 설득하려 했다.

그 순간.

"우르릉 쾅쾅."

소리가 들렸고 혜원과 아르고는 빠른 걸음으로 창문쪽으로 이동했다. 그 거대한 폭풍이 아웃포스트를 향해 다가오기 시작했다.

#4.

거대한 폭풍소리가 들리기 시작하며 저 멀리서 폭풍이 점점 크게 눈에 보이기 시작했다. 혜원과 아르고는 아웃포스트로 서둘러 도착했다. 메가시티에서 대피령이 내려지고 수많은 사람들이 혼란 속에서 탈출하려 했지만 혜원은 오직 아르고와 그가 머물던 아웃포스트가 위험하다는 사실에만 집중하고 있었다. 그곳은 아르고가 자신을 잊지 않기 위해 붙잡고 있던 모든 것, 즉 그의 과거와 실패를 증명하는 실험 데이터들이 담긴 장소였다.

혜원과 아르고는 아웃포스트에 도착하자마자 급히 시스템을 점검했다. 오래된 장비들이 여전히 작동하고 있었지만 거대한 폭풍의 영향으로 이 장비들마저 무용지물이 될 것은 분명했다. 아르고는 자신의 데이터와 기록을 끝까지 보호하기 위해 긴급 전송 시스템을 가동하려 했으나 노후화된 장비들은 이미 폭풍의 움직임에 따라 오류가 나기 시작했다.

"시간이 얼마 없어! 이 데이터를 반드시 지켜야 해!"

아르고는 큰 목소리로 소리쳤다. 그의 목소리에는 절박함과 동시에 두려움이 묻어 있었다. 그에게 있어 이 아웃포스트는 단순한 연구시설이 아니라 그가 존재해왔던 유일한 이유이자 삶의 의미를 지탱해주는 마지막 끈이었다. 그의 동료들이 떠나고 자신만이 홀로 남겨진 이곳에서 그는 스스로를 잊히지 않게 만드는 노력을 해왔다.

그러나 혜원은 그가 이곳을 떠나지 못하는 이유를 알면서도 그에게 남아서 데이터를 지키는 것보다 아르고의 목숨이 더 중요하다고 생각했다.

"아르고, 당신은 실패한 것이 아니에요. 여기에 있는 데이터가 중요할 수 있겠지만 우리가 함께 다시 시작한다면 충분히 폭풍 문제를 해결할 방법을 찾아낼 수 있을 거예요! 지금은 당신의 목숨이 더 중요해요!"

혜원이 간절히 외쳤다. 하지만 아르고는 여전히 그곳을 떠나지 않겠다고 고집했다. 그는 '이 데이터들이 없으면 나도 없어요. 이곳은 나의 과거와 실패를 증명하는 곳이에요. 이걸 잃으면 나는 아무것도 아니게 돼요. 게다가 이것은 지금 온 이 폭풍을 멈출 수 있는 방법을 담은 중요한 데이터라고요! 이것만 지구로 보내면 폭풍 문제를 해결할 수 있는 방법을 찾아낼 수 있을지도 몰라요!'라며 단호하게 말했다.

그 때.

"쿠구궁! 쾅!"

전자 폭풍이 본격적으로 아웃포스트를 강타하기 시작했다. 건물은 심하게 흔들렸고 장비들에서 스파크가 튀기 시작했다. 혜원은 급히 시스템을 작동시키며 데이터를 전송하려 했지만 시스템은 점점 고장나고 있었다. 혜원은 아르고에게 다가가 그의 팔을 붙잡고 애원하듯 말했다.

"아르고 부탁이에요. 지금

가지 않는다면 데이터는 커녕 당신의 목숨도 구할 수 없게 될 수도 있다고요!"

그러나 아르고의 결심은 꺾이지 않았고 혜원과 아르고는 함께 폭풍 속에서 아웃포스트를 살릴 방법을 찾기 위해 미친 듯이 움직였다. 아르고는 무너진 장비 사이에서 오래된 전송 시스템을 복구하려 했고 혜원은 그의 곁에서 데이터를 백업하고 전송할 수 있는 새로운 방법을 모색했다. 폭풍은 그들의 시간을 점점 더 빼앗아 가고 있었고 매초가 지날수록 건물은 더 크게 흔들렸다.

"여기 이 장치를 고치면 데이터를 전송할 수 있을지도 몰라!"

아르고가 소리쳤다. 그는 구형 장비를 손으로 급히 조립하며 눈에 띄게 초조해 보였다. 장비는 낡았고 부품들은 수십 년 동안 교체되지 않은 채로 남아 있었다. 혜원은 그에게 다가가 장비의 상태를 빠르게 점검했다.

"여기서 시간을 끌 수 없어요. 시스템은 금방 마비될 거예요. 데이터를 어디로 보내는 거죠?"

아르고는 잠시 머뭇거리더니 힘겹게 대답했다.

"지구의 비밀 서버로 전송할 수 있어. 오래전 실험 때 구축했던 통신망이 아직 살아있을 거야. 하지만 오래된 시스템이라 언제 끊길지 몰라. 지금 아니면 기회는 없어."

혜원은 그를 도왔다. 폭풍이 아웃포스트를 집어삼킬 듯이 흔들리고 바람이 윙윙거리며 건물의 벽을 할퀴었다. 게다가 '지직-지직' 계속해서 전등이 깜빡거리며 위태롭게 꺼졌다가 다시 켜지기를 반복했고 장비에서는 경고음이 계속해서 울렸다.

"이게 마지막이 될 수 있어!"

아르고는 기계를 작동시키며 말했다.

"데이터가 전송되는 동안 아웃포스트를 포기하고 탈출해야 해!"

혜원은 곧바로 전송 프로세스를 시작했다. 시스템이 천천히 가동되며 오래된 서버와 연결되었고 데이터를 보내기 시작했다. 그들은 숨죽이며 데이터를 전송할 수 있는 시간이 충분한지 확인했다. 하지만 폭풍은 점점 더 강해지고 있었고 건물의 한쪽 벽이 크게 무너져 내렸다.

혜원은 아르고에게 소리쳤다.

"시간이 없어! 당장 떠나야 해요!"

그 때, 다운로드가 시작된 게 보였다.

"성공했어!"

아르고가 소리치며 그들은 서둘러 아웃포스트를 빠져나가기 시작했다. 아르고는 마지막으로 자신의 노트북을 챙겼고, 혜원은 아르고를 데리고 아웃포스트의 출입구로 향했다. 그러나 그 순간 거대한 전자 폭풍이 본격적으로 아웃포스트를 덮치기 시작했다. 거대한 바람과 함께 번개가 내리치며 아웃포스트의 구조물이 완전히 무너지기 시작했다.

"빨리!"

혜원이 소리쳤다. 그 때.

"펑!"

번개가 혜원의 머리 위 구조물에 맞았다.

"아!"

혜원이 소리쳤다. 혜원의 어깨에 거대한 파편이 부딪쳤다.

"괜찮아요?"

아르고는 깜짝 놀라며 서둘러 혜원을 등에 업고 이동했다. 그렇지만 서둘러 이동하는 아르고의 머릿속에는 아웃포스트가 사라지지 않았다. 아르고는 깊은 한숨을 쉬며 서둘러 이동했다. 아르고의 깊은 한숨을 알아차린 혜원은 의식을 잃어가며 거친 숨소리를 내쉬며 그의 등에서 조용히 말했다.

"당신은 실패한 게 아니에요. 당신의 데이터는 전송되었고, 우리가 살아 남았잖아요. 이제 새로운 시작을 할 수 있어요…."

아르고는 가까운 대피소로 혜원을 옮겨준 뒤 혜원의 치료를 위해 조심스럽게 밖으로 나왔다. 아르고는 잠시 말을 잇지 못했다. 무너진 아웃포스트를 제대로 쳐다볼 수도 없었다. 씁쓸한 미소를 짓던 그는 마침내 고개를 들어 아웃포스트의 잔해들을 가만히 바라보다 천천히 입을 떼었다.

"그렇군…. 정말로 새로운 시작될지도 모르겠어."

#5.

폭풍은 점차 멀어져 갔다. 혜원의 치료는 빠르게 잘 마무리되었고 다행스럽게도 금방 복귀할 수 있었다.

며칠 뒤, 혜원이 찾아왔다.

"이제 어떻게 할 거예요?"

혜원이 묻자 아르고는 미소 지으며 대답했다.

"다시 새로운 시작을 위해 나아가야지!"

그렇게 혜원과 아르고는 매년 찾아오는 폭풍에 대한 대책을 찾는 것을 다시 시작한다. 지구로의 전송은 성공했다. 그 데이터는 드디어 쓸모 있게 되었다. 아르고와 혜원이 폭풍을 해결하는 데에 중요한 역할을 했다.

몇 개월간의 피나는 노력 끝에 폭풍을 막을 대책을 찾는 것에 성공하게 되었고 아르고가 말했다.

"고마워. 내 실험의 마침표를 찍는 것을 도와줬어."

혜원은 웃으며 대답했다.

"제가 한 거라고는 당신의 말 대로 따른 것밖에는 없어요. 그래도 제가 당신의 실험에 도움이 되었다면 너무나도 다행이에요."

잠시 둘 사이의 침묵이 이어진 뒤 혜원은 목을 가다듬고 조심스럽게 아르고에게 묻는다.

"아르고, 저는 이제 이 행성에 뿌리내리게 되었어요. 그렇지만 아직 저의 이름을 제대로 불러준 사람은 없었어요. 혹시 저의 이름을 불러줄 수 있을까요?"

아르고는 머뭇거리다 결심한 듯 두 눈을 꼭 감고 따뜻한 목소리로 말을 한다.

"혜원."

그 말을 들은 혜원의 마음은 어느 순간 따뜻해졌다. 혜원은 더 이상 우주 여기저기를 다니는 연구자만이 아니다. 아르고가 혜원을 불러

주었을 때 그 말이 혜원의 마음을 이 행성에 깊게 뿌리내리게 만들었다. 이제 그녀는 아르고와 함께 진정으로 이곳의 일부분이 되었다고 느꼈다. 그 이름 속에는 아르고의 신뢰와, 그들이 함께한 시간의 무게, 그리고 앞으로도 함께할 미래가 담겨 있었다. 세월이 흘러도 혜원과 아르고는 여전히 오메가12에서 함께 지냈다. 그들은 더 이상 홀로 존재하는 외딴 연구자가 아니었다. 그들의 이름은 서로에게 의미가 되었고 그 의미는 행성 전체에 퍼져 나갔다. 그들의 이야기는 메가시티의 사람들에게 전해졌고, 이름이 가진 힘과 의미를 일깨워주었다. 이제 사람들은 서로의 이름을 따뜻하게 불러주며 더 깊은 유대감을 형성하게 되었다. 혜원과 아르고는 이제 행성의 사람들에게도 서로에게도 잊히지 않는 존재가 되었다. 그렇게 그들은 서로의 꽃이 되어 영원히 함께 피어 있었다.

호수

김환

1장. 만남

“나 너 좋아해!”

“몇 번을 말해 나 너 안 좋아한다고!”

“넌 질리지도 않아? 그만해 좀!!”

“그…그치만. 나는 널 좋아하는 걸….”

“하…됐다.”

그리곤 그녀는 가버렸다. 이럴 때마다 난 늘 가는 곳이 있다. 바로 호수다. 어릴 때부터 늘 갔던 곳.

“하…. 만화나 책에선 이럴 때마다 누군가 와서 도와주던데 솔직히 나 정도 이야기면 충분하지 않나?”

나는 늘 호수에서 이렇게 신세 한탄을 한다. 호수는 이런 말을 해도 잔잔하게 들어주니까 이날도 똑같은 날이었는데….

"너, 고민이 많아 보인다?"

"응? 누구지? 여긴 사람도 잘 없는 곳인데."

"나 몰라? 네가 늘 말 거는 호수잖아."

"내가 드디어 미쳤구나."

하고 가려는 순간 또 다시 그 목소리가 들렸다.

"솔직히 너는 늘 여기와서 신세 한탄만 하잖아. 내가 그런 걸 바꿔줄게."

"내가 미쳐서 이런 말이 들리는 지는 모르겠는데 설령 네가 진짜 호수여도 내가 네 말을 들을 것 같냐?"

이렇게 말하고 진짜 가려고 했다.

"너 예슬이 좋아하잖아. 그리고 내가 고마워서 그래."

나는 밑져야 본전으로 호수라고 말하는 그 목소리에게 질문했다.

"흠…. 내가 2002년 4월 21일에 와서 한말은?"

"초등학교 4학년때 학교 교실에서 바지에 똥쌌다고 전학 가야겠다고. 2시간동안 나한테 울면서…."

"조용조용!!"

아무래도 진짜 호수인 것 같다.

"근데, 너는 나한테 뭐가 고마운데 나를 도와준다는 거야?"

"그냥 심심했는데. 너가 늘 나한테 말을 걸어줘서 고마워서"

"그럼 어떤 식으로 도와주게?"

"일단 통성명부터 하자. 나는 에테리얼 루미네이 오브 더 셀레스티얼 하모니 앤드 엔챈티드 오로라 심포니라고 해."

"정현주라고 해. 정식으로 인사해서 좋네. 호수야."

"나는 에테리얼 루미네이 오브 더 셀레스티얼 하모니 앤드…."

"알겠다고. 호수."

"내 이름이 어렵긴 하지 네가 하나 지어 줄래?"

"그럼…. 미오라고 붙여 줄게. 근데 날 어떻게 도와줄거야?"

"일단 오늘은 집에 가 봐. 내일부터 엄청난 일이 있을 테니까."

집에 가면서 난 오만가지 생각이 들었다. '내가 진짜 호수와 말한 걸까? 그냥 내가 미친 건가? 겨우 호수가 날 어떻게 도와주지?'라는 생각을 했지만 내가 제일 많이 생각한 건….

'뭐 어떻게든 되겠지. 어쨌든 호수가 다 해주겠지.'하고 난 집에 가서 바로 자버렸다.

2장. 또 다시

"야, 일어나."

"뭐야? 누구야! 잠깐 이 목소리는?"

아침부터 호수의 소리가 들렸다

"잠깐만 여긴 호수랑 먼 곳이고 심지어 집인데? 어떻게 소리가…."

"난 물이 있는 곳이면 어디든 언제든 말할 수 있어."

"그럼 인간의 몸에도 물이 있으니까…. 오, 지쟈스."

"똑똑한 걸?"

"하…. 일단 학교 갈 준비부터 해야겠다."

그렇게 학교를 가던 중에 예슬이를 보았다. 난 평소처럼 예슬이에게 말을 걸려고 다가가고 있었는데 갑자기 미오가 말했다.

"잠깐! 예슬이 뭔가 배고파 보이지 않아? 편의점에서 예슬이에게 줄 간식이라도 사가자."

난 반신반의하며 편의점에서 컵라면을 고르려 하고 있었다.

"아침엔 든든하게 컵라면이 좋겠지?"

이때 또 다시 미오가 말했다.

"네가 왜 고백에 실패하는 줄 알겠다. 그거 말고 빵이나 골라."

난 미오 말대로 빵을 골랐다. 내가 아주 좋아하는 빵으로.

"무슨 빵 샀어?"

"생크림 빵."

그렇게 난 빵을 사 들고 학교에 가서 예슬이에게 빵을 줄려고 예슬이를 찾고 있었다.

"저기 예슬이다. 근데 만화 같은 곳에서 주인공이 이런 거 주면 싫어하던데 괜찮겠지?"

난 반으로 들어가 예슬이에게 빵을 주려던 참이었다. 예슬인 친구와 대화중이었다.

“배고프다 빵이라도 먹고 싶어…. 생크림 많은 걸로….”

“매점에 빵 다 팔렸 대. 잠깐. 야. 저기 현주 온다.”

“하….”

“자기…. 아니, 저기 예슬아 빵 먹을래?”

“올~. 웬일. 우리가 말하는 거 들었냐?”

“고…고마워. 잘 먹을게. 현주야.”

“거봐. 내 말이 맞지?”

미오가 말했다. 뭐…. 믿을 만하네.

“종 쳤다. 빨리 자리에 앉아라.”

선생님이 들어와 말했다.

속으로 재미없다고 100번쯤 생각했을 때.

“딩동댕동.”

“종 쳤네. 반장! 다음에 여기 한다고 말해줘라.”

선생님은 가버리셨다. 다음 시간이 뭐였더라…. 아, 체육이다! 난 누구보다 빠르게 운동장으로 뛰어갔다. 운동장에서 친구들이랑 놀던 중 예슬이의 목소리가 들렸다.

“더운데…. 강당은 공사 왜 하는 거야.”

“야, 저기 네 여친 온다. ㅋㅋ.”

“제발 조용히 해 좀!!!”

친구놈들 쓸모가 없다. 하….

“자, 그만하고 모여라. 오늘은 원반던지기 할 거다. 여자 1명, 남자 1

명으로 팀짜라."

"야, 현주 너는 예슬이랑 해. ㅋㅋ."

"제발 조용!!!"

한편 예슬이 쪽도….

"예슬아, 너 현주랑 해 봐. ㅋㅋ."

"입 다물어라."

역시 예슬이 나랑 똑같은 상황이네. 설마 천생….

"그만하고 가만히 있어."

미오가 말했다.

"야, 빨리 팀 안 짜?! 예슬이랑 준현이랑 하고 준식이는 민지랑 해라."

"역시 미오는 신이야!"

"빨리 해라."

나는 미오 덕분에 체육시간 내내 예슬이랑 원반을 던졌다. 너무 행복한 체육이었다! 그렇게 시간이 지나고 하교 시간이 되었다.

"여러분들 하교 잘하시고 내일 봅시다!"

"네!!"

하교할 땐 늘 귀가 찢어질 것 같다. 물론 나도 소리지르고 싶지만.

"미오야. 내가 좋은 소식 하나 알려줄까?"

"뭔데?"

"나 하교하는 길이 예슬이랑 같다!"

"그렇구나…. 잠깐 너 그럼 이때도 고백했니?"

"맞아!"

"…."

"저기 예슬이다! 예슬아~!"

"야, 저기 현주 온다. 빨리 뛰어! 예슬아!"

"현주야. 제발…."

그러곤 예슬이는 뛰어가 버렸다.

"하…. 현주야. 내 말 잘들어. 너 그냥 조용히 하고 너 예슬이랑 좀 떨어져서 걸어라."

"힝, 알겠어…."

미오는 자꾸 예슬이랑 떨어지라 한다. 난 예슬이 옆에 있고 싶은데.

3장. 고백

난 누구보다 빠르게 남들과는 다르게 뛰어가 예슬이 뒤까지 도착했다.

"헉. 헉."

"현주야, 넌 그냥 뒤에서 걸어만 가라."

"알았…. 헉헉."

죽을 것 같아도 예슬이만 보면 뭐든 할 수 있을 거 같다.

"저기…. 현주야."

예슬이가 내게 말을 걸어 주다니…. 오늘 절대 잊지 못할 거야!!

"왜, 여보…. 아니 예슬아?"

"나 사실 너 좋아해."

"뭐라고? 진짜야?"

"응, 나도 너 좋아해. 진작에 말하고 싶었는데 타이밍을 지금까지 못 잡았어. 이제 똑바로 말할 게 우리 사귈래?"

난 뭐에 홀린 듯 예슬이에게 키…키스를 해버렸다.

"현주야 내일 데이트 할래?"

"응!! 좋아!!"

"그럼, 내일 보자."

"잘 가! 내일 꼭 데이트하는 거야!"

그렇게 말하고 예슬이는 횡단보도를 건넜다. 예슬이가 내 눈에 사라지자 난 다시 집으로 향했다. 집으로 가던 중 미오가 내게 말을 걸었다 .

"근데 현주야. 너는 왜 예슬이를 좋아하는 거야?"

모두가 나에게 하는 질문.

"이건 내가 얘기 안 했나? 그게…. 지금은 말해주기 그래서 다음에 말해줄게."

내가 왜 미오에게 말을 안 했냐고? 그야 내가 예슬이를 좋아하게 된 이야기는 예슬이가 싫어하는 이야기니까.

4장. 최악의 데이트

오늘은 예슬이와 데이트하는 날이다. 이날을 위해서 아주 멋진 옷도 사 놨지! 그리고 마지막으로 이 향수까지 뿌려주면!

"향수는 뿌리지 마."

"알겠어. 미오야!"

원래 같으면 미오랑 말다툼을 했겠지만 오늘은 하지 않고 순순히 미오의 말을 들었다. 왜냐면 데이트 날이니까!

"저기 예슬…. 와, 진짜 예쁘다…."

예슬이를 본 순간 나는 '아름다움'이라는 말을 만든 사람에 심정을 이해할 수…. 아니, 그냥 그 사람이 된 것 같았다. 새로운 단어라도 만들 수 있을 것 같았다.

"왔어? 주현아? 너무 보고 싶었어."

"나…. 나도 너무 보고 싶었어!"

"우리 뭐부터 할까?"

큰일이다! 데이트 코스를 생각하지 못했다. 어떡하지?

"제일 무난한 영화부터 보자고 해. 최근에 로맨스 영화 개봉 했잖아. 그…뭐냐? '사랑의 향기' 그거 보자고 해."

미오는 정답지인가 보다.

"우리 영화 볼까?"

"그래! 사랑의 향기. 그거?"

"어떻게 알았어?"

"척하면 척이지."

그렇게 우리는 영화관으로 걸어갔다. 영화관으로 걸어가는 시간만큼은 '행복'이란 단어가 우리를 위해 만들어진 단어 같았다. 그리고 문제의 정답지 미오가 가는 도중 손잡으라고 해서 손도 잡았다. 아무래도 행복이라는 단어는 우리를 위해 만들어진 게 맞는 것 같다.

"아, 그리고 영화 예매는 내가 했다."

미오 그는 goat(최고란 뜻)

"영화 너무 기대된다."

"나도 너무 기대된다."

그렇게 자리에 앉고 영화가 중반부가 되었을 무렵 나는 보고야 말았다. 예슬이가 절대 보면 안되는 장면을 그 장면이 나오자 마자 난 예슬이의 귀를 막은 다음 바로 예슬이와 입을 맞췄다.

"어머, 현주 상남자네. 사귄 지 얼마나 됐다고."

영화가 끝난 뒤 나는 예슬이에게 사과했다. 이런 장면이 있는 줄 몰랐다고 .

"일단 영화를 봤으니까 레스토랑 가자. 내가 예약했어."

미오가 말했다.

"저기 예슬아 괜찮아? 미안해 이런 장면이 있는 줄 알았으면 안 보는 건데. 미안해."

예슬인 괜찮다는 듯 말했다.

"아니야. 그래도 재밌었어. 우리 밥이나 먹으러 가자."

"그 내가 예약한데 있거든? 거기로 가자."

난 예슬이와 밥을 먹으러 갔다. 밥을 먹는 동안 예슬이의 표정은 별로 좋지 않았다. 밥을 다 먹고 예슬이를 집까지 데려다줬다. 데려다주는 내내 표정은 풀리지 않았다. 하…. 정답지도 틀릴 때가 있는 건가….

"오늘 하루 정말 재밌었어. 내일 보자."

"응. 잘 가. 예슬아. 나도 정말 즐거웠어."

난 터벅터벅 집으로 갔다. 분명 영화 보기전까지는 좋았는데.

"현주아, 너 왜 그래? 그리고 예슬이는 또 왜 그러고?"

"미오야. 오늘은 내가 예슬이에게 큰 죄를 지었어."

"도대체 뭔데? 얘기를 해줘야 내가 뭘 하지."

난 미오의 말을 무시하고 집으로 가 잠을 청했다. 잠을 자면서 악몽도 꾸었다. 오늘은 최악의 데이트였다.

5장. 불

오늘은 월요일이다. 토요일 데이트를 하고 일요일은 아무 일 없이 넘어갔다. 다행인지 불행인지 모르겠지만. 난 학교 갈 준비를 하고 밖으로 나갔다. 학교로 가면서 온갖 소리가 들렸다. 나를 향한 나쁜 소리들. 그런 소리들을 묵묵히 듣고 가니 어느새 학교였다. 신기하게도 나쁜 말들이 안 들렸다. 예슬이가 있어서 그런 건가.

"자, 그래서 여기는…."

세상은 늘 똑같다. 내가 무슨 일이 있어도 내 마음이 불에 타버린 듯한 고통이 느껴져도 늘 똑같이 지나가니까.

"펑!"

뭐지? 잘못들은…. 잠깐 예슬이!

"아아, 내 말 잘 들리나요? 지금 학교에 폭탄이 설치돼 있습니다. 어디 한번 잘 살아 보세요. @@들아."

난 예슬이에게 뛰어갔다

"예슬아! 빨리 나가자!"

"아…. 아."

예슬이는 다 내려놓은 듯 움직이려 하지 않았다. 이 상황 그때와 똑같다. 하지만 결과는 꼭! 달라야 한다. 예슬이를 데리고 나가려던 중 발소리가 들렸다.

“어머 이미 다른 학생…. 아니 @@들은 다 나갔는데 너는 뭐 하는 거지?”

이 목소리 이 상황을 만든 놈이다. 반드시 가만 안 두겠어.

“야, 너 그때 그 놈이지? 그때 예슬이 아빠 죽인 놈 가만 안 두겠어.”

“하하. 그래 내가 그때 폭탄 테러 한 놈이다. 근데 네가 뭘 할 수 있지?”

“펑!”

“또 폭탄이 터졌네? 빨리 나가봐~. 빨리 안 나가면 너도 죽고 여자애도 죽을 걸?”

“아니, 죽는 건 너야. 내가 넌 반드시 죽일 거니까.”

“같잖은 복수심은 그냥 @@ 짓거리야. 근데 뭐 @@이 @@짓 하겠다는데 말릴 건 없지. 한번 잘~살아봐~?”

그러곤 그 놈은 가버렸다. 일단 예슬이가 먼저다. 난 예슬이를 업고 밖으로 나가고 있었다 .

“제발…. 예슬아…. 미오 걔는 왜 갑자기 말이 없는 거야?!!”

“쾅!”

“젠장. 천장이 하필이면 천장이…. 어떡하지?”

때마침 소방관의 목소리가 들렸다

“거기 누구 없습니까?”

“여기요! 여기요!!”

“쾅!”

“안돼…. 안돼….”

또 천장이 무너졌다 하필 소방관 앞에서 .

“왼쪽에 구멍”

“왼쪽에 구멍? 여   다! 저기요! 저기 예슬이…. 예슬이 만큼은 살려주세요.”

난 그 작은 구멍으로 예슬이를 넣기 시작했다. 다행히 구멍의 사이즈가 예슬이의 몸에 딱 맞았다.

“됐습니다! 남자분도 얼른 나오세요!”

“알겠으니까. 일단 먼저 가주세요!”

“꼭 여기 있으세요. 다시 데리러 오겠습니다!”

소방관은 예슬이를 데리고 점점 멀어져 갔다. 다행이다…. 다행이야….

“쾅!”

또 천장이 무너졌다. 이제 내가 나갈 곳은 아무데도 없다.

“미오야. 듣고 있어?”

“응. 듣고 있어.”

“그때는 미안했어.”

“아니야. 저기 이제 말해줄 수 있어? 네가 예슬이 좋아하는 이유.”

“그래. 말해줄게.”

때는 10년전. 삼평백화점 폭탄 테러사건때 나는 엄마와 함께 할머니의 생신 선물을 사러 갔었다. 온갖 곳에서 폭탄이 터질 때 나는 여러 사람들과 3층에 갇혔었다. 거기엔 예슬이와 예슬이의 아빠도 있었다. 예슬이의 아빠는 소방관이었다. 예슬이 아빠는 사람들과 함께 나갈 곳을 만들고 있었다. 그때 그 놈이 나타났다.

"하하하. 재밌네. @@들이 살겠다고 발버둥 치는 게."

예슬이 아빠는 그 놈과 대화를 시작했다.

"너는 누군데 이런 테러를 한 거지?"

"그냥 생각해봐. 이 @@들 밖에 없는 세상 차라리 없어지는 게 낫지 않아? 나한테 고마워 하라고~."

"단단히 정신 나간 놈이군. 그래 너 같은 놈은 대화 따윈 필요 없다."

"탕! 탕! 탕!"

총성에 모두가 놀랄 때 예슬이 아빠는 그 놈의 목을 조르고 있었다. 피를 흘리면서.

"너 죽고 다시 만났을 때 넌 내가 다시 그곳에서 죽여버릴 꺼야."

"야…. 이 미친ㅅ…."

그 놈이 기절했을 때 예슬이의 아빤 예슬이에게 다가와 말했다.

"예슬아, 미안해. 아빠가 예슬이 더 보고 싶은데…."

"아빠…아빠…안 돼…가지마…가지 말라고!"

"저기…. 하늘에서 천사가 필요해서 신이 데려가는 걸 거야. 그니깐 너무 슬퍼하지마. 응?"

"아빠 그런 거야? 신이 천사가 필요해서 데려가는 거야?"

"…맞아. 신이 아빠가 너무 필요하데. 그니깐 너무 슬퍼하지마. 알겠지?"

"철푸덕."

무릎을 꿇고 예슬이와 말하던 예슬이의 아빠가 쓰러졌다. 총을 맞고도 쓰러지지 않던 강인한 사람이 자신의 사랑 앞에서 쓰러졌다

"아빠…. 아빠 하늘에서도 꼭 사람들 지켜줘 알았지? 꼭이다."

"응. 아빠 하늘에서도 예슬이 사랑해주고 사람들 지켜줄게…. 저기 애야 이름이 뭐니?"

"저는 정현주예요!"

"잠깐, 가까이 와 볼래?"

"뭔데요?"

"한예슬 내 딸 이름이야. 아저씨가 곧 하늘로 가게 되거든. 우리 딸이랑 나중에 결혼해줄래?"

"네?!! 결혼이요?! 저는 예슬이 잘 모르는데…."

"그건 차차 알면 되지. 그리고 엄~청 예쁘거든. 또 엄청 똑똑하고…."

"음, 지금 보니까 예쁜 것 같기도 하고. 근데 왜 저랑 결혼하라고 해요? 결혼은 사랑하는 사람과 하는 거라던데."

"그야, 내 딸이 너를 좋아하니까. 그리고 너도 내 딸을 사랑해 줄 수 있을 것 같거든. 아저씨 부탁 한 번만 들어줘."

"음…. 네! 지금 생각해 보니까. 저도 예슬이 좋아하는 것 같아요!"

"고마워. 아저씨 부탁 들어줘서."

그렇게 아저씨는 하늘로 갔다. 우리는 나중에 온 소방관의 의해 구해졌다. 우리가 구출된 건 아저씨 덕분이었다. 아저씨가 그 놈과 싸워준 덕에 살 수 있었고, 사람들을 지휘해 건물의 잔해를 치워줘서 소방관이 우리를 발견해 구출될 수 있었다. 그 아저씨는 호수처럼 잔잔하고 큰 마음씨를 가진 멋있는 사람이었다.

"그래서 내가 예슬이를 좋아하는 거야. 좀 멋진 이유지?"

"응. 멋있는 이유네. 내 딸을 살려줘서 고마워. 정현주."

그 말을 마지막으로 나는 기절했다. 나중에 들은 이야기론 비가와 불이 꺼졌고 예슬이를 구해준 소방관이 잔해를 치우고는 날 구해 주었다고 했다. 그리고 결국 테러범도 잡혔다. 그 일이 있고 다음날 난 꿈을 꾸었다. 자신의 딸을 구해줘서 고맙다고 말하는 그때 그 아저씨…. 아니 예슬이의 아빠가 나에게 말하는 내용이었다. 아 그리고 그 호수가 있던 곳도 가봤는데 없어졌다. 그때 그 목소리는 뭐였을까? 진짜 호수였을까? 아님 예슬이의 아빠였을까? 그건…. 나도 모르겠다!

[에필로그]

"큽…정현…주씨…큽."

"야. 그만 울어 결혼식인데. 진짜."

"정현주씨는 검은 머리가 파뿌리가 될 때까지 한예슬씨를 사랑하시겠습니까?…큽."

"네! 그 누구보다 사랑하겠습니다."

"큽…. 한예슬씨는 검은 머리가 파뿌리가 될 때까지 정현주씨를 사랑하시겠습니까?

"네! 제 옆에 있는 사람보다 더 많이 사랑하겠습니다."

이렇게 결혼하고 자식도 둘이나 낳았다.

"나, 너 좋아해. 예슬아."

"나도 좋아해. 현주야."

"아빠 난?"

"나도!"

"우리 가족 다 사랑해."

그때 구해줘서 고마워.

'나의 호수.'

아무 일도 없었다

유인서

#1. 프롤로그

세상은 여전히, 아무 일 없이 돌아가고 있다.

지금 이 시간에도 누군가는 태어나고 누군가는 죽어가고 있다.

사람에게 가장 아픈 죽음을 맞게 되는 세 사람의 이야기를 하려 한다.

#2. 사회의 이치

난 항상 대우받는 아이였다.

가족들 사이에선 장남이라는 이유로, 친구들 사이에선 전교 1등이라는 타이틀을 이유로.

"승원이는 이번에도 전교 1등이네."

"우리 손자~. 누굴 닮아서 이렇게 인물이 좋아? 할미가 항상 말하지? 넌 집안에 기둥이 될 거야."

그래서 그런 건가. 누나는 항상 뒤에 있었다. 내가 앞에서 빛나고 있을 때 누나는 그 빛 속에서 서서히 사라져 가고 있었다.

"여자는 원래 시집만 잘 가면 되는 거라고 여자애가 저렇게 어리바리해서 원…."

할머니는 항상 한결같이 이렇게 말을 했지만 누나는 한결같이 미친 듯이 공부를 했다. 하지만 할머니에게 그건 중요하지 않았다. 중요한 건 누나는 여자이고 여자가 성공해도 결혼하면 끝인 거다. 그래서 나는 내 대우가 당연하다고 느꼈다. 누군가 행복하려면 또 다른 누군가는 불행해져야 하는 것처럼. 내가 가족에게서 대우받고 행복하려면 누나가 피눈물 나는 고통을 겪는 게 당연한 일이다. 이게 바로 사회의 이치가 아닐까?

#3. 고작 우산 하나

"난 할머니 손녀도 아니야? 도대체 왜 그러는 데 나한테!!"

누나가 처음 화냈던 순간이다. 아마 내가 중1 때였을 거다. 하늘이 뻥 뚫린 것 마냥 비가 오던 날이었다. 학교가 끝나고 우산이 없어서 단지 누나의 우산을 빌려 썼을 뿐이었다. 고작 우산 하나였다.

비에 흠뻑 젖어 집으로 들어온 누나는 나를 보자마자 얼굴이 새빨개졌고 곧장 내게 다가와 갑자기 내 뺨을 후려쳤다.

"내 우산 왜 썼어? 네가 뭔데 내 우산을 써? 네가 뭔데?"

뺨을 맞은 채로 누나만 멍하니 바라봤다. 나는 입을 열래야 열 수가 없었다. 누나가 화를 낸 것도 처음인데 내 뺨을 후릴 줄 누가 알았겠나.

뺨은 얼얼하지만 나는 차분하게 생각해봤다. 우산 하나 때문일까? 아니다. 그럴 리가 없다. 평소에는 온갖 집안 일을 시켜도 꾹 참고하던 누나였는데 오늘따라 유독 예민한 것뿐이다. 할머니가 큰 소리를 듣고 나와 한 소리를 했다.

"야, 이년아. 네가 뭔데 우리 귀한 손자 뺨을 때려? 네가 드디어 미쳤구나? 어디서 계집이…."

누나의 표정을 봤다. 저게 무슨 표정인지 모르겠다. 충격을 먹은 건가…. 모든 걸 포기한 건가…. 뭐, 무슨 표정이든 어떤가? 여기서 중요한 건 할머니의 표정이다. 나는 재빠르게 할머니의 표정을 분석했다. 참, 할머니는 이래서 좋다. 표정이 단번에 캐치가 된다. 당장이라도 누나를 내쫓을 것 같은 표정이었다. 할머니의 말은 날카로운 칼이었고 그 말들이 누나에게 꽂혔다.

누나도 그 표정을 읽은 것 마냥 이 대화를 끝으로 우리의 곁을 떠났다. 당황스러울 일도 없었다. 그저 자연스러운 현상이다. 그저 맞지 않는 퍼즐들이 떨어져 나간 것뿐이다.

#4. 예술

비싼 모니터 두 대, 깔끔한 올 블랙, 선 하나 없는 무선 키보드 마우스까지. 모든 게 완벽하다. 모니터에 몸을 더 가깝게 밀착시키며 능숙하게 손을 풀었다.

'그래, 너도 해보자.'

나는 피식 웃으며 사진을 확대했다. 화면 속엔 같은 반 여자아이의 얼굴이 떠올랐다. 늘 말수가 적고 조용히 다니는 아이였다. 딱히 눈에 띌 만한 건 없었지만 내가 보기엔 그게 더 좋았다.

"평범한 얼굴이니까 더 쉽게 바뀌지."

나는 모니터에 손을 얹고 사진 속 얼굴을 응시했다. 먼저 머리카락부터 손봤다. 평소 학교에서 단정하게 묶고 다니던 머리를 풀어헤쳤다. 눈매를 살짝 더 또렷하게 입술은 좀 더 광채 돌게 하고 몸의 선들은 더욱 매끄럽게. 클릭 몇 번이면 그녀는 완벽한 나의 모델이 된다.

"와…. 진짜 이걸 어쩌지?"

작업한 사진을 화면 가득히 띄워 놓고 나는 머리를 젖히며 웃었다. 완벽했다. 이건 내가 만들어낸 '작품'이었다. 그녀도 이걸 본다면 아마 놀랄거다. 아니, 자신의 바뀐 모습을 보면 좋아하지 않을까?

여러 사진들을 작업하고 내가 평소에 즐겨하던 SNS에 업로드한다. 더 많은 얼굴들이 내 손끝에서 변해가면 좋겠다. 이게 진짜 건 가짜 건 뭐가 문제지? 그저 모든 사람이 다 진짜라 하면 그게 그냥 진짜인 거다.

#5. 혼자인 이유

그 날, 연락이 왔다.

'할머니를 납치했다.'

요즘에 피싱이 얼마나 판을 치고 있는데 아직도 이렇게 뻔한 수법을…. 그러나 사진 하나가 도착했다. 사진 속에는 폐공장 한 가운데 할머니가 앉아 있는 사진이었다. 뭐지? 뒤이어.

'00시 00대로 16-7 주성테크. 네 할머니를 납치했다.'

'웃기는 소리 하네.'하며 할머니에게 전화를 걸었는데.

'왜 전화 걸어. 확인이라도 하게?'

아, 실제상황이다. 차를 몰고 문자에 적힌 공장으로 찾아갔다.

뚜루루루…. 뚜루루루….

평소 무시하던 선배의 전화다.

"박승원 어디…."

"선배, 제 할머니가 납치돼서 가고 있어요."

"정말? 네가 그런데를 왜 가? 사람을 보내야지 승원아."

"선배. 할머니 죽으면 유산이 누구한테 갈 것 같아요? 나한테 오겠지. 그런데 다는 아닐 거라는 거 알죠? 전화해보니까 돈이 목적은 아닌 것 같던데. 가서 내가 할머니 구하고 유산 따올게. 걱정마요."

"그래 승원아…. 형이 친형은 아니여…."

뚜뚜-

찾았다. 주성테크.

#6. 보고 싶었던 얼굴

문을 열기 전, 거울을 꺼내 얼굴을 확인했다. 슬픔과 충격에 젖은 듯한 표정, 떨리는 손끝, 휘청거리는 몸. 준비를 마쳤다.

끼이익-

'흡…흡…할머니!!!!!!'

슬픈 손자 역할. 완벽해.

"할머니 어디 계세요…. 할머니!!"

텅 빈 공장 안. 적막을 깨고 주머니 속 휴대폰이 울린다.

띠링-

사진을 보냈습니다. 할머니가 공장에 누워있는 사진이었다. '왜 그러세요….'하며 문자를 보내려던 찰나.

띠링-

사진을 보냈습니다. 할머니가 놀이공원에 있는 사진이다.

띠링-띠. 띠링-띠.

사진이 끝없이 쏟아진다. 에펠탑 앞에서 활짝 웃는 할머니, 미용실에서 거울을 보는 할머니, 카페에서 커피를 마시는 할머니, 심지어 클럽에서 춤추는 할머니까지.

"아오, 씨발…."

당했다.

그 순간 어둠 속에서 긴 생머리에 얼굴을 가린 여자가 다가왔다.

"뭐…. 뭐야? 당신."

그녀가 천천히 머리를 넘겼고, 희미한 불빛이 그녀의 얼굴을 어렴풋이 비췄다. 익숙한 얼굴. 꼭 한번 만나고 싶었던 얼굴.

"그동안 행복했어? 즐거웠어?"

그 목소리와 차가운 눈빛 그리고 흐릿하게 보이는 익숙한 윤곽. 누나였다.

"…누나?"

"드디어 알아보네. 못 알아보는 줄 알고 실망할 뻔."

"이딴 장난 왜 친 거야? 사람 갖고 놀면 재밌냐?"

뒤돌아서는 내 등을 향해 말했다.

"네가 속을 줄 몰랐어."

그녀의 목소리가 낚시 바늘처럼 나를 붙잡았다.

"뭐?"

"네가 만날 치던 수법이잖아. 딥페이크. 요즘 기술력이 좋긴 해. 그치?"

그녀의 뒤로 영상이 재생된다. 호화로운 방 안 거울에 비치는 누나의 멍든 다리 사진, 할머니가 누나 학교를 못 가게 하려고 사망신고를 하는 사진. 그리고…. 무엇보다 방 안에서 여러 여자들의 사진을 합성하고 있는 나의 사진.

"뭐야? 어쩌자고 이런 사진들을…."

"이번에 취업한다며? 아…. 너무 오래 기다렸다. 이 사진들 인터넷에 올리면 어떨 것 같아? 취업은 할 수 있으려나. 헐, 아니다. 집 앞 편의점조차 못 나가려나?"

숨이 막히는 듯했다. 그녀의 말이 독사처럼 나를 감쌌고 내 속에서 무언가 부글부글 끓어올랐다.

"뭘…. 뭘 원하는 거야. 도대체?"

"…."

천천히 누나의 눈의 각도 입의 떨림 등을 하나하나 짚어 보는데.

참 누나는 한결같다. 어릴 때도 지금도 표정이 전혀 읽히지 않다. 생각을 분석하기는 무슨.

“아니…. 누나 내가 어릴 때. 그…그래! 그 우산 훔쳐서 그래? 아…. 내가 잘못했어. 누나…미….”

“죽여. 할머니를 죽여. 이 영상 퍼지는 거 싫으면 할머니를 죽여.”

“…뭐?”

머리가 새하얗게 비어 버린다. 온몸이 굳기 시작하고 전혀 내가 예측한 방향이 아니다.

“이 영상은 3일 안에 올라갈 거야. 솔직히 너도 유산 때문에 여기까지 왔잖아?”

“….”

“네가 사회에서 살아남고 싶다면 네가 가진 모든 걸 걸어. 그냥 도박이라 생각하면 편하려나….”

#7. Etude No. 6

폐공장의 철문을 닫으며 바람이 뒤에서 날 밀어붙였다. 발밑 자갈들이 부딪히며 내는 마른 소리와 철제의 비릿한 냄새들이 뒤섞였다. 어둠은 깊었고 달빛조차 희미해 앞이 잘 보이지 않아 머릿속마저 텅 비어 있었다. 아니 정확히는 텅 빈 것처럼 느끼고 싶었다.

익숙한 길을 따라 발걸음을 옮겼다. 오래된 골목, 낮은 담장, 부서진 벽돌. 그 사이에 있는 최고급 주택. 할머니 집이다. 벽돌을 잡아드니 괜스레 차가운 금속을 만지는 것만 같았다. 집을 들어서니 신문을 읽고 있는 할머니와 피아노 반주 소리인 에뛰드 6번이 흘러나오고 있었다.

할머니는 아무 말도 하지 않았다. 나 또한 아무 말도 하지 않고, 한 손에 들고 있는 차가운 금속에 대한 촉감에만 집중하고 있었다. 머릿속은 희미해져 가고 하나의 행동만이 선명해져 갔다. 한 걸음,한 걸음 더 디며 다가갔고 이내 내 몸이 스스로 춤을 추듯 움직인다.

"하아…. 하아…."

무거운 충격이 전해지고, 숨소리가 가빠진다. 손이 무언가를 막으려는 듯 몸을 떨지만, 곧 힘을 잃고 내려갔다. 불과 2분 만에 일어난 일이다. 집에는 여전히 에뛰드 6번 만이 흘러나올 뿐이었다.

#8. 누나(1)

난 항상 차별받는 아이였다. 할머니에겐 여자라는 이유로, 친구들에겐 사회성이 떨어진다며.

"재 몸 팔고 다닌다는 소문이 있대."

"야, 계집이 어디서…. 너 승원이 도시락이나 싸."

항상 이 소리다. 내가 승원이보다 못난 게 뭐가 있다고…. 죽도록 열심히 해봤지만 난 그 집에서 한낱 계집일 뿐이었다.

비가 억수같이 쏟아지던 날이었다. 엄마와 아빠가 돌아가시기 전에 내게 주신 마지막 선물은 우산이었다. 그 우산은 단순한 물건이 아니었다. 그들이 남기고 간 유일한 흔적이었고, 내가 붙잡고 있던 마지막 끈이었다. 그런데 그 우산이 없어졌다. 비를 맞는 건 문제가 되지 않았다.

하지만 우산을 잃어버렸다는 사실은 그 끈이 내 손에서 완전히 사라져버린 것 같은 허망함을 안겨주었다. 나는 거리를 헤맸다. 비에 젖어가는 것도 상관없었다. 우산을 찾기 위해 다시 붙잡기 위해 2시간 넘게 길을 돌아다녔다. 하지만 아무리 찾아도 우산은 보이지 않았다. 결국 집으로 돌아갈 수밖에 없었다. 현관문을 열고 들어서는 순간 우산 꽂이에 꽂혀 있는 그 우산이 보였다. 내가 애타게 찾아 헤맸던 부모님의 흔적. 그 우산이 거기 있었다. 그리고 옆에는 마치 아무렇지 않다는 듯 앉아 있는 승원이가 보였다.

그 순간, 내 속에서 무언가 끓어올랐다. 비에 젖은 몸보다 더 뜨겁게 억눌려 있던 감정이 터져 나왔다. 나는 망설임 없이 다가가 그의 뺨을 내리쳤다. 그에게 화를 내고 싶어서 이기 보다는 내 안에 치밀어 오른 분노와 허탈함을 더는 참을 수 없었기 때문이다. 뺨을 맞은 승원은 놀란 얼굴로 나를 바라보았다.

"네가 뭔데? 우리 귀한 손자 뺨을 때려? 네가 드디어 미쳤구나?"

할머니가 금방이라도 나를 내쫓을 것 같은 표정으로 내게 말했다.

그 순간 나는 깨달았다. 나는 이 집에서 아무것도 아니라는 것을. 승원이가 전교 1등을 하고 유산을 물려받을 준비를 하는 동안 나는 그저 불필요한 조각이었구나. 그리고 무엇보다 이 집안은 죽은 엄마 아빠를 벌써 까먹은 거구나….

우산만 챙겨 집을 나왔다. 빗물에 손끝이 차갑게 젖어가지만 내 손에 들려 있는 우산은 놓칠 수 없다.

#9. 누나(2)

승원이의 약점을 한 번 목격한 적이 있다. 어둠 속에서 그의 방 문틈으로 빛이 새어 나왔다. 자기 학교 여학생들의 사진을 불순하게 합성을 하고 있었다.

"완벽해 이건 진짜 예술이야…."

그 말이 내 심장을 깊이 찔렀다. 내가 가장 알고 싶었던 진실이 이 방 안에 있었다. 죽도록 알고 싶었던 그런 비밀을 카메라 안에 담았다.

#10. 누나(3)

오늘은 드디어 승원이를 보는 날이다. 벌써 14년이나 지났었나….추억팔이를 하고 있던 그 때.

"흡…. 흡…. 할머니!"

슬픔과 충격에 젖은 표정을 연기하며 그가 외친다. 순간 웃음이 터질 뻔했다.

'와…. 진짜 한결같이 가식적이구나.'

그에게 몇몇 사진을 보내고 천천히 다가갔다. 그 후론 나도 내가 어떻게 얘기했는지 기억이 나지 않는다. 기억 나는 것은 정말 한결같이 자신의 감정을 숨기려 하는 저 표정 그리고 속으로 나의 표정을 계산하고 있는 저 뇌.

'뻔하다. 뻔해….'

할머니가 해 준건 하나도 없지만 이런 머리라도 물려줘서 얼마나 고마운지 몰라요. 내가 원하는 건 간단했다. 그도 내가 겪었던 모든 것을 느끼는 것. 그가 감히 내 인생에서 빼앗아간 것들을 하나씩 되돌려 받는 것. 그리고 그 과정에서 그가 자신의 선택으로 모든 걸 잃게 되는 것.

"이제 네 차례야. 승원아."

-탕!

그녀의 마지막 말이었다.

#11. 엔딩

"승원 팀장님. 죄송해요. 제가 잘했어야 했는데…."

"아니에요. 다른 일 보세요. 저 먼저 들어가 보겠습니다-!"

항상 똑같은 퇴근길. 맞아줄 사람 하나 없는 거지같은 인생.

띠띠-. 띠띠-.

오늘도 여김없이 집에 들어서 통 창문을 활짝 열고, 창가에 걸터앉는다.

-띠링.

15년 전 예약한 문자가 도착했습니다.

'승원아 축하해. 지금쯤이면 나는 세상에 없지만 대기업에 들어가서 열심히 살고 있겠지? 근데 너 지금 행복해? 내가 원하는 건 이것이었어. 네가 대기업을 못가고 인생이 망하는 게 아니야. 네가 내가 겪었던 외로움을 똑같이 느끼는 거야. 네가 선택한 삶의 끝이 어떤 건지, 외로움이 얼마나 힘들고 숨 막히는 건지, 그 속에서 얼마나 죽고 싶어 지는지, 천천히 느껴봐. -누나가."

문자를 읽고 더욱더 창가에 몸을 말긴 채로 천천히 눈을 감는다.손끝에서 핸드폰이 떨어지고 창밖으로 비추는 햇살이 점점 더 가까워진다.

"맞네…. 이제 내 차례야. 누나."

세상은 여전히, 아무 일 없다는 듯 돌아가고 있다.

다시 태어나도

조하연

5 am.

일어나서 스트레칭 후 아침식사.

6 am.

러닝.

7 am.

샤워 후 출근 준비.

오늘도 아침 일정을 다 마친 후 카페에 가 아이스 아메리카노를 한 손에 들고 출근한다. 언제나 같은 일정. 같은 하루. 이래야 안심할 수 있다. 변수 따윈 내 스펙과 이미지를 바꿀 수 없지만 최대한 없는 게 좋겠지 싫어서 최대한 하루하루 똑같이 행동하려고 노력한다.

곧 수능이라 그런지 지하철역에 있는 학생들이 많이 지쳐 보인다. 참 힘들 때다. 그래도 학생 땐 일단 공부를 무조건 많이 해놓는 게 좋다. 그리고 좋은 대학. 그래야 어디 가서든 무시당하지 않고 당당하게 살 수 있다.

"저기여, 누나~. 남자친구 있어여?"

염색에, 피어싱에, 교복도 똑바로 안 입었다. 선도부는 이런 애 안 잡고 뭐하나 모르겠다.

"얘, 너 고등학생 아니니? 나 성인인데? 범죄자 되기는 싫어."

"누나~. 저 꿇어서 성인인뎅? 번호 좀 줘여~. 범죄는 아니니까~."

"너 같은 애는 질색이야. 학교나 가. 또 꿇기 싫으면."

"아, 왜여~. 누나 진짜 맘에 들어서 그래여. 나 같은 애가 무슨 애야~."

"가라."

"힝. 누나 이 시간에 지하철 타여? 그럼 내일 또 보겠넹ㅎㅎ."

"내일부터 십분 일찍 나오려고. 너 마주치기 싫어서."

"그럼 나도 십분 일찍 나오면 되는 거지 뭐~. 누나 내일 또 봐여~."

저런 애는 학교 다닐 때부터 멀리했다. 괜히 양아치들이랑 어울리면 안 좋으니까. 난 무엇보다 내 이미지와 스펙이 가장 중요했다. 물론 지금도 가장 중요하다.

"서린 과장님, 어제 말하신 서류예요. 피드백은 언제나 환영입니다."

"고마워요. 최대리."

"얼마든지요. 과장님 오늘 저녁에 시간 되세요? 일 관련 묻고 싶은 것도 있고…. 저랑 밥 한 끼 해요.”

“최도현 대리 미안해요. 공과 사는 구분 똑바로 하는 편이에요. 일 관련 질문은 지금이나 톡으로 연락주세요.”

“아. 네. 죄송해요. 과장님.”

“아니에요. 이제 얼른 자리 가시죠. 최대리.”

이렇게 당일에 약속 잡는 게 제일 싫다. 변수는 최대한 없이 일하자. 공과 사는 구분하자. 이게 내 좌우명이다. 적어도 약속은 3일 전엔 잡아야지. 당일 약속은 정말 최악 중 최악이다. 그리고 회사 사람이랑 저녁이라니. 퇴근 한 순간부터는 자기계발로 바쁘다.

“윤과장, 지난번에 발표한 프로젝트 과장님이 그대로 진행하라고 하시네? 아이디어도 신박하고 요즘 트렌드에 잘 맞아서 10대, 20대들이 좋아할 거 같다고.”

“다행이네요. 그럼 기간 알려주시면 제가 프로젝트 인원 모집이랑 더 구체적인 사항 정리해서 보내 드릴게요.”

“난 윤과장이 일도 잘 하고 깔끔해서 좋더라. 부탁할게요~.”

“네.”

오늘도 6시 퇴근. 마트 갔다가 집 들어가면 딱 맞다. 오늘 저녁은 메밀국수. 일주일 전에 정해 놓은 식단이다. 이렇게 식단을 정하면 저녁 메뉴 고민도 안 해도 되고 돈도 아낄 수 있다. 알뜰 살뜰하게 살아서 서울에 빌딩 하나 짓는 게 내 꿈이다.

“엇! 누나~. 여기서 또 보네여~. 우리 운명인가 봐~~. 그러니까 얼른 번호 줘여ㅎㅎ."

아까 봤던 고등학생. 또 귀찮아졌다.

"누나라고 하지 말고. 너 야자 안 하니? 곧 수능인데 공부해야지. 대학 안 가게?"

"에이~. 누나 저도 공부 해여~. 그리고 나 지금 미용실 가~. 누나가 나 같은 애는 질색이라길래. 염색하려구. ㅎㅎ"

"그래. 해라. 그래도 넌 싫어. 대학 합격하고 와라."

"대학 합격하면 만나주나?"

"서울대 합격하면 만나줄게."

"진짜로? 그럼 일단 누나 번호 줘여. 서울대 붙었는데 누나 못 만나면 의미가 없잖아 ㅜㅜ."

난 명함을 내밀었다.

"윤서린? 이름 예쁘네여~. 나랑 잘 어울리는뎅? 우와~. 예쁜 누나 좋은 곳 다니네~. 완전 대기업인데~. 공부 잘했나 보다~~. 이름도 얼굴도 예쁜 누나가 나 과외해주면 되겠다~~."

"싫어. 지금도 충분히 바빠."

"누나 너무해. 철벽 너무 심하다ㅜ."

"들어가라."

"흥! 내일 나 검은색으로 덮은 거 보고 잘생겨서 반하지나 마~. 맞아, 내 이름은 한강우이에여. 누나 외워놔여~."

쌩 쇼를 한다. 쇼를 해. 저 고딩은 왜 자꾸 나한테 들러붙는 거야. 진짜 질색이다.

집에 도착하면 샤워를 하고 밥을 먹는다. 밥을 먹은 후엔 스트레칭 30분. 그 후엔 책을 읽거나 영어 단어를 외운다. 그리고 11시 취침. 완벽한 하루다.

5 am.

일어나서 스트레칭 후 아침식사.

6 am.

런닝.

7 am.

샤워 후 출근 준비.

오늘도 하루 시작. 지하철 역에 갔더니 어제 봤던 고등학생이 있다. 귀찮아지기 싫으니까 다른 출구로 돌아서 나가야겠다.

"누나! 어디가여! 여기로 나가는 거 아니였어여??"

이런. 마주쳤다.

"아 누나 10분 일찍 나온다길래. 나 10분 일찍 출발했는데 왜 지금 와여. 누나 지각이야."

"뭐라는 거야. 지금 나와도 회사에 내가 제일 먼저 도착하거든."

"아니~. 나랑 약속한 거 아니었어? 10분 일찍 만나기로? 나랑 한 약속에 지각했거든~."

진짜 어이없는 애다. 헛웃음만 나왔다.

"얼른 가서 공부나 해. 서울대 가야지?"

"나 오늘 잠 안 잤는뎅. 서울대 가려고 공부했지~. 그러니까 누나가 카페 가서 커피 사줘여~."

"학교나 가라."

"왜앵~. 내거 커피도 사줘~. 지금 카페 가는 거 아니에여~?"

"어. 아니야."

"누나 너무하네…. 완전 철벽이야…."

"그니까 좀 가."

"난 그래서 누나 더 좋아졌엉ㅎ. 나한테 이러는 여자 누나가 처음이야~."

이제야 좀 떨어지나 했는데 취향이 좀 이상한 거 같다.

"뭐라는 거야. 가라고."

"누나 나 염색한 거 어땡?? 잘 어울려~?? 우리학교 여자애들 다 꼬실 수 있을깡?"

"어. 여자애 다 꼬시고 나한테서 좀 떨어져라."

"잘 어울린다구????? 헐 누나 고마웡. 기분 좋아졌엉~."

얘 때문에 지금 5분이나 시간이 흘렀다. 더 늦으면 계획이 흐트러진다. 지금 당장 가야한다.

"누나~."

"갈 거야 나. 말 걸지마."

"누나아~."

"좀 꺼지라고."

"알았어…. 왜 화를 내… 힝… 누나 나 간다…?? 진짜 간당…? ㅜㅜ"

"제발 가."

"알았옹…. ㅜㅜㅜㅜㅜㅜㅜ."

드디어 갔다. 카페 갔다가 가면 좀 늦을 것 같아서 회사가서 믹스커피를 마셔야겠다. 커피보다 회사에 제시간에 도착하는 게 더 중요하니까.

"윤과장님, 오늘은 믹스커피네요. 회사 앞 카페 아아가 아니라."

"아, 네. 일이 좀 있어서 회사에 급하게 도착하느라요."

"그럼 말 하시지. 제가 오늘 길에 아메리카노 사다 드릴 수 있는데."

"아니에요. 얼른 일합시다."

"네."

"윤과장님 주말에 뭐 하세요? 저랑 단풍 보러 가실래요? 가을이 한걸음 더 가까워져서 그런지 단풍이 예쁘게 잘 피었더라구요."

"아니요. 바쁩니다."

"그럼 언제 시간 되세요?"

"미안합니다. 어제도 말했듯 공과 사는 구분합시다."

"아…. 네…."

요즘 최도현 대리가 자꾸 회사 밖에서 만나자고 한다. 공과 사는 확실히 구분하는 걸 좋아하는 편이라 거절 많이 했다. 그래도 회사 동료인데 밥 한 끼쯤은 먹어줘야 하나 싶다. 날 잘 따라 주기도 하고. 너무 거절만 하면 최대리도 무안할 테니.

"최대리, 점심 누구랑 먹어요?"

"저 딱히 정해져 있진 않아요."

"그럼 저랑 먹어요. 회사 밖에서 따로 시간 내긴 어렵고 점심은 같이 먹을 수 있습니다."

"좋아요! 그럼 어떤 메뉴가 좋으신가요 과장님?"

"전 뭐든 괜찮습니다. 이따 메뉴 알려주세요."

"네! ㅎㅎ."

최대리와 샐러드를 먹기로 했다. 요즘 야채를 많이 먹지 못 한 거 같아 고민이었는데 딱 좋은 메뉴 선택이다. 점심 예산 선에도 딱 맞아서 마음에 든다.

"과장님 여기 맛있죠?"

"네. 그러네요. 앞으로 자주 와야겠어요. 마음에 드네요."

"다행이네요. 다음에도 저랑 같이 와요."

"생각해 볼게요."

"음…. 과장님은 연애할 생각 없으세요?"

"네. 전혀 없습니다. 저는 저 챙기는 것도 바빠서요."

"아…. 역시 그러실 거 같았습니다. 정말 멋지세요."

"뭐가요?"

"자기관리 열심히 하시는 거랑 공과 사 구분 잘 하시는 거랑…. 회사 일 깔끔하게 처리하시는 거요. 정말 본받고 싶어요. 과장님 밑에서 일하게 된 게 정말 영광인 것 같아요."

"고마워요."

"과장님, 혹시 회사 사람과는 연애할 생각이 전혀 없으신가요?"

"네. 아까 말했듯 그냥 연애할 생각도 전혀 없지만, 회사 사람과는 더더욱 없습니다. 공과 사는 확실히 구분해야 된다고 생각해요."

"아…. 알겠습니다."

"혹시라도 회사 사람과 연애하고 싶으시다면 저는 일단 비추천입니다."

"네…. ㅎㅎ 조언 감사해요. 다 드셨으면 일어날까요?"

"네."

오늘도 6시 퇴근. 지하철역엔 또 고딩.

"서린누나 기다렸어여."

"너 진짜 야자 안 하니? 그리고 내 이름 부르지마."

"음~. 이름 예쁜데 왜여. ㅜ 그리구 서울대 갈 수 있어여~. 걱정마~."

"그래. 난 간다."

"누나! 저녁 먹어여."

"싫어."

"왜여ㅜ."

"나도 내 루틴이 다 있어. 방해하지 마."

"누나 너무해."

"너무하면 오지마."

"힝…."

그렇게 지하철을 탔다. 오늘도 루틴을 다 마친 후 잠에 들었다. 11시다.

대학을 졸업한 후 한 번도 빠짐없이 항상 같은 하루를 보냈다. 하지만 내 루틴에 변수 하나가 추가됐다. 그 고딩. 지하철에서 항상 만나는 고딩. 단풍은 하나 둘 떨어지기 시작하고 바람은 점점 더 칼 같이 불고 차가워지기 시작했다. 고딩은 수능 준비로 바쁜지 요새 도통 보이지 않는다. 그 고딩이 서울대 갈 거라고 전혀 생각하지 않았기 때문에 명함을 줬지만 수능이 가까워질 수록 열심히 공부하는 것 같아 걱정된다. 날이 점점 추워지는데 감기 안 걸렸나 모르겠다. 맨날 춥게 입더만.

"윤과장님 오늘 뭐 하세요? 오늘 눈 온대요."

"집 가서 할 일이 많습니다."

"오늘 하루만 안 하시면 안 될까요? 항상 바쁘신 것 같던데 쉬어 가는 날도 있어야죠."

"안 됩니다."

"제가 밥 살게요. 키토김밥 어떠세요?"

"싫습니다."

"네…."

띠링!

'누나 저에요. 오늘 눈 온대요. 만날래요? 말도 안 하고 지하철역 안 가서 미안해요.'

'나 바빠.'

'그래도여….'

'공부나 해.'

'지하철역에서 기다릴게여.'

'한결같구나 되게.'

'그래서 좋다구여?'

'아니.'

'힝…. 누나 내 생각 한번도 안해써여? 난 누나 못 봐서 너무 보고 싶었눈뎅….'

'어, 안 했어.'

'완전 상처받아 써. 연락하지마여. 흥.'

'난 먼저 안 하지.'

'흥. 너무해 (연락 기다릴게여)'

'안 한다고.'

'흥. (치사해 누나 바보야 난 누나생각만 했는데 ㅜㅜ)'

'괄호 친다고 안 보이는 거 아니다.'

'앗 그런강? ㅎ 보고시퍼여.'

'난 별로. 공부나 해 누나 바쁘다.'

'넹♥'

'하트 떼라'

'넹….'

"윤과장! 누구랑 연락하길래 웃어~? 남자야? 윤과장 웃는 거 처음 보는 거 같아~."

"네? 제가 웃었다고요?"

"실실 웃던데? 좋은 일 있어? 웃으니까 예쁘네~. 얼음공주 윤과장~.

좀 웃으세요~~."

"아, 네. 차장님, 프로젝트는 어떻게 하기로 했어요?"

"아이구 얼음공주로 다시 돌아왔네. 그거 1월 1일 새해에 하기로 했어. 광장 앞에서."

"아, 네 감사해요."

내가 웃었다니 말도 안 된다. 내가 고딩이랑 연락하는데 웃었다고? 진짜 이번 년도에 들은 말 중 제일 어이없는 말이다. 유치한 고딩이랑 문자 하는데 웃었다니 진짜 말도 안 된다. 천하의 윤서린이 남자랑 연락하는데 웃었다니 차장님이 장난치신 거다. 확실하다.

"최대리, 혹시 나 진짜 웃었어요?"

"네. 웃으셨어요. 좋은 일 있으세요?"

"아, 아닙니다. 없어요."

"차장님 말대로 원래도 아름다우셨는데 웃으시니까 더 예쁘세요. 자주 좀 웃어주세요, 대리님."

차장님의 장난이 아니었다. 난 그 고딩과 문자하면서 웃었다. 정신 차려 윤서린. 그래도 고딩 오랜만에 보는데… 눈 온다고 했었나? 아메리카노라도 한 잔 사가야겠다. 아메리카노 안 좋아하려나? 카라멜 마끼아또? 아니면 바닐라 라떼? 뭐가 좋으려나….

"누나! 일찍 왔네여? 손에 그건 뭐예여? 나 주려고 사온 거야?"

"어. 바닐라라떼인데 안 좋아해?"

"아니?? 누나가 사준 건데 에스프레소여도 원샷하지~. 그리고 나

바닐라라떼 윤서린 다음으로 사랑해."

"공부하다가 미쳐버린거니."

"아닌데? 진심인데? 나 누나 사랑하는데? 서울대 붙어서 누나랑 연애할 건데? 결혼도 할 건데?"

"붙고나서 말해ㅋㅋ."

"누나 웃은 거예요?? 진심?? 너무 예쁘다 웃으니까. 내 앞에서 자주 웃어줘."

"근데, 너 자연스럽게 자꾸 말 놓는다?"

"걸렸넹 ㅎ. 말 놓으면 안 ??"

"안 돼. 나 스물 일곱이야. 너보다 훨씬 많다."

"헐~. 누나 5살 차이는 궁합도 안 본대~. 우리 운명~!"

"4살이겠지."

"어쨌든~. 윤서린이랑 한강우는 궁합 안 봐도 잘 어울림 이슈."

"뭐라는 거야ㅋㅋ."

"누나 나랑 밥 먹으러 갈래?"

"나 집 가서 먹을 거야."

"뭐라구? 누나가 집밥 해 준다고?? 얼른 가장 ㅎ. 츕당."

"정신 나갔니."

"힝. 누나 너무해."

"뭐 먹을 건데."

"된장찌개 어때여?ㅎ"

"그래. 가자."

“오 뭐야~. 너무 좋아! 공부 때문에 받은 스트레스 싹 풀린다~.”

“서울대 갈 수 있냐?”

“당연하지~. 나 1년 꿇은 이유 유학 갔다 와서야~.”

“어? 너 유학 갔었어…?”

“웅. 몰랐어? 내가 말 안 했나? 나 공부 엄청 잘 해~.”

“아, 뭐야. 그럼 명함 안 줬지.”

“헐…. 누나 나 서울대 못 갈 거라고 생각하고 안 준거였구나…. 힝…”

“당연하지. 나 연애할 생각 없어.”

“그럼, 내가 생기게 해줘야겠다!”

“절대 아니고.”

“어서 오세요. 아이구 학생들 연인이여? 연말이라서 연인이면 더 싸게 해 주는디. 무엇보다 학생들 공부 열심히 하라고.”

“아잇, 할머니. 아직 거기까진….”

“네. 연인이에요. 얼마나 싸게 해주시나요?”

“허허, 학생이 참 똑부러지네. 커서 뭐든 잘 할 것 가터~. 싸게 해 주는 건 이따 계산할 때 보고. 뭐 먹을 겨.”

“된장찌개랑 밥 두 공기랑 파전 한 장 주세요.”

“그려, 그려. 얼른 해 줄 테니까 기다려잉~.”

“누나…. 우리 사귀는 거였어요…?”

“이상한 소리 하지마라. 싸게 해준다고 해서 그런 거야.”

“자기야~.”

"미쳤니? 나 지금 나간다?"

"너무해 자기. ㅜ"

"누나 맛있었죠?"

"응. 맛있더라."

"눈 온다."

"그러게. 눈이네."

퍽.

"너 뭐하냐?"

"눈싸움ㅎ 나 맞춰바랑~~. 나 같은 경우에는 다 맞춰버려 누나도 맞추고~. 문제도 맞춰서 서울대 가고~. 누나랑 연…."

퍽!

"누나…. 나 아픈데…."

"눈싸움이라며 덤벼."

"와, 누나 나 이길 자신 있어?"

"어. 있어. 덤벼."

"난 누나 이길 자신 없어ㅎ."

그렇게 대학을 졸업 후 3년 동안 지켜온 내 루틴이 처음으로 깨지는 날이었다. 11월 10일. 수능이 6일 남은 시점. 나는 루틴, 강우는 수능 공부를 잊고 어린 아이처럼 눈밭을 뛰고 구르며 눈싸움을 했던 날이다. 우리는 그 날 이후 한 발 더 가까워졌다. 다음날 근육통과 피로 때문에 늦잠을 자 회사에 늦은 것도 나에겐 큰 터닝포인트가 되었다.

"윤과장~. 입사 후 첫 지각이네? 무슨 일 있었어?"

"아니요. 늦잠 잤습니다. 어제 눈 와서 긴장해서 걷고 집 주변 길 청소하느라 피곤했나 봐요."

"우리 윤과장도 사람이었구만! 지각하고 말이야. 난 로보트인 줄 알았어~."

"하하…. 아닙니다."

"윤과장님, 오늘 점심 같이 드실래요?"

"미안합니다. 오늘은 점심 먹을 시간이 없을 것 같아요. 어제 루틴을 하나도 못 지켰습니다."

"아…. 윤과장님 혹시 질문 하나 해도 될까요?"

"네."

"혹시…. 어제 같이 있던 남성분은 누구예요? 남자친구…분인가 싶어서요."

"아닙니다. 사적인 질문은 조금 불편하네요."

"네…. 죄송합니다."

띠링!

'아ㅡ. 나 누나 때문에 지각함 책임지세여.'

'나도 지각했어.'

'헐 누나가 지각을? 어제 많이 피곤했나 보당 놀아줘서 고마워여.'

'나도 덕분에 즐거웠어. 고마워.'

'헤헤 누나 수능 5일 남아여. 응원해줘여.'

'파이팅. 꼭 서울대가라.'

'오~. 누나도 나랑 연애하고 시펴여? 서울대 가라고 해주고♥'

'서울대 빼고 다 붙으렴.'

'힝. 너무해.'

'ㅋㅋ.'

'자기야, 나 수업 받고 올게여.'

'뭔, 자기야ㅋㅋ. 얼른 받고 와.'

루틴이 한 번 깨지니 계속 깨지게 되었다. 어느새 나는 루틴따윈 잊은 채 저녁은 먹고 싶은 걸 먹고 스트레칭 대신 티비 보기, 책 읽기 대신 강우 그 놈과 연락하고 있었다. 맑은 하늘과 선선하게 바람이 불던 날, 강우 그 놈은 결국 서울대에 붙었고 나한테 더 많이 연락하기 시작했다. 연락을 많이 하다 보니 자주 만나게 되었고 전화도 많이 하게 되었다. 그렇게 우리는 한 발자국씩 가까워져 어느새 서로에게 가장 친한 이성친구가 되었다.

"자기야 오늘 뭐할까? 그래도 데이트자나~."

"뭔 자기야 자꾸. 정신차려라 한강우."

"아 왜~. 안 사귀어서 싫은 거야? 그럼 우리 사귈까?"

"싫어."

"왜애…. 누나 어장이었어…? 난 누나도 나 좋아하는 줄 알았는뎅…."

“누가 고백을 그렇게 장난식으로 하냐? 최악이다. 최악.”

“그럼, 내가 각 잡고 고백하면 받아 줄 거야~?”

“그건 모르지.”

“와, 누나 구라쟁이네. 서울대가면 나랑 만나준다며.”

“몰라. 몰라. 춥다. 얼른 카페나 가자.”

“목도리 줄까? 겉옷 벗어줄까? 뭐 해줄까? 우리 서린이 오빠 없으면 어떻게 살려구~.”

“미친놈. 꺼지셈. 나 집 갈거야.”

“헐 누나 미안해…. 가지마…. 나랑 놀장…. 그리구 말 좀 이쁘게 해… 나 속상행….”

“그건 미안해. 안 갈테니까 용서해줘.”

“웅ㅎ. 구랭ㅎ.”

“어 한강우! 뭐야~. 여자친구냐?”

“웅. 그니까 얼른 가셈. 아니다 누나 먼저 들어가 있어요. 나 얘랑 이야기 좀만 하다가 들어 갈게.”

“알았어.”

난 카페에서 집어 든 작은 책 한 권을 다 읽었다. 날은 점점 어두워지기 시작했다. 나랑 놀기로 했으면서 이게 뭐야. 난 휴대전화를 집어 들고 강우에게 전화를 걸었다.

“야. 한강우. 너 어딘데 안 와? 지금 뭐 하는데?”

“아…. 누나 성격 진짜 급하네. 누나 지금 거기서 딱 오 분만 기다려줘요. 아니다. 삼 분!”

뚜뚜뚜….

진짜 한강우. 충동적이고 어디로 튈지 모르는 매력이 있는 아이다. 3분만 기다리라고 하니 한 번 기다려보지 뭐….

"누나! 미안해요!"

"손에 든 건 다 뭐야."

"아…. 그…. 누나 나 할 말 있어."

"뭔데."

"나랑 연애하자. 이제. 내가 진짜 잘 해 줄게. 나 누나랑 연애하고 싶어서 한 달 동안 죽어라 공부해서 서울대 붙은 거야. 사실 전부터 공부를 잘 하긴 했지만…. 그래도 누나랑 사귀고 싶어서 더 열심히 공부했어. 내 노력을 봐서 나랑 사귀자 윤서린."

어둡게 칠한 도화지에 흰색 물감이 한 방울씩 톡톡 떨어졌다. 나의 이미지와 스펙이 전부였던 내 연못에 한강우라는 금붕어 하나가 들어왔다. 어느새 그 금붕어는 먹이를 먹고 점점 커져서 내 연못을 전부 차지했다. 그리고 그 금붕어가 연못에서 튀어 올라 내 코앞까지 온 순간이었다.

"장미꽃이랑 케이크는 뭐야…. 언제 사 온 거야…."

"늦어서 미안해. 꽃집에 사람이 너무 많더라."

"너 진짜 당황스러운 애인 거 알아? 처음에 지하철에서 만났을 때도 너 진짜 당황스러웠고 자꾸 나타나서 나한테 플러팅 하는 것도 맨날 나타나다가 안 나타났을 땐 얼마나 걱정했는데. 너 유학 갔다 와서 꿇은 것도, 공부 잘하는 것도, 서울대 붙은 것도. 넌 그냥 당황스러움의 정의 같은 아이야. 난 그런 너 때문에 내가 3년 내내 지켜왔던 루틴 깨졌어. 이게 얼마나 나한테 큰 일이냐면….”

“누나. 알겠어요. 큰 일인 거 아는데, 나 안 받아 줄 거야? 받아 줄 거면 얼른 받아줘요. 나 꽃 계속 들고 있으니까 팔도 아프고 눈 오니까 손 얼 것 같아. 얼른 받아.”

“고마워.”

“내가 누나 많이 좋아하는 거 알죠?”

“몰라….”

“거짓말. 이거 모르면 누나 완전 바보인데?”

“아, 몰라… 짜증나 너.”

“ㅋㅋ. 누나 좋아해요 많이.”

“…나도.”

2023년 11월 30일. 새하얀 물감이 도화지 전부를 덮었고 내 연못은 분홍색인 사랑이라는 감정으로 물들었다. 우리는 서로의 자리에서 최선을 다하며 만나기로 했다. 강우는 아직 대학에 입학하진 않았지만 도서관에서 여러 공부를 하며 학생의 본분을 지키기로 했고 난 직장인이기에 이번에 맡은 프로젝트부터 이런 저런 자잘한 프로젝트들을 담당하며 바쁜 하루를 보냈다.

새해가 다가올수록 나는 프로젝트 때문에 잦은 야근으로 예민해졌고 강우와 다투는 날이 많아졌다. 강우는 나를 삼십 분이라도 보길 원했지만 내 입장에선 삼십 분 만나기 위해 강우가 지하철을 타고 우리 회사 앞까지 오고 우리 집 앞까지 데려 다 준 후 다시 지하철을 타고 집으로 돌아가는 것이 너무 시간 낭비라고 생각이 들었다.

"윤과장, 프로젝트 있잖아. 그거 잘 할 수 있지? 되게 중요한 거 알고 있지? 이번에 후원사도 많고 1월 1일 광장에 사람 많을 거라 사장님 포함 윗분들이 엄청 기대하고 계셔. 난 서린과장 믿어. 믿어도 되는 거지? 항상 해왔던 대로만 해줘."

"네. 당연하죠. 믿어주세요. 기대에 부응할 자신 있습니다."

"차장님. 저도 믿어주세요. 서린과장님 밑에서 많이 배웠고 저도 같은 프로젝트 맡고 있잖습니까. 서린과장님만 기대하시면 저 좀 서운해요?"

"어우~. 우리 최대리도 믿지~. 이번에 잘하면 최대리 승진 가능할 것 같아~. 힘내~."

"네 ㅋㅋ. 감사해요. 서린과장님. 저희 힘내 봅시다."

"네."

"오늘 점심 같이 드실래요? 이번 프로젝트에 대해 이야기하고 싶은 것도 있고요."

"네. 먹어요. 회사 앞 된장찌개 집이 맛있어요. 추우니까 든든히 먹고 일합시다."

"네. 제가 살게요 오늘은. 과장님 요새 엄청 고생하시니까요."

"고마워요."

"여기 맛있죠? 제가 자주 오는 집이에요."

"진짜 맛있네요."

"어서와유. 학생~. 어유 또 왔네~. 단골이야 단골~."

"아, 네 할머니 ㅎㅎ. 저 보고 싶으셨어여??"

"아유~. 우리 손자 같아~. 보고 싶었지~. 얼른 앉아. 많이 줄게 오늘도~."

"넹 ㅎㅎ."

"과장님, 저 학생은 진짜 날라리 같이 생겼네요. 요즘 말로는 일진이라고 하죠? 오토바이 타고 오던데 나중에 뭐하려나 모르겠네요~."

"네? 누구요?"

"방금 들어온 학생이요. 저 앞에 앉은."

고개를 돌려 최대리가 말한 학생을 보았다. 강우였다. 눈이 마주친 순간 나는 나도 모르게 고개를 돌려버렸다.

"누나. 여기서 뭐해? 이 분은 누구셔?"

"윤과장님 아는 사람이었어요?"

"아, 그냥 아는 동생입니다. 넌 얼른 가서 공부해. 밥은 네거 계산하고 나갈 테니까."

"아…. ㅋㅎ. 그냥 아는 동생…. 네, 누나. 고마워요. 잘 먹을 게요."

"최대리, 다 먹었으면 일어나죠. 우리 할 일이 산더미잖습니까."

"네네, 얼른 가시죠 과장님."

아무 생각 없이 갔던 된장찌개 집. 아무 생각 없이 먹던 된장찌개. 그리고 마주친 강우.

'누구예요. 그 남자.'

'회사 동료야. 미안해.'

'회사 동료인데 왜 나를 아는 동생이라고 소개해요? 내가 부끄러워

요?'

'아니야 그런 거. 미안해.'

'하…. ㅋㅎ. 누나, 나 요즘 진짜 힘들어요. 누나는 많이 바빠서 나랑 만나주지도 못하고, 그래서 내가 누나 회사 앞까지 찾아간다고 하니까, 또 그건 싫대. 누나, 나 이제 싫어요? 진짜 지쳐요. 우리 데이트 안 한지 얼마나 지난 줄 알아요?'

'강우야, 누나가 이번 프로젝트 진짜 중요하다고 했잖아. 이거만 끝나면 너랑 꼭 붙어있을 게. 그때 데이트 많이 하자. 한 번만 참아주라. 응?'

'내가 열심히 참고 버티고 있었는데, 누나 남자랑 밥 먹었잖아. 나한테 한 마디도 없이. 나도 먹어도 돼? 해린이랑?'

'걔는 너 좋아하잖아. 안 되지 강우야.'

'누나, 누나 회사 동료라는 그 사람. 딱 보면 모르겠어요? 누나 좋아하는 거? 입에 뭐 묻으면 보고 닦아주고, 앞치마 가져다주고, 물 따라주고, 의자 빼주고. 모르겠냐고요.'

'아니야. 도현대리는 그냥…. 예의상 그런 거잖아.'

'예의상? 하…ㅋㅋ. 누나, 그럼 그 동료라는 놈. 도현? 걔가 한 행동 내가 그대로 김해린한테 해도 돼? 예의상 하는 거니까 유교국가 대한민국에서는 해도 되겠네?'

'안돼. 강우야. 걘 너 좋아한다고. 꼬시는 거야. 뭐야.'

'하…ㅋㅋㅋㅋㅋㅋ. 끝나고 연락해요. 만나러 갈게. 얼굴 보고 얘기하자.'

'응.'

"강우야."

"누나, 따라와요."

카페 앞이었다. 강우가 나한테 고백했던 그곳. 그 날처럼 오늘도 새하얀 눈이 잔뜩 내렸다.

"누나, 누나는 진짜 그 사람이 그냥 회사 동료예요?"

"응. 당연하지. 최대리는 나를 공적으로써 존경하고 좋아하는 거야."

"누나, 길가던 사람한테 물어봐요. 그 사람이 누나 좋아하는 것 같냐고. 백이면 백 다 그렇다고 할걸요."

"…."

"솔직히 누나도 알고 있잖아. 자꾸 밥 먹자, 커피 먹자. 알잖아 무슨 의미인지."

"강우야…."

"누나, 나는 김해린이랑 멀어지려고 발악 중이에요. 누나가 불편할 거 아니까. 근데 누나는…. 하…."

강우의 눈에선 눈물이 흘렀다. 강우가 운다. 강우는 감정적인 아이라 자주 울었다. 하지만 이렇게 가까이서 강우가 우는 걸 본 건 처음이다.

"누나 앞에서 울어서 미안해요. 나 갈게요."

강우는 신호등이 초록불로 바뀌자마자 도망가듯 신호등을 건넜다.

그 순간 귀를 찢는 듯한 브레이크 소리와 함께 강우가 사라졌다. 정신을 차려보니 강우는 신호등에서 한참 떨어진 곳에 쓰러져 있었다. 아무것도 할 수 없었다. 눈물만이 흘렀다. 강우를 보러 갈 수조차 없었다. 아니, 도저히 볼 자신이 안 났다. 강우의 모습을 볼 자신이 없었다. 강우 주변만 새빨갰다. 분명 지금 세상은 새하얀데 강우 주변만 빨갰다. 점점 빨간 것이 퍼졌다. 나는 손이 떨리고 다리가 떨려 그 자리에 주저앉았다.

누군가는 119에 신고를 하고, 누군가는 강우를 살리려고 심폐소생술을 했다. 또 누군가는 차주를 찾아 나섰다. 누군가는 뉴스에 제보를 했고, 또 누군가는…. 모두 강우를 위해 움직이고 있었다. 하지만 정작 강우와 가장 가까운 나. 나, 윤서린은…. 그 어떠한 것도 할 수 없었다. 눈물이 눈 앞을 가려 세상은 흐렸다. 소리는 그 어떠한 것도 들리지 않고 내가 흐느끼는 소리만 들릴 뿐이었다. 난 강우를 위해 우는 것밖에 할 수 없었다. 강우는 날 위해 많이 울었지만 난 처음으로 강우 때문에 아니 강우를 위해 울며 하늘에 빌었다.

제발 강우가 살아줬으면 좋겠다고. 식물인간이 되어도 좋으니, 살아만 달라고.

2024년 1월 1일.

나는 프로젝트를 중간에 그만두고 빌딩 지으려고 모아 두었던 돈으로 살며 강우를 간호하기 시작했다. 강우는 아직도 의식불명. 강우에겐 나는 이런 존재였을지도 모르겠다. 곁에 있지만 의식불명이라 대화조차 할 수 없는 존재. 나 자신이 너무 미웠다. 하늘도 미웠다. 왜 하필. 도대체 왜. 골라도 강우를 골랐는지…. 너무나도 미웠다.

강우는 의식불명이 된 지 한 달 만에 눈을 떴다. 난 강우를 보자마자 미안한 마음에 살아줘서 고마운 마음에 강우를 부둥켜안고 펑펑 울었다. 강우는 평생을 병원에서 보내야 한다고 했다. 가끔 외출은 휠체어로 할 수 있다고 했다. 강우는 무슨 생각을 하는지 한참을 창밖만 보았다. 그렇게 한 시간이 지난 후 드디어 강우가 입을 떼었다.

"누나. 상처받지 말고 들어줘."

"응. 강우야…."

"그만하자. 우리."

"왜…?"

"이 꼴로 누나 만나는 나도 싫고, 나만 보면 펑펑 우는 누나가 고맙다가도 너무 미워."

"강우야…. 그게 무슨 소리야…."

"누나가 나를 위해서 울어주는 건 고마운데. 그게 싫어. 누나가 울수록 내가 더 비참해지는 기분이야. 난 누나를 더 이상 행복하게 해줄 자신이 없어. 미안해."

"강우야…."

"헤어지자 그냥. 쿨하게 놔주라. 누나 멋있는 사람이잖아."

"…."

"나가줘 이제. 내가 미안해."

"강우…."

"나가줘. 부탁이야."

"아…. 응…."

그렇게 나는 아무 말도 못 하고 병실을 나왔다. 몇 분이나 지났을까. 난 한 걸음도 걷지 못하고 강우의 병실 앞에 서있다. 병실에선 강우의 울음소리만이 들린다. 강우는 왜 나와 헤어지기를 택했을까.

강우와 나의 연애는 마치 가을과 같았다. 시작할 땐 여름처럼 뜨거웠고 청춘이었다. 강우는 나에게 뜨거운 여름 햇살 같은 남자였다. 난 강우의 햇빛을 먹고 큰 꽃 같았다. 끝은 겨울처럼 차갑고 입이 얼어 아무 말도 할 수 없었다. 강우는 햇빛을 감추었고 난 차가운 겨울속에 갇혀 시들어 버린 것이다.

난 존중한다. 강우를. 서로 각자의 자리에서 빛나길.

희망의 불씨

조인경

#1.

2036년. 정체불명의 바이러스가 세상에 퍼졌다. 그것은 빠르게 사람들을 감염시켰고 감염된 자들은 인간성을 잃고 좀비가 되어버렸다. 시간이 지남에 따라 대도시는 거대한 폐허로 변했고 거리를 걷는 것은 이제 사람들 대신 좀비들이었다. 고층 빌딩들은 부서진 채로 방치되었고 창문 사이로 보이는 적막한 풍경은 한때 번화했던 문명의 흔적을 암울하게 드러냈다. 살아남은 사람들은 도시의 어두운 구석으로 숨어들었고 생존을 위해 끊임없이 움직여야 했다. 거리엔 전기와 수도가 끊긴 지 오래였고 마트와 상점들은 이미 약탈당한 뒤였다. 인류는 더 이상 과거의 찬란한 문명을 기대할 수 없었다. 세상은 끝없이 무너져 내리고 있었다.

이 속에서 한 평범한 남자 이현욱은 작은 생존자 그룹을 이끌고 있었다. 이현욱은 한때 평범한 회사원이었다. 아침 8시에 출근해 저녁 6시에 퇴근하는 규칙적인 삶을 살았다. 성실함과 따뜻한 성품으로 동료들 사이에서 평판이 좋았고 곧 결혼을 앞둔 여자친구도 있었다. 그러나 바이러스가 퍼진 그날 그의 평온한 일상은 산산조각 났다. 이현욱과 여자친구는 함께 식량을 구하러 근처 마트로 향했다. 그곳에서 그들은 이미 좀비들로 뒤덮인 참혹한 광경을 마주하게 되었다.

"도망쳐! 여긴 위험해!"

이현욱은 필사적으로 여자친구의 손을 잡고 도망치려 했지만 순식간에 좀비들이 그들에게 달려들었다. 그 순간, 이현욱은 여자친구가 비명을 지르며 좀비에게 물리는 모습을 눈앞에서 목격했다. 시간이 멈춘 것만 같았다. 그녀의 눈빛은 두려움으로 가득했고 그 눈빛은 곧 차가운 공포로 변했다. 그날, 이현욱은 자신이 사랑하던 사람을 잃었다. 가슴이 찢어지는 듯한 고통에 몸부림쳤지만 더 이상 무언가를 할 수 있는 상황은 아니었다. 그는 그녀를 눈앞에서 지켜줄 수 없었다는 죄책감과 무력감에 사로잡혔다. 그 후, 이현욱은 스스로에게 맹세했다. 더 이상 소중한 사람을 잃지 않겠다고. 그는 생존자 그룹을 조직했다. 그의 그룹에는 가족과 이웃들로 이루어졌으며 서로를 지키기 위해 끊임없이 이동했다. 이현욱은 강한 전투력은 없었지만 따뜻한 마음과 사람들을 향한 깊은 배려심으로 사람들을 결속시켰다.

어느 날, 이현욱은 도시 외곽의 폐허로 들어가 어떤 남자를 노인을 만났다. 그 노인은 이현욱에게 희망을 주는 말을 건넸다.

"우리는 아직 끝이 아니야. 사람은 희망이 있을 때 더 강해지는 법이지."

이현욱은 그 말을 듣고 생각났다. 그는 좀비 바이러스가 퍼진 이 세상에서 그저 살아남는 것만이 아니라 희망을 지켜야 한다고. 사람들에게 희망을 주는 사람이 되어야 한다는 결심을 하게 된 것이다.

#2.

그 후, 이현욱과 그의 생존자 그룹은 더 안전한 장소를 찾아 이동했다. 그 와중에 그는 과학자였던 희연을 만나게 된다. 희연은 바이러스 치료제 개발에 필요한 자료가 남아 있는 연구소로 가는 것이 유일한 희망이라고 말했다. 희연이 말한 연구소는 대도시 한가운데 있었다. 도시 전체가 좀비들로 점령된 위험한 지역이었다. 하지만 치료제를 개발하기 위해선 그곳으로 가야만 했다. 이현욱은 깊은 한숨을 내쉬며 주변을 둘러보았다. 그의 마음속에는 많은 생각이 스쳐 지나갔지만, 그는 팀원들에게 힘을 주어야 했다. 이현욱은 큰 고민이 되었다. 결국, 이현욱은 위험을 무릅쓰고 희연을 도와주기로 결심한다. 그들은 함께 연구소로 가는 여정을 시작했다. 밖에 나갔을 때 좀비들이 여기저기 떠돌아다녔다. 그때는 아침이었고 좀비들이 아직은 잘 보이지 않았다. 하지만 연구소로 가는 길에 그들이 걷는 길목마다 좀비들이 어슬렁거리며 지나가고 있었다. 이현욱은 조용히 손짓으로 신호를 보내며 팀원들이 소리 없이 이동하도록 했다. 긴장된 공기가 그들 사이를 가득 채웠다. 작은 발소리 하나라도 내면 상황은 급속도로 악화될 수 있었다. 하지만 그때, 갑작스러운 소리가 공기를 가르며 울려 퍼졌다.

쾅!

어디선가 떨어진 금속 소리가 그들의 귀에 들렸다. 이현욱은 순간적으로 멈춰 섰다. 좀비들이 그 소리에 반응하며 일제히 그들을 향해 고개를 돌렸다.

"이쪽으로!"

이현욱은 재빨리 팀원들을 이끌었다. 그들은 좁은 골목을 빠르게 달리기 시작했다. 좀비들의 발소리가 뒤에서 크게 울려 퍼졌다. 그들은 더 이상 조용히 이동할 수 없었다.

"멈추지 마, 계속 달려!"

이현욱은 팀원들에게 외쳤다. 모두가 지쳐 있었지만 그들은 끝까지 버티며 발걸음을 재촉했다.

"저쪽에 버스가 있어!"

팀원 중 한 명이 외쳤다. 오래된 버스가 골목 끝에 세워져 있었다. 이현욱은 그쪽으로 방향을 틀었다. 좀비들이 그들 뒤를 바짝 따라오고 있었고 시간이 없었다.

"이 버스가 움직일까?"

희연이 물었다.

"확인해 볼 수밖에 없어."

이현욱은 엔지니어 출신의 생존자 동수를 향해 고개를 끄덕였다.

"한 번 해봐."

동수는 재빨리 버스의 엔진을 열고 내부를 살펴보았다. 그는 집중한 얼굴로 손을 움직였다.

"시간이 좀 걸릴 거야. 조금만 더 버텨줘."

이현욱은 동수의 말을 듣고 고개를 끄덕였다.

"됐다!"

동수가 외쳤다. 버스 엔진이 드디어 돌아가기 시작했다.

"모두 타!"

이현욱은 팀원들에게 외쳤다. 그들은 재빨리 버스 안으로 뛰어들었다. 좀비들은 이미 버스 창문을 두드리며 접근해오고 있었지만, 동수는 재빨리 버스를 출발시켰다. 그렇게 그들은 연구소로 한걸음 더 가까이 갔다.

"우린 포기할 수 없어. 세상에는 아직 지킬 가치가 있는 것들이 있어."

이현욱의 말은 지친 생존자들에게 힘을 주었다. 그들은 이현욱의 리더십 아래 점차 하나가 되었고 서로를 지키기 위해 더 강해졌다. 그리고 이현욱 다짐했다. 꼭 세상을 지켜 낼 거라고.

#3.

마침내. 그들은 연구소에 도착했다. 하지만 예상대로 연구소는 좀비들로 가득 차 있었다. 폐허가 된 연구소 안에서 들려오는 좀비들의 신음 소리는 마치 죽음의 전조처럼 울려 퍼졌다. 이현욱은 긴장된 표정으로 주위를 살폈다.

"저들도 한때는 다 같은 사람이었어."

그는 속으로 생각했다. 그러나 이 생각을 곱씹을 여유는 없었다. 지금은 오직 살아남기 위한 싸움이 우선이었다.

"희연, 서둘러!"

이현욱은 짧게 속삭였고 희연은 그의 말을 듣고 빠르게 연구소의 중앙으로 향했다. 치료제 데이터를 찾기 위해서는 연구소 내부의 서버에서 자료를 추출해야 했다. 그리고 이현욱은 그녀가 안전하게 작업할 수 있도록 좀비들과 싸워야 했다. 이현욱은 팀원들과 함께 연구소 입구를 지켰다. 좀비들이 그 소리에 반응하며 하나 둘씩 움직이기 시작했다. 그들의 발소리가 금속 바닥을 울리며 들려오자 이현욱의 심장은 요동치기 시작했다. 그는 다시금 무기를 손에 꽉 쥐었다.

"여기서 모든 걸 끝낼 수 없다!"

그 결심을 다잡으며 이현욱은 눈을 좁혔다.

"온다!"

팀원 중 한 명이 외쳤고 이현욱은 뒤를 돌아보았다. 복도 끝에서 좀비들이 몰려오고 있었다. 그들은 느린 발걸음으로 천천히 다가오고 있었지만 그 수는 엄청났다.

"이런 숫자를 상대하려면…. 시간이 필요해."

그는 머릿속에서 수많은 시나리오를 그려 봤다. 그리고 결전의 순간이 다가왔다. 이현욱과 그의 팀은 분투했지만 상황은 점점 악화되었다. 그때 희연은 필사적으로 데이터를 찾기 시작했고 그 사이 이현욱은 자신의 몸을 내던져 좀비들을 막아냈다. 팀원들은 이현욱의 지휘 아래 필사적으로 싸웠지만 사상자가 생기기 시작했다. 그럼에도 이현욱은 결코 물러서지 않았다. 그는 희망의 불씨를 잃지 않았다.

#4.

"앞으로 나아가!"

이현욱은 팀원들에게 외쳤다. 그는 이미 자신이 여기서 살아남지 못할 것을 알고 있었지만 팀원들이 그 사실을 알게 두고 싶지 않았다. 그들은 아직 이현욱이 희망을 잃지 않았다고 믿고 있었다. 이현욱은 그

들의 믿음을 저버릴 수 없었다. 사실 이현욱은 좀비에게 물렸다는 사실을 숨겼다. 좀비에게 물린 상처는 점점 붓고 피부가 검게 변해가고 있었다. 시간이 얼마 남지 않았다. 그가 감염되었다는 사실은 분명했지만 팀원들에게 알릴 수 없었다. 여기서 무너지면 모두가 끝장이다. 지금은 팀원들과 희연이 무사히 연구소를 탈출할 수 있도록 막아서는 것이 그의 유일한 목표였다.

"이제 거의 다 됐어!"

뒤에서 희연이 외쳤다. 그녀는 필사적으로 데이터를 추출하고 있었지만 시간이 부족했다. 좀비들은 점점 더 가까이 다가오고 있었고 이현욱과 팀원들은 끝없는 좀비들의 공격을 막아내야만 했다.

"빨리 끝내야 해!"

이현욱은 숨을 몰아쉬며 다시 외쳤다. 그의 시야가 흐릿해지고, 상처의 고통은 이제 참을 수 없는 지경에 이르렀다. 좀비에게 물린 팔이 쓸모없게 되었고 그는 한 손으로만 무기를 휘둘러야 했다. 하지만 그럼에도 그는 싸움을 멈추지 않았다. 그의 머릿속에는 오직 한 가지 생각만이 가득했다.

"내가 여기서 무너지면 모두가 끝난다."

이현욱은 앞으로 나아가며 좀비들과 맞섰다. 그사이 희연은 필사적으로 데이터를 추출하고 있었다. 컴퓨터 화면에 경고 메시지가 연달아 떴고 그녀는 떨리는 손으로 키보드를 두드렸다. 시간이 없었다. 이현욱이 조금 더 버텨주지 못하면 치료제 데이터를 확보할 수 없다. 그녀의 귀에는 좀비들의 통곡하는 소리와 팀원들의 거친 숨소리가 섞여 들렸다. 희연은 이를 악물었다.

'조금만 더!'

그녀는 속으로 외쳤다. 그리고 마침내 희연이 데이터를 확보했다.

그녀는 컴퓨터를 끄고 이현욱에게 달려갔다. 그녀는 그의 몸 상태를 보고 깜짝 놀랐다. 희연과 나머지 팀원들은 그를 구하려고 다가왔지만 그는 이를 거부하며 말했다.

"이현욱…. 너…."

희연의 목소리가 떨렸다. 이현욱의 몸은 이미 한계에 달해 있었다. 그는 눈앞에 보이는 희연을 애써 바라보며 작게 웃었다. 그 웃음 속에는 더 이상 물러설 곳이 없다는 결심이 담겨 있었다.

"난 괜찮아. 너희는 어서 나가 내가 할 수 있는 건 여기까지야. 이제 너희가 세상을 구해줘."

결코 희연과 팀원들은 이현욱의 말을 거역할 수 없었다. 그들은 이현욱이 만들어준 틈을 이용해 연구소 밖으로 달려 나갔다. 눈물로 가득 찬 희연의 시야는 이현욱이 좀비들과 끝까지 싸우는 모습으로 흐릿하게 덮였다. 하지만 연구소 앞에서, 희연은 쉽게 발걸음이 떨어지지 않았다. 희연은 이현욱이 연구소 안에서 마지막까지 싸우고 있는 모습을 보고 눈물이 나왔다. 희연은 어서 자신이 이 문제를 바로잡겠다고 이현욱이 지켜낸 이 세상을 꼭 다시 일으켜 세우겠다고 다짐했다. 연구소를 탈출한 다음에야 그들은 치료제 데이터를 안전한 곳으로 옮길 수 있었다. 이현욱의 희생 덕분에 그들은 세상의 마지막 희망을 지켜낼 수 있었다.

#5.

시간이 흘러, 희연은 이현욱의 희생 덕분에 치료제를 완성할 수 있었다. 치료제를 만드는 데에는 꽤 시간이 걸렸다. 생존자 그룹의 생존자들은 점점 식량도 떨어지고 지낼 곳도 사라졌다. 전기는 꺼지고 물도 잘 나오지 않았다. 그들은 점점 지쳐가고 희망을 잃었다. 희망을 주고 믿음이 갔던 이현욱도 이젠 없다.

3개월 뒤 희연은 드디어 치료제를 완성했다. 그리고 세상은 천천히 회복되기 시작했고 아직 남은 여러 생존자들도 찾게 되었다. 그리고 좀비 바이러스는 점차 사라져 갔다. 그리고 그 치료제는 3개월안이라는 한정된 시간 동안만 감염된 사람들만 치료할 수 있었다. 그럼에도 불구하고 희연과 생존자들은 최선을 다해 임무를 완수했다. 치료제가 퍼지면서 세상은 서서히 정상으로 돌아오기 시작했다. 도시는 천천히 재건되었고, 사람들이 하나둘 돌아왔다. 세상은 이현욱의 희생 덕분에 살아남은 것이다. 그리고 사실 치료제를 완성하고 나서 희연과 그들은 이현욱이 있는 그 연구소로 되돌아갔다. 연구소에 좀비들은 다 말라서 힘이 없는 채로 쓰러져 있었다. 희연과 그들은 그런 모습을 보고 놀라고 슬펐다. 그리고 좀비들 중에는, 이현욱도 있었다. 이현욱은 좀비가 되어 연구소를 서성이고 있었다. 그때 이현욱도 중심을 잃고 쓰러져 버렸다. 희연은 놀라서 그대로 이현욱에게 다가가서 손을 떨며 치료제를 투입했다. 그리고 이현욱은 병원에 옮겨졌다. 하지만 이현욱은 일정기간이 지나도 깨어나지 않았다. 희연은 통곡했다

"조금만 더 빨리 와서 치료제를 주었어야 했는데…. 다 나 때문이야."

희연은 자책을 했다. 시간이 흘러, 생존자들은 이현욱이 깨어나지 않을 가능성을 받아들이기 시작했다. 의사들도 더이상 이현욱이 깨어나지 않을 것 같다며 다시 놓아주기로 하자고 했지만 희연은 조금만 더 기다리자고 하여 10일의 시간만 더 얻게 되었다. 희연은 포기하지 않았다. 이현욱이 가르쳐준 가장 중요한 것이 바로 '희망을 잃지 않는 법'이었기 때문이다. 그는 희망의 불씨를 끝까지 지켰고 이제 그녀도 포기하지 않겠다고 다짐했다. 희연과 생존자들은 이현욱을 매일 지켜보고 빌었다. 제발 깨어나라고.

5일 뒤, 기적 같은 일이 일어났다. 이현욱의 얼굴색이 점점 돌아오면서 손가락이 움직이고 마침내 6일째에 이현욱이 눈을 떴다. 희연과 그들은 이현욱에게 당장 달려갔다. 이현욱은 깨어나서 말했다.

"정말 고마워요. 당신들을 믿고 있었어요. 정말 감사합니다."

희연과 생존자들은 서로를 꼭 끌어안았다. 희연과 생존자들은 이현욱의 마지막 말을 기억했다.

"우리는 희망을 잃지 않는 사람이 되어야 해."

그들은 이현욱이 남긴 그 가르침을 마음에 새기고 새로운 세상을 만들어 나갈 것이라고 이현욱은 지켜줘서 고맙다며 우리는 더 나아가자고 말했다.

#6. 에필로그

세상이 다시 돌아왔다. 바이러스가 퍼졌던 날들과 이현욱의 희생은 기억 속에 남아 사람들을 계속해서 움직이게 했다. 사람들은 폐허가 된 도시를 재건하고 다시 한 번 문명을 일구기 시작했다. 이현욱은 그들이 지켜낸 새로운 세상에서 다시 한번 평범한 삶으로 돌아가기를 원했다. 그는 더 이상 영웅이 아니었다. 그저 새로운 세상에서 희망의 불씨를 남기고자 했던 평범한 사람이었다. 하지만 그가 남긴 유산은 사람들의 마음 속에 영원히 살아남아 앞으로의 미래를 이끌어줄 것이다. 이제 사람들은 이현욱의 가르침을 마음에 새기고 다시는 희망을 잃지 않기로 다짐했다. 사람들은 그를 여전히 특별하게 대했지만 그는 그저 평범한 삶을 원했다.

"당신은 정말 세상을 구한 영웅이에요!"

마을 사람들은 이현욱을 볼 때마다 그렇게 말하곤 했다. 하지만 그는 늘 웃으며 고개를 저었다.

"영웅은 아니에요. 그저 희망을 잃지 않았을 뿐이죠. 진짜 영웅은 세상 속에 아직도 희망을 놓지 않은 당신들입니다."

그의 말은 사람들의 가슴에 깊게 새겨졌다. 그리고 그들은 더욱 열심히 살아가기로 결심했다. 희망이 있는 한 세상은 다시 일어날 수 있다는 사실을.

있음의 공백

김지은

프롤로그

"서민우!! 내가 똑바로 하라고 했지?!"

또 이 소리다. 나는 내가 이 집에 있어야 되는 이유를 모르겠다. 과연 내가 필요하긴 한 걸까?

"죄송합니다."

그러나 나는 또 내 마음을 숨기고 만다. 대들었다 집에서 무슨 꼴을 당할지 상상하기도 싫다.

"만날 말만 그러지. 내 인생에서 도움이 하나도 안돼!"

다 지긋지긋하다.

"꼴도 보기 싫으니까 방으로 꺼져!"

"…."

나는 다시 말없이 방으로 들어간다. 예전 같으면 억울하다며 한마디라도 했겠지만 이제는 그런 행동이 무의미하다는 걸 알기에 괜히 힘을 낭비하지 않기로 했다. 그럼에도 불구하고 마음 깊이 서러움과 억울함이 가득 차는 건 어쩔 수 없다.

"흐윽…. 읍…. 대체 내가 뭘 잘못했는데…."

결국 오늘도 서러운 마음을 안고 잠에 빠져든다.

1장. 불쾌한 첫만남

바람이 살랑살랑 불며 꽃잎이 흩날리는 햇살이 따스한 어느 봄날이었다. 민우의 아빠가 민우의 손을 잡고 길을 걷는다.

"민우야, 오늘은 너의 새로운 엄마가 될 사람을 만나러 갈 거야."

"엄마? 엄마는 하늘에서 천사들이랑 놀고 있다고 하지 않았어?"

"물론 엄마는 천사들이랑 놀고 있지. 지금은 민우를 돌봐 줄 새로운 엄마를 만나러 가는 거야."

민우가 신난 듯이 뛰며 말한다.

"우와! 새로운 엄마 좋아! 엄마 예뻐? 엄마 착해? "

아빠가 흐뭇한 표정을 짓

고 민우에게 말한다.

"그럼 엄마 엄청 예쁘고 착해. 우리 민우 엄마한테 잘 해줘야 한다?"

"응 알았어!"

그때. 그러지 말았어야 했다.

내게 엄마는 단 한 명이라고 때를 쓰며 울어 아빠가 엄마를 만나지 못하게 해야 했다. 민우와 민우의 아빠가 카페의 문을 열고 들어간다. 민우의 아빠는 어떤 여자를 보고 반가운 듯이 웃으며 인사를 했다. 민우는 여자를 힐끔 쳐다보곤 말한다.

"아빠. 엄마 옆에 쟤는 누구야?"

민우는 아빠의 바지를 잡으며 다리 뒤로 숨어버렸다. 아빠는 당황한 듯이 말했다.

"민우야. 얼른 나와서 인사해야지."

그 순간 여자가 민우에게 다가와 인사를 한다.

"어머~. 너가 민우구나! 만나서 반가워 아줌마는 새로운 엄마 될 사람이야."

민우가 어색한 듯 고개를 숙이며 인사한다.

"안녕하세요."

"그래 안녕~. 민우는 몇 살이야?"

여자가 말을 끝내자 민우는 손가락 7개를 올려 자신이 7살임을 표현한다.

"저는 일곱 살이에요."

"그렇구나."

그러곤 여자가 옆에 있는 아이를 가리키고 말한다.

"얘는 아줌마 아들 재현이야. 어서 인사하렴."

민우는 어째서인지 불쾌한 느낌이 들었지만 무시하고 재현이에게 인사한다.

"…."

그러자 재현은 민우를 빤히 쳐다보더니 고개를 휙 돌려버린다. 민우는 순간 당황하며 아빠를 쳐다보았다.

"민우야 괜찮아. 재현이가 부끄러워서 그래."

아빠는 민우를 다독이며 이해시키려 했지만 그저 어린아이였던 민우는 불쾌한 기분이 들고 만다.

2장. 변화

그로부터 1년 뒤, 새엄마와 아빠는 결혼을 했다. 결혼을 한 날로부터 6년이 지난 지금도 나와 아빠, 새엄마 그리고 재현이는 같이 살고 있다. 새엄마는 내게 정말 잘해 주신다.

"민우야. 나와서 밥 먹자!"

나를 한 번도 빠뜨리지 않고 항상 잘 챙겨 주시고.

"우리 민우가 숙제를 하기 싫었나 보네. 그래도 숙제는 꼭 해야 되는 거야. 나중에 안 그럴거지?"

내가 숙제를 안 해 가서 선생님께 전화가 왔을 때에도 다정하고.

"서민우. 설거지는 네가 해야지!"

정말 착하고.

"너 때문에 우리 재현이가 다쳤잖아!"

엄청 상냥하고.

"야."

"어?"

"네가 그러니까 그 모양 그 꼴이지."

잠깐만.

정말 다정한가? 진짜로 착한가? 지금 내가 보고 있는 게 진짜 우리 엄마인가? 아니 잠깐 진짜 우리 엄마가 맞긴 한가? 나는 그저 아빠와 내가 조금 더 행복해지길 바란 것이었는데 그건 너무 큰 욕심이었던 걸까? 어디서부터 잘못된 것인지 나는 그 시작을 알 수 없다. 아, 알 것도 같다.

3장. 할 수 없는 원망

새엄마가 나를 대하는 태도가 변하기 시작한 건 아빠가 억울한 죄를 뒤집어써 교도소에 들어 가게 되었을 때부터였다. 자신의 친아들인 재현이에게는 한없이 너그럽고 따뜻한 그녀가 나에게만은 완전히 달랐다. 아빠가 집에 안 계시던 그때부터 새엄마는 아무 이유없이 나에게 폭언을 퍼붓기 시작했다. 작은 실수라도 하는 날이면 훈육이라는 명목으로 폭력을 행사했다.

'그런데 정말 '변했다'는 표현이 맞는 걸까? 그저 내가 엄마의 빈자리를 채워줄 사람을 간절히 바라던 때에 새엄마를 만나게 되어 눈치채

지 못했을 뿐, 어쩌면 새엄마는 처음부터 내게 인정사정없이 굴었는지도 모른다.'

하지만 새엄마만 그런 것은 아니었다. 그녀의 아들인 재현이도 마찬가지였다. 재현은 학교에서 왕따를 주도하는 가해자, 소위 말하는 일진이었고 그가 정한 왕따의 대상은 바로 나였다.

내가 교실에 가만히 앉아 있을 때면 재현이와 그의 친구들은 나를 과녁삼아 우유를 던지고, 아무때나 나를 불러내 빵셔틀을 시켰다. 처음엔 아빠가 교도소에 들어가지만 않으셨다면 그 행복했던 나날들에 이렇게 고통스러운 변화는 찾아오지 않았을 거라고 생각했다. 하지만 어느 순간부터 아빠를 원망할 수도 없었다. 아빠는 아무것도 할 수 없는 자신의 현실을 부정하다 무의미하다 느끼셨는지 스스로를 그은 채 비참하게 세상을 떠나셨고, 그날부터 내 세상은 완전히 무너졌다. 평범했던 우리의 일상은 새엄마와 그녀의 가족이 내 앞에 나타나면서 한순간에 마치 불타버린 재처럼 사라져 버렸다. 그렇게 나는 모든 것을 잃었다.

4장. 그 날

"얼른 집 가서 빨래 돌리고 널어놔."

"네."

'하.'

고등학교 첫 모의고사를 치른 오늘도 새엄마는 내게 단 일초의 휴식도 용납하지 않았다. 전화를 끊고 한숨을 쉬며 집으로 가려 발걸음을 돌리던 중 사고가 발생했다.

빠앙! 퍽! 부웅- 탁. 끼이이익 -

'누가 거기 119에 좀 신고해주세요!'
'학생 정신차려!
'어머, 무슨 일이야.'

순식간에 일어난 사고였다. 속도위반을 한 트럭이 길을 건너던 재현이를 쳤고 재현이는 멀리 날아가버렸다. 순간 머릿속이 핑 돌며 눈앞이 흐려지기 시작했다. 정신을 차려보니 재현이가 구급차 안에서 피를 흘리며 쓰러져 있는 상태였다. 급하게 연락을 받고 온 새엄마는 사색이 된 얼굴로 그저 재현이의 손을 잡고만 있었다. 이상했다. 언젠가 복수를 해 그들을 불행하게 만들어주겠다고 매일 밤 오열을 하며 잠에 들었지만 그 모습을 직접 보니 내 마음속에 먹구름이 낀 듯 불쾌한 기분이 든다.

병원에 도착을 했고 재현이는 수술실에 들어갔다. 혼란스러워진 마음을 달래고자 잠시 대기의자에 앉아 있던 그 순간 새엄마가 내게 다가왔다.

"왜 네가…."

나를 바라보는 새엄마의 눈은 초점이 나간 듯 허망해 보였다. 내게 감정이 아예 사라진 건 아닌 건지 그런 새엄마를 보니 가슴속에 먹구름이 피는 듯했다.

"왜 우리 재현이야…."

그 순간 새엄마는 내 멱살을 잡고 오열을 하며 울부짖었다.

"왜 네가 아니라 우리 재현이야!! 쓸모도 없이 밥만 축내는 것. 네가 차에 치였다면 좋았을 것을. 흐윽…. 흐."

아, 그렇구나. 이런 동정따위 나는 해선 안될 것이고 나는 여전히 새엄마에게 걸림돌의 대상이구나.

"어머님! 그러시면 안되세요!"

"이거 놔! 우리 재현이를 죽인 나쁜 놈."

간호사가 급히 다가와 새엄마를 말리려고 해도 소용없었다. 새엄마는 충혈된 눈으로 나를 죽일듯이 바라봤다.

그 순간.

"여기, RH- 혈액형을 가지신 분 아무나 없나요! 위급한 상황입니다!"

의사가 다급하게 외쳤다. 응급실에 있는 사람들은 두리번거리며 속삭였다. 그러나 RH- 혈액형을 가진 사람은 없는 듯 보였다. 나는 그들이 행복해지는 것을 바라지는 않지만 내가 평생 죄책감에 시달리고 싶진 않았다.

"제가 해당이 됩니다."

새엄마는 나를 놀란 눈으로 쳐다봤고 간호사는 나를 채혈실로 안내해 주셨다.

"조금 따끔하실 거예요."

간호사는 신중하면서도 빠르게 피를 뽑아냈다. 아무런 감각도 느껴지지 않았다.

"나가서 다시 대기해주시면 됩니다."

"네."

간호사는 내 피가 담긴 유리병을 들고 다급하게 수술실로 뛰어갔다.

얼마나 지났을까. 재현이가 수술실에서 나왔다.

"아들분 덕분에 수술이 잘 끝났습니다. 혈액이 없었다면 5분 내로 사망했을 것입니다."

"하…. 정말 감사합니다. 선생님."

새엄마는 쓰러지듯이 마취상태로 누워있는 재현이를 안았다. 나를 대할 때는 절대로 찾아볼 수 없는 그런 진심이 가득 담긴 표정.

이제 더는 하나하나 신경 쓰고 싶지도 않다. 어라. 재현이를 애타는 표정으로 바라보던 새엄마의 얼굴이 내게로 방향을 돌렸다. 이상한 점이 있다면 날 보는 눈빛이 묘하게 부드러워진 듯하다.

"재현아."

"네?"

"잠깐 할 얘기가 있으니 따라와."

내가 잘못 느낀 것이 아니었구나. 허나 이건 뭔가 잘못됐다. 왜 나를 다정하게 부르는 것일까. 의심스러운 마음을 가득 안은 채로 나는 비상구로 천천히 걸어가는 새엄마를 나는 머뭇거리며 따라갔다.

"원래는 말하지 않으려 했으나 말해주는 게 더 나을 것 같구나."

'거짓말 당신이 언제부터 나를 신경 써줬다고.'

하지만 새엄마가 말을 이어 나갈수록 나는 충격에 휩싸일 수밖에 없었다. 그녀가 말한 내용을 정리하자면.

나는 사실 아빠와 새엄마가 불륜을 저질러 낳은 아이였다. 말하자면 애초에 존재해서는 안되는 아이였던 셈이다. 엄마는 그 사실을 알게 된 후 아빠에게 이혼을 요구했지만 아빠는 나를 집에 데려와서 키우겠다는 고집을 부렸다. 엄마는 아빠의 완고함에 결국 나를 키우기로 했지만 마음속 깊은 곳에서부터 우울감이 자라났다. 그러던 어느 날 아빠가 나를 키즈카페에 데려가 잠시 놀아주던 그 날 엄마는 욕조에 물을 가득 채운 채 스스로 목숨을 끊어버렸다. 아빠가 그 광경을 목격한 후 급히 응급실에 도착했으나 이미 사망한 후였다.

그 일이 있은 지 1년 후, 아빠와 새엄마는 결혼을 하려고 했고, 나는 처음으로 새엄마를 마주하게 되었다. 새엄마는 내가 자신의 손길이 아닌 다른 사람에게 길러졌다는 이유 하나만으로 나를 싫어했다. 그녀는 내 존재 자체가 엄마의 흔적을 담고 있다는 사실을 참을 수 없었고 그 이유만으로 나를 증오했다. 즉 나를 향한 증오는 내 출생의 비밀 때문이 아니라 그저 엄마의 손길이 닿았던 아이라는 이유에서 비롯된 것이었다.

당신은 내가 당신의 친아들인 것을 알고서도 그런 행동을 저지를 정도인가? 아니, 어쩌면 나는 처음부터 당신에게 아무런 의미가 없었던 건지도 모른다. 나에게만은 정이란 것도, 사랑이란 것도, 당신에게는 단

지 남의 이야기였을 뿐이었겠지.

아, 잠시 내가 잊고 있었다. 지금 내 앞에 서 있는 당신은 냉정하고 무자비하며 사람의 내 마음을 이해할 생각조차 없는 사람이었지. 인정도, 눈물도, 후회도 없는 사람이었던 당신은 마치 사이코패스처럼 나를 대했었지. 그래 놓고선 이제 와서 뭘 바라는 건가. 그런 말을 하고서 나를 바라보는 눈빛은 마치 깨져버린 거울 속 비춰진 물체처럼 어떤 형체인지 제대로 알아볼 수가 없었다.

"저에게 이 사실을 굳이 왜 말하셨는지는 모르겠지만 저를 혼란스럽게 만들고 싶었다면 그 계획은 성공이네요."

5장. 차가운 평화

재현이가 깨어나고 열흘이 지난 후 나는 결국 집을 떠났다. 새엄마에게 집을 나가겠다고 말했을 때 그녀는 특별한 감정없이 그저 알았다며 작은 돈을 내 손에 쥐여주었다. 차갑지만 익숙한 반응이었다. 그 순간부터 나는 그들의 무심함을 더는 탓하지 않기로 마음먹었다. 아니 어쩌면 원망할 힘조차 없었는지도 모른다. 그들의 태도는 너무 오랫동안 익숙해져 있었고 더 이상 내 감정을 쏟아낼 이유조차 찾지 못한 채 나는 그렇게 무감각해져 있었다.

집을 나온 후엔 자퇴도 하고, 어렵게 구한 아르바이트로 생활을 이어가며 작은 반지하 방을 얻어 살기 시작했다. 그곳에서 나는 그저 하루하루를 살아가는 데만 집중했다. 차갑고 텅 빈 마음이지만, 매일 밤만큼은 편안히 잠들 수 있다는 사실에 감사했다. 감정이 없는 삶이긴 하나 그게 오히려 나에게는 안식이었다.

에필로그

7년이 흘렀다. 나는 검정고시로 고등학교 졸업을 따냈고 결국 오랫동안 꿈꾸던 직장에도 취업했다. 안정된 수입과 규칙적인 생활 속에서 이제야 평범함을 손에 넣은 듯한 기분이 들었다. 주변 사람들처럼 소소한 걱정과 기쁨을 느끼며 살아가는 내가 되었다는 사실이 어딘가 후련하면서도 씁쓸했다. 나도 드디어 '보통 사람'이 된 것 같았지만 그 과정에서 너무나도 많은 감정들이 소멸되어 버린 듯한 느낌을 지울 수 없었다.

"자기야!"

최근에는 연애를 시작했다. 그동안 메말랐다고만 생각했던 내 감정의 땅에서 작은 싹이 자라기 시작했다. 누군가를 사랑하고 또 사랑받는 기분을 오랜만에 느끼면서 나는 그 싹을 천천히 키워 나가고 있다. 그 싹은 아직 작고 여리긴 해도 내 안에 감정들이 완전히 죽지 않았다고 말해 주는 것 같아 조금은 위안이 되었다.

그리고 또 하나 반가운 소식이 있다. 이젠 더 이상 새엄마에게서도 연락이 오지 않는다. 언제부터인가 그녀의 연락이 끊기면서 나는 그제서야 완전한 자유를 얻었다는 생각이 들었다. 그 집과의 마지막 연결고리가 끊긴 지금 이젠 나만의 새로운 삶을 온전히 살아갈 준비가 됐다.

하암, 졸려.

오늘도 하루가 끝나가고, 나는 피곤한 몸을 침대에 눕혔다. 내일은 또 어떤 날이 기다리고 있을까? 아마 지금까지의 내 인생과는 조금 다를 것이다. 이제는 나 자신을 위한 그리고 내가 사랑하는 사람들과 함께하는 미래를 꿈꾸며 달콤한 잠에 들길 바라본다.

연화와 선호

김시연

1장. 첫 만남

한양의 깊은 밤. 조선 시대의 어느 마을. 연못가에는 한 여인이 서 있었다. 그녀의 이름은 연화였다. 연화는 양반가의 고운 여식으로 자태가 아름다웠다. 하지만 오늘 밤 그녀의 얼굴에는 근심이 가득했다.

멀리서 그녀를 바라보는 한 남자가 있었다. 그는 연화

의 집에서 일하는 머슴 선호였다. 선호는 이미 5년 동안 연화를 짝사랑해 왔다. 처음 그녀를 본 순간부터 그의 마음은 그녀에게 묶여 있었지만 그 사랑은 오직 마음 속에 담아둘 수밖에 없었다. 신분의 차이로 인해 감히 그녀에게 다가갈 수 없었다.

그러나 오늘 밤. 선호는 더 이상 자신의 감정을 억누를 수 없었다. 연화가 혼인을 앞두고 있다는 소식을 듣고 그는 용기를 내어 연화에게 다가가기로 결심했다.

"아씨! 이렇게 밤이 깊었는데 어찌 여기 계신 겁니까?"

연화가 깜짝 놀라 뒤돌아보았지만 선호의 모습을 보고 미소를 지었다.

"선호구나. 네가 와줘서 다행이야. 나…. 네가 오기를 기다리고 있었어."

선호는 그녀의 말을 듣고 가슴이 뛰었다. 5년 동안 그녀를 바라보기만 했던 마음이 그 말을 듣고 더욱 요동쳤다. 하지만 곧 그의 얼굴에는 그늘이 드리워졌다.

"아씨, 우리가 이렇게 만나는 것은 옳지 않습니다. 저는 그저 머슴일 뿐이고, 아씨는 고귀한 양반가의 따님이십니다. 만약 다른 사람들이 알게 된다면…."

연화는 그의 말을 막으며 고개를 저었다.

"선호야, 그런 말 하지마. 난 그런 것 신경 쓰지 않아. 네가 있는 곳이 내가 있어야 할 곳이야. 난 네가 좋아."

사실 연화는 호남이고 키도 큰 선호를 어렸을 때부터 좋아했었다. 그러나 신분 차이와 주변의 시선 때문에 어떠한 것도 하지 못하는 상황이었다. 부모님의 말을 거절할 수도 없는 노릇이었다. 그런데 선호의 갑작스런 고백에 가슴이 저며 왔고 자신도 모를 감정에 휩쌓였다.

'뭐지? 이 감정은 안 돼. 나와 선호는 안 되는 사이야.'

선호는 잠시 말을 잇지 못했다. 그에게 연화는 너무나 먼 존재였다. 그가 감히 꿈꿀 수 없는 그런 사람이었다.

"아씨…. 저도 아씨가 좋습니다. 하지만 우리는…."

그 순간.

저 멀리서 말발굽 소리가 들려왔다. 연화와 선호는 그쪽을 바라보았다. 두 사람의 눈앞에 말을 타고 다가오는 남자는 연화의 혼약자인 도현이었다. 도현은 고위 관리의 아들로 연화와의 혼인은 이미 오래전부터 정해져 있었다. 도현은 두 사람이 같이 있는 모습을 보면서 화가 났다. 감히 양반과 머슴이라니. 연화는 당황한 얼굴로 도현을 바라보았다. 선호는 고개를 숙이며 말을 잇지 못했다.

"도현 오라버니. 저는 그저…."

도현은 그녀의 말을 끊고 선호를 노려보았다.

"너, 이놈! 감히 어디서 아씨와 함께 있는 것이냐? 당장 물러가라!"

선호는 고개를 깊이 숙이며 물러났다. 하지만 그의 눈에는 눈물이 고여 있었다. 연화는 그런 선호를 바라보며 가슴이 미어지는 듯했다.

2장. 다시 찾은 연못가

며칠 뒤, 연화는 다시 연못가를 찾았다. 그녀는 달빛 아래서 연못을 바라보며 조용히 눈물을 흘리고 있었다. 그때 어디선가 발소리가 들려왔다. 그녀의 시녀 수진이 서 있었다.

"아씨, 괜찮으세요? 도련님께서 많이 화가 나셨다고 들었습니다."

수진의 말에 연화는 고개를 저으며 말했다.

"수진아, 나는 괜찮아. 하지만…. 선호는 어떻게 되었을까? 그가 다치지는 않았겠지?"

연화의 말에 수진은 고개를 숙이며 조심스럽게 말했다.

"도련님께서 선호를 마을 밖으로 내쫓으셨습니다. 다시는 아씨 근처에 오지 못하게 하셨다고…."

연화는 그 말을 듣고 눈물을 터뜨렸다.

"아니, 그럴 수는 없어! 그가 무슨 잘못이 있다고…."

수진은 연화를 안타깝게 바라보았다.

"아씨, 도련님과의 혼약이 곧 있을 예정입니다. 더 이상 마음을 어지럽히지 마세요."

연화는 고개를 숙이며 조용히 눈물을 흘렸다. 그러나 그녀의 마음속에는 여전히 선호를 향한 사랑이 가득했다.

3장. 선호의 결단

혼례를 며칠 앞두고 연화는 연못가에서 다시 선호를 만났다. 선호는 그녀의 얼굴을 보자마자 다가왔다. 그러나 이번에는 그의 눈빛이 달랐다. 선호는 그녀를 물끄러미 보더니 그녀의 손을 잡고 속삭였다.

"연화야, 나와 함께 떠나자. 더 이상 도현 도련님의 아내가 될 필요 없어. 우리가 함께라면 어디든 갈 수 있어."

연화는 그의 말을 듣고 혼란스러워졌다.

"선호야, 어떻게…. 우리가 도망친다고 해서 행복할 수 있을까? 집안 사람들은 절대 가만히 있지 않을 거야."

선호는 연화의 손을 강하게 잡으며 결연한 눈빛을 보냈다.

"이대로는 당신을 잃게 될 거야. 나는…. 너 없이는 살 수 없어."

연화는 마음이 흔들렸지만 도현과의 혼약 그리고 자신을 둘러싼 운명을 거부할 용기가 나지 않았다.

"미안해, 선호야…. 하지만 나는…."

선호는 더 이상 망설이지 않았다. 그는 연화의 손을 강하게 잡아 끌었다. 연화는 저항했지만 그의 힘이 너무 강했다. 선호는 연화를 강제로 데리고 깊은 숲속으로 도망쳤다.

4장. 비극의 절벽

숲 속을 달리던 두 사람은 결국 높은 절벽 끝에 다다랐다. 뒤따라온 도현과 그의 부하들은 선호와 연화를 발견하고 칼을 빼들었다.

"너, 이놈! 감히 아씨를 납치하다니! 이제 더 이상 도망갈 곳이 없구나."

선호는 절벽 끝에 서서 도현을 노려보았다. 그는 도현의 말을 무시하고 연화를 꼭 껴안으며 속삭였다.

"연화야, 너와 함께 이곳에서 끝내고 싶다. 이 세상에서 우리가 함께할 수 없으니…. 차라리 이곳에서 모든 걸 끝내는 게 낫겠지."

연화는 겁에 질린 눈으로 선호를 바라보았다.

"선호야, 안 돼! 이렇게 끝낼 수는 없어. 제발…."

하지만 선호는 이미 결심이 선 듯했다. 도현이 칼을 겨누며 한 걸음 더 다가오는 순간, 선호는 연화를 놓고 몸을 던졌다. 연화는 절규하며 그의 뒤를 따라가려 했지만 도현이 그녀를 붙잡았다.

"선호야!"

선호는 절벽 아래로 떨어지며 사라졌다. 연화는 그의 마지막 모습을 보며 흐느꼈다.

5장. 초대하지 않은 손님

선호의 죽음 후, 연화는 다시 돌아와 도현과의 결혼식을 준비했다. 그녀는 더 이상 눈물을 흘리지 않았지만 얼굴에는 아무런 감정도 남아 있지 않았다.

결혼 당일 마을 사람들은 축하의 인사를 건넸고 도현은 연화에게 다가와 말했다.

"연화야, 이제 우리가 새로운 시작을 하는 날이오. 내가 당신을 행복하게 해 줄 것이오."

연화는 억지로 미소를 지으며 고개를 끄덕였다. 그러나 그녀의 마음 속에는 여전히 선호에 대한 그리움이 남아 있었다. 그때, 결혼식이 한창 진행되던 중 갑자기 문이 열리며 한 남자가 들어왔다. 마을 사람들은 모두 놀라며 그를 바라보았다. 그 남자는 선호였다.

사람들은 혼비백산했고 도현도 놀란 표정으로 그를 바라보았다.

"연화야, 내가 다시 돌아왔소. 이제 나와 함께 떠납시다."

연화는 믿을 수 없다는 듯 그를 바라보았다. 도현은 격분한 채 칼을 뽑아 들었다.

"이놈, 네가 어떻게 살아 돌아온 것이냐! 오늘은 절대 놓치지 않겠다."

두 사람은 다시 맞붙었고 이번엔 피할 곳이 없었다. 선호는 마지막 힘을 다해 도현과 싸웠고 도현의 칼에 다시 치명상을 입었다. 연화는 선호가 쓰러지는 모습을 보며 그의 몸을 안고 오열했다.

"선호야…. 왜 나를 두고 가려고 해…. 나도 함께 데려가…."

선호는 마지막으로 연화를 바라보며 희미한 미소를 지었다.

"연화야…. 행복하길 바라오…."

그렇게 그의 눈은 다시 감겼고 연화는 그의 곁에서 흐느꼈다. 연화의 결혼식은 선호의 마지막 등장으로 혼란에 빠졌고 그녀의 마음속 깊은 사랑은 그렇게 선호와 함께 사라졌다.

알 수 없어요

김승민

봄이라 내리쬐는 햇볕이 쨍쨍하고 구름 하나 없어 파란 도화지에 빨간 앵두 같은 태양만 그려진 사진 같은 하늘 아래. 조용해서 고요하기도 하고 다양한 기계음이 들리는 공장들 옆 공원. 나는 그 옆에 위치하고 있는 평동중학교에 다니고 있는 2학년 1반의 일원이다.

도심에서 조금 떨어진 곳 공단에 위치하여 다양한 공장들도 많고, 크고 작은 상점들을 따라 조금만 걸으면 시골 같은 논과 밭도 그림같이 보이니 아주 다양한 풍경들이 펼쳐져 있다. 이곳은 내가 살고 있는 동네와는 다르다. 사실 나는 아파트가 둘러싸인 곳에 살고 있어서인지 다양한 풍경들이 마음에 들었고 그래서 이곳 평동중학교에 오게 된 것이었다.

우리 학교는 시골 같은 곳에 위치한 작은 건물들로 이루어진 오래된 작은 학교지만 아이들이 워낙 활발하고 인사성이 밝다. 모두에게 친절하고 급식도 맛있고 다양한 외부 활동도 많이 하고 운동도 많이 하는 아주 분위기 좋고 건강한 학교이다.

하지만….

나는 눈에 잘 안 뜨이고 너무 조용해서 우리 반 친구들이 나에게 관심이 없다.

"훌쩍…. 훌쩍."

'나도 같은 세상 속에서 살아 숨쉬고 있는데 왜 나한테만 이렇게 관심이 없는 걸까?'

"나는 먼지인가…."

"친구들아, 나 여기 있어!'

나도 물론 우리 반 친구들과 선생님께 관심과 사랑을 받고 싶다.

비록 나한테 관심이 거의 없지만 항상 그들에게 감사하며 살고 있다. 그래서 친구들에게 작게나마 소리를 치며 다가간다. 그러면 친구들은 나를 향해 소리를 치며 피하거나 박수를 치거나 하이파이브를 자꾸 한다.

"나는 관심이 필요한 거지! 하이파이브랑 박수를 하는 것은 원하지 않는다고!"

그래서 나는 조용히 움직일 때가 많다. 가끔씩 우리 반 친구들은 또 나를 반갑게 손을 들어줄 때가 있는데 그럴 때면 나는 깜짝 놀라서 아무도 없는 곳으로 자주 도망을 간다.

"또 하이파이브와 박수를 하려고 그러는 거지? 하지 말라고!"

그리고 나는 노래를 잘하는 편이어서 친구들에게 노래를 많이 불러 주곤 하는데 친구들이 맨날 '아악! 저리가!! 왜 저래!!'라고 한다.

나는 그럴 때마다 마음이 너무 아프고 속상하지만 나는 그래도 친구들을 너무 좋아해서 슬그머니 다가간다. 나는 항상 잘 움직이고 친구들보다 체력이 좋은 편이고, 운동도 잘하고, 노래도 잘 부르고, 머리도 좋아 예기치 못한 행동들을 종종 한다. 그래서 친구들이 나를 별로 좋아하지는 않는다. 나는 동물들을 너무 좋아하지만 반면에 곤충들은 좋아하지 않다. 나는 평소에 집에 있는 것보다 밖에서 친구들과 노는 것을 좋아한다.

나는 나보다 큰 사람들을 대체로 무서워해서 때로는 큰 사람들을 피해 다닐 때가 있다. 나는 친구들보다 밥을 잘 먹는 편이지만 다른 친구들에 비해서 잘 자라지 않는 것 같아서 잘 자라고 싶다는 소망이 있다.

'난 친구들보다도 밥을 잘 먹는데 왜 나는 친구들보다도 잘 자라지 않는 걸까? 그래! 나도 언젠가는 다른 친구들처럼 잘 자라는 때가 올 거야!'

사실 나는 우리 학교에 좋아하는 선배가 있다. 나는 그 선배가 있는 주위에 냄새를 맡아도 그 선배가 어디에 있는지 알 수 있고 나는 항상 그 선배를 본능처럼 따라다니고는 한다. 내가 이 선배를 과연 좋아하는 걸까?

‘선배, 나랑 같이 가자!’라고 말하며 내가 다가가고 있는 신호를 매번 무시를 당한다.

“선배! 선배!!”

“어휴….”

“나는 선배가 너무 좋은데 왜 나를 만날 외면을 할까?”

행여나 다가오는 것 같다가도 책상을 내리치며.

“다가오지 말라고!”

“나 너 때문에 정말 힘들다고!”

“제발 부탁이야!”

“나를 따라다니지 마!”

나는 놀라 어딘가로 보이지 않는 곳으로 재빠르게 사라질 수밖에 없었다.

“선배, 나 좀 미워하지마.”

아무도 듣지 못할 만큼 작은 목소리로 이야기하며 멀리 떨어져야 했고 볼 수 없어 힘든 시간을 보내기도 했다. 지금은 학교를 졸업해서 곁에 없고 볼 수도 없지만 평생을 잊지 않고 싶은 그 선배를 떠올리면 지금도 마음이 아파온다.

내가 그 선배를 좋아했던 이유는 키도 크고 잘생기고 피부가 건강하고 혈기 왕성하여 운동도 잘하며 땀 흘리는 모습이 사나이 다웠는데 그 모습들이 나를 이끄는 것만 같았다. 특히 그 선배에게서 나는 향기는 이성을 잃게 만든다. 내가 살면서 처음으로 좋아하는 냄새를 풍기는 사람이다. 나는 냄새를 잘 맡고 냄새를 좋아해야만 살아 갈 수 있었기에 더더욱 그렇게 느껴졌지만 지금은 나에게 아무도 없다.

"흑흑."

'나는 외톨이…. 사는 게 쉽지 않다.'

외롭고 힘든 것도 잠시.

"방학이다!"

아이들은 방학이라며 친구들을 매일 볼 수 없어 아쉬워하기도 하고 집에서 쉴 수 있어 신나기도 했지만 나는 좀 달랐다. 나는 여름방학이 시작되면 살기 위해 운동도 할 수 있고 자연을 보고 느낄 수 있는 공원에 매일 간다. 외로운 게 싫고 평소에 혼자 있는 것을 좋아하지 않고 자연을 좋아해서 친구들이 많이 있고 다양한 꽃, 나무, 풀, 흙이 있는 공원에 자주 간다. 하지만 공원에 간다고만 해서 무조건 행복하다고 볼 수는 없다. 그래서 나는 그럴 때면 조용히 다니고는 한다. 하지만 나는 사람들을 좋아해서 노래를 흥얼거리며 그들의 주위를 맴돌거나 다가간다. 그러면 그들은 나의 인기척을 눈치채고 도망가기도 하는데 그럴 때면 나는 마음이 아프다.

"나는 널 좋아해. 한 번만 내 마음을 받아주지 않을래?"

근데 그들은 나를 피해 도망가기 바쁘다. 그럴 때는 내가 좋아하는 동물들을 보러 가기도 한다. 털 알레르기가 있어 털이 길면 다가갈 수가 없다.

"에취!"

그런 이유로 나는 특히 털이 길지 않은 동물들에게 다가가 속삭이

듯 노래도 들려주고 입술을 대어 보기도 하며 나름의 외로움을 달래보고 나의 생기를 찾는 것이 나를 살아가게 하는 원동력이 된다. 그래서 나는 평소에 공원가는 것을 좋아하게 됐다.

추위를 남들보다 더 잘 타서 나는 겨울방학이 시작될 때면 집에서만 생활하고 밖을 거의 나가지 않는다. 나가는 순간 온몸에 힘이 빠져 움직이기가 쉽지 않고 입맛이 없어 먹는 것도 많이 먹지 못해 나는 정말 겨울을 싫어한다.

나의 생명에 위기가 찾아오는 것만 같은 추위와 칼 같은 바람, 눈이라도 오는 날에는 창밖만 바라볼 뿐. 나가는 건 상상할 수조차 없다.

'어우, 추워….'

"겨울아 가라. 제발."

아무도 듣지 않지만 할 수 있는 말은 없다. 겨울은 외롭고 힘든 계절이다. 겨울이 얼른 지나가 학교를 가서 나를 좋아하지도 반기지도 않지만 그래도 친구들을 보고 싶다. 하지만 학교를 가지 못 해서 안타깝다. 시간이 빨리 흘러서 개학 날이 다가오기를 기다리고 또 나는 기대한다.

"나에게도 친구를…."

나는 살아가면서 싫어하는 것들이 있다. 비가 오면 기분이 하루 종일 우중충하고 몸이 무거운 듯한 느낌이 들고 찝찝한 날씨를 안 좋아해서 여름 중에 장마철이 시작되는 것을 좋아하지 않는다. 차라리 햇빛도 많이 안 비치고 비도 안 오는 구름이 낀 흐린 날씨를 좋아한다. 겨울이 시작되면 햇빛의 세기도 약해지고 바람도 세게 불고 날씨도 추워져서 몸집이 작은 나는 '추워서 꽁꽁 얼까?', '바람이 불어서 내가 날아가 버리면 어떡하지?'라는 걱정이 되는 마음에 집에서만 생활을 한다. 그래서 친구들은 나에게 말한다.

"너는 겁쟁이야."

"이렇게 몸이 약해 빠져 가지고 어디에 써먹을래?"

매정하게 말을 한다. 나는 그럴 때면 '왜 나를 지적만 하고 왜 나의 단점을 극대화하려고만 하는 걸까?'라고 생각한다. 나는 꼭 나랑 비슷한 사람끼리 만나서 결혼하고 싶다. 나를 때리면 아프다. 특히 신경이 민감한 나에게는 타격도 강하고 기분이 나쁘다. 그래서 나는 누군가가 나를 때리는 것을 좋아하지 않는다.

"아, 진짜 아파!! 나 진짜 그러다 쓰러질지도 모른다고!"

그리고 나는 몸이 아플 때 약을 먹으면 몸상태가 더 악화되고 생명에 위험이 가해지기 때문에 약을 먹지 않는다. 왜냐하면 약을 먹으면 기분이 몽롱해지고 쓰러질 때가 있기 때문이다. 하지만 나는 노래도 잘한다. 고음도 잘 내고 사람들의 시선을 사로잡기에 충분한 음성을 가지고 있어 어디 가나 주목을 받는다. 부담스럽기도 하지만 좋기도 하다. 그리고 나는 몸이 참 날렵하다. 하늘은 날아다니는 것처럼 몸이 가볍고 자유자재로 이동도 가능하니 어디든 자유롭게 갈 수 있다. 나에게 좋은 점도 있는 게 분명하다.

나는 태어날 때부터 물을 좋아해서 수영도 하고 물에 둥둥 떠있기도 하고 흘러가는 물살에 따라 흘러가기도 했고 친구들과 자유롭게 물속에서 자주 놀면서 지냈다. 점점 자라면서 넓은 세상이 있다는 것을 깨닫게 되어서 다양한 장소인 바다, 도시, 숲 등을 탐험하게 되었다.

나는 사람들이 많이 있는 곳을 좋아하는데 바다는 캠핑과 야영하러 오는 사람들이 많이 있어서 좋고, 파도 치는 소리, 갈매기가 날아다니는 모습, 배가 출항하는 소리들이 좋았지만 바다의 특유한 짠내와 바람이 대체적으로 세게 불어서 춥기 때문에 바다는 나랑 맞지 않는 것 같다는 생각이 들었다.

그리고 나는 바다 안 좋은 추억들이 있다. 바다에 갔었던 날 바닷가에서 파도를 보며 자연을 느끼고 있었는데 갑자기 바람이 세게 불어서 내가 그만 바다에 빠지고 말았다. 바닷물에서 계속 허우적대다가 내가 옛날에 수영을 했던 기억을 되새겨서 간신히 바닷물 밖으로 나갈 수 있게 되었다. 그래서 그 이후부터는 바닷가를 가지 않게 되었다.

도시는 사람들이 많이 있어서 좋지만 미세먼지가 심하고, 환경이 깨끗하지 않고 너무 시끄러워서 도시도 역시 나랑 맞지 않다는 생각이 들었다. 하지만 도시에는 예쁜 사람들이 많았다. 그리고 나는 그에 대한 사연이 있다. 도시에 갔었던 날 도시를 걸어 다니며 예쁜 사람이 있는지 이 사람 저 사람 집적거리고 있었는데 그 순간 내 눈 앞에 진짜 예쁜 사람이 지나가고 있었다. 내 심장이 너무 두근두근거렸고 자연스럽게 그녀를 따라가게 되었다. 그래서 나도 모르게 입술을 갖다 댔는데 여자가 갑자기 눈을 감은 상태로 손을 휘두르면서 '아악!! 저리 가!'라며 소리를 쳤다. 나는 너무 마음이 아팠고 거의 죽을 뻔했다. 그래서 그 이후부터는 도시를 가지 않게 되었다.

숲은 사람들이 자연을 보고 느끼기 위해서 많이 오기 때문에 좋고 길쭉길쭉한 나무들과 알록달록한 꽃, 새의 울음소리, 크기가 제각각인 바위, 여러 종류의 풀, 숲의 고유한 냄새들이 좋았기 때문에 숲은 나랑 잘 맞는다고 생각했고 세상 사는 게 온통 꿈만 같았다.

그때부터 숲에 있는 자연을 보고 느끼는 것을 좋아했었다. 그리고 어렸을 때부터 우리 가족이 숲에서 계속 생활해 왔었는데 어려움이 없어서 깔끔하게 지냈었고 우리 가족뿐만이 아니라 친척들과 같이 모여서 살아 왔었기 때문에 숲은 나에게는 좋은 곳으로 인식되었다. 나는 참 숲과 인연이 깊은 사이인 것 같다. 그런데 때로는 숲에서 어려움을 겪을 때도 있었다. 나는 항상 그럴 때만 되면 너무나 무서워 눈을 감거나 아무도 볼 수 없는 곳으로 재빨리 숨어야만 했다. 어느 날, 숲에서 친구들과 약속한 장소로 모이기로 해서 약속 장소로 가고 있는 도중에 멀리서 한 친구를 발견하고 인사를 하려던 그 순간에 어떤 낯선 아저씨가 갑자기 그 친구를 납치하는 것이다. 나는 그 순간이 너무나도 놀라서 근처에 있는 풀숲 사이로 급히 숨어서 친구들한테 이 소식을 빨리 전했다.

그 날 이후로 그 친구는 하루 이틀이 계속 지나가도 더 이상 보이지 않았다. 나는 지금까지도 왜 그 아저씨가 그 친구를 납치했는지 이해가 되지 않았다. 나는 이 사건을 계기로 사람을 무조건 믿지 말고 조심해야 한다는 생각을 하게 되었다. 그 생각은 지금의 내 삶에도 영향을 끼치고 있다.

그리고 숲에 대한 좋은 추억들도 있다. 어느 날, 숲을 친구와 탐험하고 있었는데 여러 동물들을 만나게 되었다. 나는 처음에는 동물들을 좋아하지는 않았지만 같이 많이 놀고 지내면서 동물들을 점점 좋아하게 되었다. 그래서 그 이후로는 자주 동물들과 놀아서 그때부터 동물들을 좋아하게 되었다.

나는 비록 사람들이 싫어하고 소외하고 무시당하고 귀찮게 하는 존재이지만 나는 식물들의 수분을 흡수하도록 돕고 생태계의 균형을 유지하고 사람들에게 연구의 기회를 주는 내가 너무 사랑스럽다.

왜.

냐.

하.

면.

.

.

.

.

.

나는 모기이니까.

갈대의 속삭임

김하민

#.1 은영

"하아…."

나는 이은영이다. 나는 매일 아침 새벽마다 집 주변의 강가로 나와 산책을 하며, 바람속에 흔들리는 갈대들과 대화한다.

"아, 시간이 됐네. 이제 집으로 돌아가서 꽃들에게 물을 줘야지."

나는 어린시절 부모님과 오빠를 눈앞에서 교통사고로 잃고 홀로 남겨졌다. 매일이 불행의 연속이었고, 주변에서는 가족 없는 아이라며 손가락질 받았다. 그래서 매일 아침 강가로 나와 갈대들 속에서 위로를 받으려 했다. 강가의 물소리는 잠깐이나마 평화를 주었고 물속의 작은 물고기들이 유유히 유영하는 모습은 소중한 위안을 주었다.

#2. 지연과 상훈, 그리고 리드

내가 집으로 오자 지연이가 나를 반기며 걱정했다.

"은영아, 너 요즘 따라 더 표정이 안 좋아 보이는데 무슨 일 있어?"

지연이는 내가 어릴 때부터 같이 자라온 나를 가장 잘 아는 사람이었다.

"아, 괜찮아."

내가 웃으며 말했다.

"그래도 야, 힘든 일 있으면 언제든지 말해. 친구 좋다는 게 뭐냐."

나와는 다르게 지연이는 항상 밝다. 내가 지금까지 버틸 수 있었던 이유도 지연이 덕분이었다. 지연이는 손가락질하는 다른 사람들로부터 내 편을 들어준 유일한 존재였다.

"아, 은영씨 오셨어요?"

상훈씨는 우리 동네에서 일하는 수의사로 내가 강가에서 만나는 친구들을 알려주었다.

"상훈씨는 어떻게 저희 집에…?"

"아, 리드가 아프다고 들었어요."

리드는 내가 가족을 잃고 줄곧 힘들어 하자 지연이가 무언가 키워 보라며 내게 추천해서 입양한 강아지이다. 리드는 나의 유일한 가족이자 나의 상담사다. 나는 힘든 일이 있을 때마다 리드에게 털어 놓는다.

"아…. 그럼 먼저 올라가 볼게요."

무거운 발소리를 내며 '끼익' 거리는 계단을 밟고 올라간다.

#3. 유진과 민석

최근에는 유진이와 민석씨도 이 마을로 이사를 오게 되었다. 유진이는 강가 주변의 환경 문제에 관심이 많은 환경 운동가이며, 민석씨는 지역 사회의 주목받는 개발업자로, 강가 주변을 개발하려는 계획을 가지고 있었다.

지난주에 강가에서 갈대들을 바라보며 평화로운 시간을 보내고 있던 중 민석씨가 강가 주변에서 진행되는 개발 작업을 소개하기 위해 나에게 말을 걸어왔다. 민석씨는 강가 주변에 고급 주택 단지와 상업 시설을 세우려는 계획을 설명했다. 나는 그의 제안에 충격을 받았다.

"은영 씨, 이곳 개발이 마을 경제에 큰 도움이 될 거예요. 자연도 보호하면서 함께 발전할 수 있죠. 그리고 여기 강에 있는 갈대밭은 천연기념물로도 유명한 곳이잖아요."

그가 설득의 말을 던졌다.

"하지만 강가의 갈대들과 자연이 사라지면 어떻게 될까요? 이곳은 저에게 큰 의미가 있어요. 모든 것을 희생하면서 개발하는 것이 맞는지 고민해 봐야 합니다."

내가 심각한 표정으로 반박했다. 민석씨는 나의 걱정을 이해하려 했지만 그는 개발이 지역 사회에 미칠 긍정적인 영향에 대한 확신이 있었다.

며칠 후 새로운 이웃 유진이가 나를 찾아왔다. 그녀는 붙임성이 있었고 환경운동가로서 강가 주변의 자연을 보호하기 위한 캠페인을 진행하고 있었다. 유진이는 내 집 근처에서 환경 보호 활동을 벌이면서 나에게 도움을 요청했다.

"언니, 저와 함께 강가를 보호하는 데 힘을 써요. 환경 보호는 우리의 미래를 위해 중요해요."

그녀가 강조했다.

"나는 이미 많은 것을 잃었어. 강가가 어떻게 되는지 보는 것이 내게는 큰 고통이 되지. 너의 활동이 내게 도움을 줄 수 있을지는 모르겠지만 지금은 나 자신을 치유하는 것이 더 중요해."

은영은 갈등을 느끼며 말했다. 유진은 은영의 상실감에 공감했지만 강가를 보호하는 일의 중요성을 강조하며 은영에게 희망을 주고 싶어 했다.

#4. 폭풍

어느 날 저녁, 강가에 큰 폭풍이 몰아쳤다. 바람이 세차게 불어 오르며 갈대들이 요동쳤고 물속의 물고기들은 겁을 먹어 깊은 물속으로 숨어들었다. 매일 혼자 산책을 나오던 리드도 집으로 숨어 들어갔다. 나는 폭풍이 일어나면서 강가의 갈대들조차 속삭임을 잃어버린 듯한 상황을 직면했다.

지연이와 상훈씨가 나를 걱정하며 강가로 달려왔다. 지연이 나의 어깨를 잡고 말했다.

"은영아, 이렇게 폭풍이 심한 날에는 집으로 돌아가자. 네가 위험해."

상훈도 진지한 표정으로 말했다.

"폭풍이 지나가면 물고기들도 다시 건강을 되찾을 거예요. 강가에서 벗어나 잠시 쉬는 게 좋겠어요."

나에게 갈대들의 속삭임이 더 이상 위로가 되지 않고 그들조차 나의 슬픔을 견디기 힘들어하는 듯한 느낌을 받았다. 갈대들이 흔들리며 나의 감정을 더욱 고조시키고 내면의 폭풍이 커져만 갔다. 나는 강가에서 무력감을 느끼며 멍하니 서있을 뿐이었다.

#5. 이민호

폭풍이 지나간 후에도 강가에 머물렀다. 갈대들이 다시 조용히 바람에 흔들리는 모습을 지켜보며 오랜만에 가족이 보고 싶어졌다. 갈대들의 속삭임이 다시 한번 나의 마음을 위로하기 시작했다. 그러나 이 시점에서 유진이와 민석씨 사이의 갈등이 격화되면서 강가 주변의 문제는 더욱 복잡해졌다.

"시위대를 조직해서 개발을 저지해야겠어."

유진이는 지역 주민들과 함께 개발 계획을 저지하기 위한 시위를 조직하기로 결심했다. 민석씨는 이러한 시위에 대응하기 위해 강력한 법적 조치를 고려했다. 나는 두 사람 사이에서 중재를 시도하려 했지만 갈등은 해결되지 않았다.

"은영아! 내가 유명한 중재자를 모시고 왔어!"

"안녕하십니까. 지연씨에게 이야기 많이 들었습니다. 이민호라고 합니다"

이민호는 지역 사회의 중재자로 알려져 있으며 은영의 친구 지연이 추천한 인물이었다. 그는 갈등 해결에 능숙한 전문가로서 민석과 유진 사이의 대화를 주선했다.

"민호 씨, 이 갈등을 어떻게 해결할 수 있을까요?"

은영이 걱정스러운 표정으로 물었다.

"갈등의 해결은 대화를 통해 서로의 입장을 이해하는 것이 중요합니다. 저는 중립적인 입장에서 두 분이 합의점을 찾도록 도와드리겠습니다."

이민호가 자신감을 보이며 답했다. 민호의 도움으로 민석과 유진은 대화를 통해 서로의 입장을 이해하게 되었고 은영은 그 과정에서 자신이 중재자로서의 역할을 하는 동시에 자신의 갈등을 해결하기 위해 노력했다.

#6. 은영의 폭발

며칠이 지나도 강가 주변의 문제는 더욱 복잡해졌다. 유진과 민석의 갈등은 여전히 해결되지 않았고, 주민들 사이에서의 불만도 계속 커져갔다. 은영은 매일 강가를 찾으면서도 자신의 내면의 혼란을 가라앉히기 어려웠다. 그러던 어느 날, 그녀의 감정이 폭발하는 일이 발생한다.

그날 아침, 은영은 강가의 갈대들 속에서 자신이 느끼던 불안을 떠올리며 평소보다 더 깊은 상념에 잠겼다. 그녀는 강가의 풍경이 더 이상 위로가 되지 않음을 느끼고, 그와 동시에 강가의 개발과 환경 보호 사이의 갈등에서 점점 더 지쳐가고 있었다.

"지연아 어서와. 상훈씨도 어서 오세요."

은영은 지연과 상훈, 그리고 유진과 민석을 자신의 집으로 초대하여 이 상황을 어떻게 해야 할 지에 대한 의견을 나누고 싶어 했다.

"네가 뭔 일이냐? 먼저 연락을 다하고?"

"아, 요즘에 강가 개발 문제로 말이 많아."

"그렇기는 하죠. 저도 이 문제를 빠르게 해결하는 게 맞다고 생각해요"

상훈이 말했다. 셋은 이야기를 계속해 나갔지만 그들 사이에서도 의견은 좁혀지지 않았다.

"나는 이제 더 이상 이 상황을 견딜 수 없어!"

은영이 외쳤다.

"나는 이 강가가 너무나도 소중했지만 지금은 모든 것이 엉망이 되어버렸다고! 민석씨와 유진이, 두 사람 다 너무 자아도취에 빠져 있어요! 각각의 의견만 주장하며 서로를 이해하지 않으려고 하는데 도대체 어떻게 해결될 수 있다는 거지?"

지연은 놀랐지만 이내 침착하며 말했다.

"은영아, 이렇게 화를 내는 게 도움이 될까? 적어도 우리는 서로의 의견을 존중하며 문제를 해결해야 하는 게 맞는 거 같아."

상훈도 걱정스러운 표정으로 말했다.

"은영씨, 이렇게 감정이 격해지면 상황이 더 나빠질 수 있어요. 평온함을 찾고 차분하게 대화를 나누는 게 좋을 것 같아요."

그러나 은영은 이미 감정이 폭발한 상태였다.

"평온함? 차분함? 그게 무슨 소용인데! 내가 모든 것을 잃고 유일한 안식처였던 강가의 자연조차 사라질 위험에 처한 지금, 모든 게 공허하게 느껴진다고! 민석씨는 경제적 이득만 생각하고 유진은 환경 보호에만 집착해. 그리고 나는 그 둘 사이에서 중재하려고 애쓰며 나 자신도 잃어버렸는데 나보고 더 어떡하라고!"

그녀는 계속해서 울며 소리쳤다.

"이 모든 것에 지쳤어! 강가의 자연도, 개발 계획도, 나 자신도…. 모든 것이 뒤죽박죽이 되어버렸어!"

민석과 유진은 은영의 폭발적인 반응에 충격을 받았다. 민석은 은영의 감정적인 반응에 대해 불쾌감을 느끼며 말했다.

"은영 씨, 감정적으로 반응하는 건 문제 해결에 도움이 되지 않아요. 우리도 함께 문제를 해결할 방법을 찾아야 하죠."

유진 역시 은영의 반응을 이해하지 못했다.

"언니, 우리가 모두 힘을 합쳐 해결책을 찾으려는 노력은 하고 있지만 이런 감정적인 폭발은 상황을 악화시킬 뿐이에요."

은영은 자신의 반응이 상황을 악화시킬 수 있다는 것을 알고 있었지만 이미 그녀의 감정은 통제할 수 없을 정도로 고조되어 있었다. 그녀는 자리를 박차고 나가며 강가로 달려갔다. 강가의 갈대들이 바람에 흔들리는 모습을 보며 그녀는 자신이 상실한 것들과 싸우고 있는 것처럼 느껴졌다.

#7. 갈등의 해결

은영은 강가에서 감정을 폭발시킨 이후 깊은 반성의 시간을 가졌다. 갈대들이 바람에 흔들리며 상념에 잠긴 그녀의 마음에 평화와 안정의 필요성을 절실히 느꼈다. 은영은 이제 감정적으로 반응하기보다는 문제를 해결할 방법을 찾아야 한다는 결심을 했다.

민석과 유진은 은영의 폭발 이후 자신들의 입장을 돌아보게 되었다. 민석은 강가 개발의 필요성을 설득하려 했지만, 은영의 상실감과 감정을 충분히 이해하지 못한 점을 인정했다. 유진은 환경 보호의 중요성을 강조하며 강가의 아름다움을 지키려 했지만, 은영의 심경을 제대로 이해하지 못한 것에 대해 자책했다.

"민석씨, 아무래도 저희가 너무 안일했던 것 같아요."

"저도 그렇게 생각합니다. 유진씨. 은영씨의 마음은 헤아리지 않고 저희의 의견만 강요했던 것 같아요."

민호는 중립적인 시각에서 두 사람에게 조언을 아끼지 않았다. 그는 민석과 유진이 서로의 입장을 이해하고 존중하는 것이 갈등 해결의 핵심이라고 강조했다.

“은영 씨의 감정과 상실을 이해하는 것이 첫걸음입니다. 하지만 이제는 서로의 입장을 존중하며 해결책을 찾아야 합니다.”

민호가 진지한 목소리로 말했다. 민석과 유진은 민호의 조언을 받아들여 대화를 계속했다. 민석은 개발 계획에 환경 보호 요소를 강화하기로 했고, 유진은 개발에 필요한 최소한의 절차를 수용하기로 했다. 두 사람은 서로의 의견을 조율하며 합의점을 찾아갔다.

“이 합의는 서로의 의견을 존중하며 발전시키는 방향으로 나아가는 것입니다. 앞으로도 지속적인 대화와 협력이 필요합니다.”

민석이 말했다. 그의 목소리에는 확신이 담겨 있었다.

“정확히 그렇습니다. 이제는 서로 이해하고 협력하는 것이 중요해요. 강가를 보호하면서도 지역 사회의 발전을 이룰 수 있는 방법을 찾아야 합니다.”

유진이 덧붙였다. 그녀의 눈에는 결의가 가득했다. 은영은 이 과정에서 강가의 자연과 사람들 사이의 균형을 맞추는 것이 자신에게 중요한 일임을 새삼 느꼈다. 갈대들이 여전히 바람에 흔들리며 속삭이는 모습을 보면서 은영은 자신이 치유되고 있음을 깨달았다. 강가는 그냥 단순한 안식처가 아닌 그녀에게 새로운 희망과 평화를 안겨주는 장소가 되었다.

“엄마 아빠 그리고 오빠. 모두들 떠나고 나 힘들었는데 갈대들 사이에서 다시 시작할 수 있다는 희망을 찾았어요."

은영은 조용히 속삭였다. 그녀의 눈에는 평화와 안도의 감정이 가득했다. 지연과 상훈은 은영의 변화된 모습을 보며 기뻐했다. 상훈이 미소를 지으며 말했다.

"은영씨, 요즘 표정이 훨씬 좋아 보여요. 이게 다 은영씨 자신이 이뤄낸 거예요."

지연도 따뜻하게 응원하며 덧붙였다.

"고마워, 은영아. 힘든 시간도 있었지만. 너 자신을 잃지 않고 새롭게 시작하려는 모습이 정말 멋져."

은영은 주변 사람들과의 대화 속에서 그리고 갈대들의 속삭임 속에서 자신이 진정으로 회복되고 있음을 느꼈다.

#8. 치유

계절이 바뀌고, 강가의 풍경도 변화했다. 갈대들은 다시 한번 그 모습을 바꿨고, 은영의 마음속에도 변화가 일어났다. 그녀는 갈대의 속삭임이 이제는 단순한 슬픔의 상징이 아니라 자신이 치유되고 새롭게 시작할 수 있는 신호라는 것을 알게 되었다.

"그럼 두 분은 그렇게 하기로 합의가 되신 거죠?"

민석과 유진은 강가 주변의 개발과 환경 보호 문제에서 합의점을 찾았고 이민호의 중재 덕분에 갈등이 해소되었다. 은영은 자신이 치유되면서 강가의 갈대와 자연을 다시 바라보며 이곳이 자신에게 주는 의미를 새롭게 느끼게 되었다. 지연과 상훈은 그녀의 여정에 중요한 역할을 하며 그녀가 자신의 감정과 상처를 이해하고 받아들이는 데 도움을 주었다.

"야, 너 요즘 표정이 괜찮다? 이게 다 우리 덕분인 거 알지?"

"응, 고마워."

"하하하, 감사하시면 나중에 밥이나 한번 먹죠."

갈대들은 여전히 바람에 흔들리며 속삭였고 은영은 그 속삭임 속에서 자신이 회복되고 새롭게 시작할 수 있다는 희망을 찾았다. 강가의 자연과 그녀를 둘러싼 사람들은 모두 함께 새로운 여정을 걸어가고 있었다.

코트 끝에서 만난 너

신아진

배드민턴 혼성복식의 결승전, 긴장감이 감도는 코트 위에 심호흡을 하며 상대의 서비스를 받으려 준비한다. 낮고 빠른 셔틀콕이 네트로 넘어왔고 짧게 커트한다. 상대는 헤이핀으로 맞승부를 보였고 결국 셔틀콕을 위로 올려주었다. 수비자세를 취하며 셔틀콕이 넘어오기 만을 기다리던 그때.

"아악!"

상대팀의 선수가 자신의 무릎을 부여잡고 쓰러진다. 그녀는 무릎에 테이핑과 파스만 뿌리고 경기를 계속하길 원했고 그녀의 코치 또한 결승전이고 세트 스코어가 17-18로 막상막하였기에 한번만 참으라며 다독였다. 경기가 재개되려고 하자 그때, 다른 선수가 소리쳤다.

“너 저번에도 다쳤던 부위 잖아. 재발이면 어쩌려고 그래!”

그는 자신의 파트너를 설득하려 했지만, 그 말이 통하지 않자 코치에게 말했다.

“코치님 운동선수가 다쳤던 곳이 재발이면 얼마나 위험한 지 아시잖아요. 코치님이 이러시면 안 되죠!”

코치는 그를 설득하려고 했지만 통하지 않았고 결국 그는 심판에게 다가가 말한다.

“휘영고 기권하겠습니다.”

그는 그 말을 끝으로 체육관을 빠져나갔다. 자신의 부상도 아니고 파트너의 부상 때문에 경기를 포기하고 나가버리는 그의 결정은 예상 밖이었다. 그가 그렇게 냉정하게 그리고 단호하게 심판에게 기권을 선언하는 모습은 유정에게 큰 임팩트를 주었다. 경기장을 떠나는 그의 뒷모습을 바라보며 유정은 묘한 감정에 빠졌다. 언젠가 그와 다시 한번 경기를 펼치고 싶었다.

며칠 뒤, 청소년 국가대표팀 합숙소에 첫발을 내딛으며 긴장과 기대감이 뒤섞인 기분을 느꼈다. 이곳은 그녀가 항상 꿈꿔왔던 장소이자 전국에서 딱 60명만 들어올 수 있는 곳이었다. 방마다 걸린 배드민턴

라켓들과 선수들의 이름표는 이곳의 치열한 경쟁을 대변하는 듯했다. 첫날이라 모든 것이 어색했지만 동시에 새로운 시작을 알리는 순간이기도 했다.

복잡한 마음을 안고 체육관으로 향하던 유정은 그곳에서 뜻밖의 인물과 마주쳤다. 강훈. 결승전에서 기권을 선언하고 떠났던 그였다. 예상하지 못했던 곳에서 그를 만나니 놀라기도 하고 반갑기도 했다. 합숙 첫날이었기에 훈련에 바로 들어가기 보단 가볍게 오리엔테이션과 기초 체력 검사를 진행하였고 오후에는 개인 능력 테스트해 보고 복식조를 편성하였다. 운명인지 우연인지 훈과 파트너가 되었다. 코치님은 유정의 강한 스매싱과 전위가 강한 훈의 조합이 색다르고 남들과 다르기에 좋은 기회를 많이 얻을 거라고 하셨다.

다음날, 혼성복식의 첫 연습이었기에 안 맞는 로테이션을 정리하거나 애매한 공 처리를 할 때 필요한 구호를 정하며 팀의 자질을 천천히 갖추어 나갔다. 그때, 유정이 스매싱을 한 뒤 착지를 잘못해 발목이 삐끗하게 되었다. 하지만 유정은 대표팀 첫 훈련날에 겨우 발목이 삐끗했다고 쉬고 싶지 않았고 무리하게 훈련을 진행하려다 결국 스텝이 꼬여 넘어지게 된다. 훈은 유정이 다친 걸 그제서야 깨달았고 유정에게 쉬기를 권한다.

"겨우 발목 삐끗했다고 첫 훈련을 빠지라고?"

훈은 겨우라는 말에 발끈하며 대답했다.

"운동선수가 몸을 소중히 여겨야지. 부상을 입었는데 훈련을 계속 하는 게 맞는 거야?"

"네가 뭔데. 내가 훈련하는 걸로 이래라 저래라야!"

유정은 자신의 노력을 무시당하는 느낌이 들었다. 유정은 말이 삐뚤게 나왔고 훈도 자신의 생각을 꺾을 생각은 없어 보였다.

"제발 운동에 목숨 좀 걸지 말자."

훈은 그 말을 끝으로 체육관을 나갔다. 그렇게 오전 훈련이 끝났고 민영은 유정의 기분을 풀어주러 구령대로 갔다. 민영은 인상을 찌푸리고 있는 유정을 보며 잠시 머뭇거리다가 훈의 이야기를 해주었다.

"걔 형이 어렸을 때부터 배드민턴 유망주여서 어렸을 때부터 형이랑 비교 당하면서 살아왔대. 근데 형이 대회 결승 전날에 부상이 악화돼서 경기를 치를 수 없게 된 거야. 근데 하필 결승 상대가 강훈이었고 항상 붙어보고 싶었던 형이 다치자 걔는 정정당당하게 형과 승부 볼 기회를 놓친 거지. 그래서 부상에 민감한 걸 거야."

강훈의 이야기를 듣고 유난 떠는 줄로만 알았던 훈의 행동이 이해가 가기 시작했다. 그리고 지역대회에선 훈의 행동을 보며 멋있다고 생각해 놓곤, 자신에게 쉬는 걸 권하자 욱한 자신을 보며 훈에게 미안했다. 하지만 유정은 훈에게 어떻게 사과를 해야 할 지 몰랐고, 훈에게 어떻게 사과할지 생각만 하다 시간은 벌써 저녁식사 시간이 거의 끝나갔다. 그때 운동장을 걷고 있는 훈을 발견하곤 무작정 뛰어갔다.

"야, 강훈!"

자신을 부르는 목소리에 훈을 뒤돌았고 유정은 크게 소리치며 말한다.

"미안! 너가 나 걱정해 준 건데 나 혼자 화낸 것도 미안하고 못되게 말해서 미안해."

그러자 훈은 잠시 생각을 하는 듯하다가 유정에게 말한다.

"나도 미안. 너가 첫 훈련을 그렇게 중요하게 생각하는지 몰랐어. 내가 너무 내 생각만 한 것 같아."

"그럼. 우리 화해한 거야?"

"응."

조심스레 말하는 유정에게 훈도 웃으며 대답한다.

다음날 오전 5시 30분. 유정은 훈련 시간보다 30분 일찍 나와 체육관으로 향했다. 당연히 자신이 첫 번째라고 생각했지만 체육관은 불이 켜져 있었고 그 안에는 훈이 스트레칭을 하고 있었다. 훈은 유정을 발견하자 웃으며 말한다.

"좋은 아침."

"좋은 아침. 빨리 왔네? 나는 내가 당연히 1등일줄 알았는데."

유정은 훈에게 장난 섞인 투정을 부린다. 훈은 웃으며 스트레칭을 이어갔다. 유정도 훈의 옆에서 스트레칭을 시작했다. 둘은 정반대의 스트레칭 방법으로 몸을 풀었다. 유정은 다리, 팔, 허리, 어깨를 중점적으로 스트레칭 해주며 특히 하체 스트레칭에 시간을 많이 썼다. 훈은 스윙 자세를 연습하거나 스텝을 밟으며 서서히 심박수를 올리고 몸의 온도를 높였다. 그리고 플랭크와 스쿼트 같은 코어와 근력 운동으로 빠른 발놀림과 안정적인 움직임에 대비했다.

운동장 15바퀴를 돌며 새벽훈련을 끝낸 후 30분 정도 침대에 누워 있으니 다시 오전 훈련이 시작됐다. 오늘 첫 번째 훈련은 셔틀콕 리턴 속도와 정확성 훈련이었다. 훈과 유정은 빠르게 셔틀콕을 주고받으며 호흡을 맞추려 노력했지만, 몇 번의 실수 후 유정이 짜증을 냈다.

"왜 그렇게 느리게 반응해?"

유정이 말했다.

훈은 차분하게 대답하려 했지만, 목소리에는 이미 피로가 묻어났다.

"너도 실수할 때 있잖아."

유정은 더 이상 참지 못하고 대꾸했다.

"네가 제대로 대응 못하니까 내가 실수하는 거잖아!"

"너만 열심히 하는 줄 알아? 나도 열심히 하고 있잖아."

둘 사이에 긴장감이 감돌았다. 코치는 멈춰 서서 그들을 지켜보며 입을 열었다.

"너희는 한 팀이야. 개인이 아니라 팀으로 이겨야 한다. 서로 탓하는 대신 부족한 부분을 채워야 승리할 수 있어."

잠시 침묵이 이어졌고 유정은 그제서야 자신의 말이 지나쳤다는 걸 깨달았다.

"미안. 내가 너무 예민했나 봐."

"나도 미안해. 더 집중할게."

이후 훈과 유정은 다시 훈련에 몰입했다. 훈과 유정은 서로 사과하며 화해했지만 완전히 풀린 것은 아니었다. 그날 오후, 두 사람은 훈련을 함께 하면서도 어색한 침묵이 계속되었다. 대화는 단절되었고 가끔 눈이 마주치면 피하기 일쑤였다.

'화해는 했지만 뭔가 아직 어색하네.'

유정은 속으로 생각했다. 서로의 마음은 풀렸지만 아직 거리를 완전히 좁히지 못한 느낌이었다. 훈도 마찬가지였다. 여전히 신경 쓰이는 부분이 있었지만 말을 꺼내지 못한 채 훈련에만 집중했다. 둘은 완벽한 팀워크를 자랑해야 하는 상황에서 아직 감정의 벽을 완전히 허물지 못한 채 하루를 보냈다.

그날 밤, 유정은 체육관에 남아 늦게까지 훈련할 생각이었다. 그런데 체육관에 도착하자 홀로 연습하는 훈의 모습을 발견했다. 조용한 체육관에서 혼자 벽을 향해 셔틀콕을 치고 있는 훈의 모습은 유정에게 깊은 인상을 남겼다. 그녀는 훈에게 다가가며 조심스럽게 말을 걸었다.

"혼자서 뭐 그렇게 열심히 해?"

훈은 살짝 놀란 듯 웃으며 유정을 바라보았다.

"그냥 부족한 부분 연습하는 거야. 너도 같이 할래?"

그렇게 두 사람은 자연스럽게 함께 야간 연습을 시작했다. 그날 밤 유정과 훈은 별다른 말없이 서로의 플레이에 집중하며 오랜 시간 공을 주고받았다. 처음엔 조금 서먹했지만 점점 서로의 움직임을 예측하며 경기를 풀어나가는 호흡이 맞아 가기 시작했다.

"네가 네트 근처에서 이렇게 치면 내가 뒤에서 바로 커버할 수 있어."

유정이 말하자, 훈은 고개를 끄덕였다.

"좋은 거 같아. 그렇게 하면 공격전환이 더 빠르게 될 수 있을 것 같아."

그들은 서로의 플레이 스타일에 대한 이해를 높여가며 점점 더 가까워졌다. 합숙이 계속되면서 두 사람은 사소한 일로도 함께 웃고 대화하는 시간이 늘어났다. 하루는 훈련이 끝난 후, 숙소 앞에 있는 벤치에서 쉬던 유정이 장난스럽게 훈에게 말했다.

"오늘 네 스매시 좀 날카롭더라. 아, 물론 내가 수비를 잘해줘서 너한테 콕이 간 거지만."

훈은 웃으며 유정의 이마를 약하게 딱밤을 때렸다.

"그게 뭐야. 그냥 내가 공격 잘한 거지."

유정은 웃음을 터트리며 고개를 저었다. 두 사람은 그렇게 장난스럽게 주고받으며 점점 더 편하게 서로를 대하게 되었다.

"아! 우리 바다 보러 갈래?"

갑작스러운 유정의 제안에 훈은 잠시 망설이다 고개를 끄덕였다. 체육관이 바다에서 가까운 위치에 있었기에 그동안의 훈련으로 쌓인 피로를 날려 버리기 딱 좋은 기회였다. 둘은 슬금슬금 눈치를 보며 선배들이 몰래 만들어 놓았다는 소문이 있는 탈출구 쪽으로 갔다. 소문의 장소로 가자 나갈 수 있는 구멍이 있었다. 둘은 그 구멍을 통해 조용히 밖으로 빠져나왔다. 15분 정도만 걸으면 바다가 두 사람을 기다리고 있었다. 훈과 유정은 바다로 향해 걷다가 어느 순간 동시에 바다를 향해 달리기 시작했다. 선선한 바람과 발끝에서 부서지는 파도 소리 둘 사이의 미묘한 침묵을 채우는 것은 자유로움이었다. 그 순간, 모든 것이 완벽하게 느껴졌다. 오랜만에 느껴보는 일탈이었다.

다음 날 아침. 어젯밤의 여운을 느낄 틈도 없이 긴장된 분위기 속에서 준비를 시작했다. 오늘은 일본 대표팀과의 연습 경기가 예정된 중요한 날이었다. 선수들 모두 평소보다 더 진지하게 임해야 하고 꼭 이겨야 한다는 압박감을 느꼈다. 그때, 일본 대표 선수들이 도착했고 감독님들의 디스인 듯 칭찬인 듯한 미묘한 대화가 오가며 긴장감을 한층 더 고조시켰다. 훈과 유정은 단 2주 동안 호흡을 맞췄음에도 불구하고 마치 수년간 함께 경기를 해온 것처럼 완벽하게 경기를 풀어나갔다. 서로의 움직임과 스타일을 자연스럽게 이해하고 받아들이며 매 순간 최선을 다했다. 두 사람은 일본과의 연습 경기에서 압도적인 승리를 거두며 코트 위에서 환하게 웃었다.

연습 경기가 모두 종료된 후 대표팀 모두가 무난하게 일본팀을 이겼다. 이것은 팀의 사기를 높게 만들기에 충분했다. 감독님은 선수들의 역량이 많이 성장했고 모두가 좋은 기량을 발휘한 것을 칭찬하며 다음 날 외출을 허가해 주었다. 그 말을 듣자 훈은 옆에 있는 유정의 팔을 툭툭 치며 말했다.

"제주도까지 왔는데 내일 귤 따러 갈래?"

유정은 손가락으로 OK 표시를 했다.

다음날, 감귤 나무 사이를 걸으며 유정이 웃으며 말했다.

"이런 기회가 아니면 언제 제주 감귤 따 보겠어?"

훈은 감귤 하나를 따서 바구니에 넣으며 농담처럼 말했다.

"그러게. 근데 생각보다 감귤 따는 거 더 재밌다."

"그러게."

둘은 바구니에 감귤을 가득 채우고 포장까지 알차게 하고 나왔다. 둘은 계획대로라면 감귤체험이 끝나고 바로 용두암에 갈 계획이었지만 감귤체험 바로 옆에 있는 기념품 가게로 관심이 이끌렸다. 둘은 결국 기념품 가게에 들어갔고 천천히 구경을 했다. 그때 훈이 신기해하며 말했다.

"어? 이 키링 봐. 라켓을 들고 있네."

그러자 유정은 훈이 말한 키링을 두 개 집어 계산한다. 그리고 하나는 자신의 가방에 넣고 나머지 하나는 훈의 손에 쥐어 준다.

"자, 선물."

훈은 매우 놀라며 기뻐했다. 기념품 가게에 나와 용두암까지 갈 택시를 부르려는 그때, 갑작스런 코치님의 호출을 받았고 결국 다시 체육관으로 돌아왔다.

코치실에는 유정이 다니고 있는 한강고의 코치가 기다리고 있었다. 훈은 자신을 부른 이유가 의아했고 자신을 빤히 쳐다보고만 있는 한강고 코치가 어색했다.

"우리 학교로 전학 올 생각이 있니? 유정이와 합을 겨우 2주 동안 맞췄는데 완벽하게 경기를 풀어나가는 걸 보고 깨달았어. 나는 너희 둘이 혼성 복식 국가대표까지 될 수 있다고 생각해."

훈은 순간 당황했지만, 이내 진지하게 생각에 잠겼다. 광주에서 훈련받는 것보단 서울에서 훈련받는 것이 자신에게 도움이 될 것이라는 생각이 들었다. 그는 결국 코치의 제안을 받아들이기로 했다.

훈이 유정에게 한강고로 전학을 간다는 사실을 밝힌 뒤로 며칠간 여러 가지 일이 벌어졌다. 그동안 쌓였던 긴장감이 풀리기도 하고, 팀 내에서 다양한 사건들이 발생하면서 일상은 분주하게 흘러갔다.

밤에 민우 형은 친구들과 함께 몰래 바다에 다녀오려다 걸려버렸고, 벌로 스윙 연습을 500번 해야 했다. 체육관에서는 모두가 민우 형의 이야기를 들으며 웃음을 터뜨렸지만, 스윙 연습을 반복하는 민우 형의 모습은 그 누구보다 진지했다.

또 다른 사건은 연습 경기에서 발생했다. 훈과 유정의 팀이 다른 팀에게 아쉽게 패배하면서 코치님은 더 많은 훈련이 필요하다고 판단했다. 그 결과 패배한 팀은 다른 선수들보다 두 시간 일찍 훈련장에 나와야 하는 벌을 받았다. 훈과 유정은 이른 아침부터 시작된 훈련에서 서로 더욱 단단한 호흡을 맞추기 위해 노력했다.

길기도 하고 짧게 느껴지기도 했던 3주간의 합숙 기간이 끝났다. 그는 집에서 짐을 싸고 서울로 올라가기로 했다. 그는 공항에서 내리고 자신의 집보단 고등학교에 먼저 갔다. 항상 등교하던 거리를 이제 못 본다는 생각에 조금 슬프기도 하고 애틋하기도 했다. 그는 기숙사에서 묵묵히 자신의 짐을 챙겼고 전학소식을 듣고 온 휘영고 배드민턴부와 작별인사를 하였다.

"무릎은 괜찮고?"

"응, 너 덕분에. 너는 이제 한강고로 가는 거야? 완전 출세했네?"

"운이 좋았지. 나 없다고 울면 안된다?"

마지막으로 자신의 파트너였던 서연과 장난스럽게 마지막 인사를 하였고 무거운 발을 떼며 자신의 집으로 갔다. 그는 항상 싸우기만 했던 거 같았는데 막상 헤어지려니 아쉬웠다.

집에 가자 그의 어머니와 아버지가 그를 맞이했다. 어머니는 훈을 보곤 꼭 껴안아 주셨고 무뚝뚝한 훈의 아버지는 서툰 칭찬하며 머쓱한 듯 방으로 들어가셨다. 오랜만에 먹은 집밥은 그동안 잊고 지냈던 정겨운 맛을 떠올리게 했다. 몇 달 만에 집에 와 먼지투성이 인 줄 알았던 집은 깨끗하게 치워져 있었고 그 덕분에 편안하게 잘 수 있었다.

아침 7시. 그는 자신의 방에서 한 액자와 정말 소중한 물건들만 가방에 넣고 어머니의 배웅을 받으며 광주 송정역으로 갔다. 처음이라 서툴었지만 겨우겨우 자신의 KTX 좌석을 찾고 이어폰을 끼고 자신이 제일 좋아하는 배드민턴 올림픽 영상을 봤다. 그는 꼭 국가대표가 되어 올림픽에서 가운데에 대한민국의 국기를 휘날리겠다며 다짐했다.

훈이 좋아하는 경기 영상을 보고, 간식을 먹으며 시간을 보내니 금방 서울역에 도착했고 그곳에는 유정이 기다리고 있었다.

"오늘 기대해. 진짜 재밌을 거야."

아직은 신기한 것 많은 서울에서 유정과 함께 시간을 보내기로 했다. 두 사람은 먼저 영화관으로 향했고 훈이 보고 싶어했던 공포 영화를 봤다. 영화를 보는 내내 깜짝깜짝 놀라는 유정과 다르게 훈은 눈 하나 깜빡도 하지 않았다. 영화를 다 본 뒤 둘은 카페에서 영화 이야기를 하며 즐거운 시간을 보냈다.

"영화 안 무서웠어? 나만 계속 놀라는 거 같던데."

유정은 훈에게 물었다.

"오구오구, 유정이 무서웠어요?"

훈은 일부러 유정에게 애 취급하며 장난친다.

"죽는다."

유정은 조금 무서웠던 건 사실이었기에 다음에는 절대 놀라지 않겠다며 다짐했다. 분위기는 유쾌했고 그동안 쌓인 스트레스가 풀리는 듯했다. 그때 민영이 놀자며 유정에게 연락해 왔고 셋이 함께 놀기로 했다. 셋은 명동에 가 서로에게 옷을 골라 주기도 하고 군것질을 하며 시간을 보냈다. 하지만 민영과 훈이 자주 붙어 있는 모습에 유정은 어딘가 불편한 기색을 느꼈다. 사진을 찍을 때도, 길을 걸을 때도, 밥을 먹을 때도 둘이 떨어질 생각을 안 하자 유정은 점점 더 복잡한 감정에 휩싸였지만 그저 자신의 친구들이 자신보다 친해지는 게 질투가 났던거라 생각하며 절대 훈을 좋아하는 게 아니라며 부정했다.

훈은 한강고에 전학을 온 후, 코치의 강한 의지로 유정과 학교의 전폭적인 지원을 받으며 훈련에 집중할 수 있었다. 한강고는 배드민턴 엘리트 학교 중 명문 학교로, 최신식 시설과 경험 많은 코칭 스태프를 갖추고 있었다. 국가대표 수준의 훈련을 진행하며 두 사람은 주니어 대표팀에서 익혔던 기술을 한층 더 발전시키고 세밀하게 다듬는 데 초점을 맞췄다.

한강고에서의 매일 아침은 체력 훈련으로 하루 시작되었다. 아침 6시에 시작되는 기초 체력 훈련은 주니어 대표팀 시절과 마찬가지로 중요한 부분이었다. 이 훈련은 경기 중 지치지 않고 전반적인 경기 능력을 유지하기 위해 필수적이었다. 10km를 달린 후 단거리 스프린트와 휴식을 반복하는 인터벌 훈련으로 빠른 스피드와 회복 능력을 향상시켰다. 이 훈련은 긴 시간 동안 집중력을 유지하며 순간적으로 터지는 폭발적인 힘을 기르는 데 효과적이었다. 체육관에서의 웨이트 트레이닝도 한강고 훈련의 필수적인 부분이었다. 유정은 주로 하체 근력을 보강하기 위해 스쿼트와 레그 프레스를 집중적으로 연습했다. 반면, 훈은 상체 근력을 강화하기 위해 덤벨 훈련과 케이블 머신을 사용해 팔과 어깨 근육을 발달시키는 데 힘썼다. 이는 후위보다 전위에 강한 훈의 밸런스를 맞춰주는 훈련이었다.

그리고 한강고는 선수들 개개인의 장단점을 분석해 그에 맞는 맞춤형 훈련을 제공했다. 유정은 공격형 선수로서 셔틀콕을 코트 구석에 정확히 꽂아 넣는 기술을 완벽하게 연마하기 위해 매일 셔틀콕의 각도를 조절하며 스매시 정확성 훈련을 반복했다. 코치는 그녀에게 경기 중 상대방의 움직임을 보고 공격할 곳을 예측하는 능력을 키우도록 조언했다. 훈은 수비형 플레이어로서 네트 앞에서의 빠른 대응 능력과 정확한 리턴 훈련에 집중했다. 그의 목표는 상대의 공격을 효과적으로 방어하면서도 공격으로 전환할 수 있는 능력을 기르는 것이었다. 훈과 유정은 셔틀콕의 스피드를 조절하는 훈련도 진행했다. 빠른 템포의 랠리 중에도 셔틀콕을 상대의 빈 곳으로 정확하게 보내는 것이 중요했기에 두 사람은 속도와 각도를 조절하는 훈련을 통해 순간적인 상황 변화에 빠르게 대응하는 능력을 길렀다. 또한 상대의 빠른 스매시를 반사적으로 받아내는 훈련을 통해 반응 속도도 높였다.

한강고에서는 특히 복식 경기에서 필요한 팀워크와 전술적인 움직임을 강조했다. 두 사람은 코치의 지도 아래 혼성 복식에서 최적의 호흡을 맞추기 위한 훈련을 반복했다. 혼성 복식에서 중요한 것은 파트너와의 신속한 자리 교대와 역할 분담이었다. 유정과 훈은 공격과 수비로 역할을 나누어 가며 빠르게 자리를 바꾸는 로테이션 훈련을 집중적으로 했다. 유정이 공격을 주도할 때는 훈이 수비적인 포지션을 잡고 상대의 반격을 대비했고, 훈이 네트 플레이로 상대를 흔들면 유정이 스매시로 마무리하는 방식의 플레이를 완성해 나갔다. 한강고 코치들은 상대방의 약점을 파악하고 그에 맞는 공격 전술을 짜는 능력을 키우기 위해 시뮬레이션 경기를 자주 진행했다. 두 사람은 상대팀의 포지셔닝에서 약점을 찾아내고 그것을 공략하는 방식으로 경기를 풀어나갔다. 상대의 수비가 약한 구역에 공을 보내거나 전위 플레이어의 집중력이 흐트러질 때 기습적으로 공격하는 전술을 연습했다.

매주 금요일에는 다른 팀과의 연습 경기가 진행되었다. 이 경기는 실전 감각을 익히고 각종 전술을 시험해 볼 수 있는 중요한 시간이었다. 유정과 훈은 경기에서 실수를 하더라도 그 원인을 분석하고 코치의 피드백을 받아 개선해 나갔다. 특히 경기 중 상황에 따른 신속한 전술 변경을 연습하며 다양한 스타일의 상대와 경기를 하며 실전 능력을 기르기 위해 노력했다. 한강고에서는 가끔 국가대표 선수들과의 연습 경기 기회도 주어졌다. 이런 기회는 유정과 훈에게 큰 동기부여가 되었고 실제 경기에서의 긴장감을 미리 경험하며 스스로의 약점을 파악할 수 있었다. 코치들은 이러한 실전 경험을 통해 선수들이 각자의 경기 스타일을 발전시키는 데 중점을 두었다.

몇 달이 지나 전국 대회가 시작되었다. 훈과 유정은 같은 학교에 다니면서 많은 경험을 쌓았고 그 결과로 둘은 우승후보 팀으로 거듭났다. 예선부터 8강까지는 순조롭게 스트레이트 승리를 거두며 올라왔지만 4강에서 만난 상대는 주니어 대표팀으로 합숙 때 팀이었던 관계가 몇 달 만에 상대가 되어버렸다. 두 팀 모두 서로의 경기 스타일, 장단점을 알았기에 더욱더 치열했다. 하지만 훈과 유정은 끝까지 전력을 다해 싸웠고 결국 힘겹게 결승에 진출했다.

결승전 상대는 민영이었다. 경기가 치열하게 진행되는 중, 셔틀콕이 훈의 눈에 맞는 사고가 발생했다. 평소라면 바로 기권을 했을 그였지만 이번에는 달랐다. 이번 대회에서 우승한다면 국가대표 선발전에 바로 갈 수 있다는 사실을 떠올리며 코치님에게 말한다.

"이기려면 어떻게 해야 해요?"

"형을 너의 마음 속에서 지워. 이제부터 너만의 배드민턴을 해."

코치는 진지하면서도 자신감에 찬 목소리로 대답했다. 훈은 항상 비교 당하며 살아왔고 부모님께 칭찬받고 싶었다. 훈은 점점 형의 기술과 특징들을 따라하기 시작했고 형의 경기 스타일과도 비슷하게 하려고 했다. 훈은 코치님의 말을 듣고 자신과 스타일이 다른 형의 특징을 살리지 않고 자신에게 편하고, 정훈 자신만의 경기를 하였다. 점수는 점점 차이가 나기 시작했고, 그때 훈에게 셔틀콕이 올라왔다. 훈은 평소보다 더욱 세차게 발을 구르며 점프했고 유연한 스윙을 했다. 셔틀콕은 완벽하게 상대의 코드 바닥에 꽂혔고 경기가 끝났다.

민영은 훈에게 다가가 축하의 말을 건네며 수건으로 머리를 닦아주려고 하자 유정은 훈을 향해 빠르게 다가갔다. 질투심을 느끼던 유정은 참을 수 없다는 듯이 훈에게 외쳤다.

"나 너 좋아해…!"

훈은 잠시 당황했지만 이내 미소를 지으며 말한다.

"내가 먼저 말하려고 했는데…."

며칠 뒤, 국가대표 선발전이 시작되었다. 그들은 다시 한번 뜨거운 도전을 이어갔다. 결과는 아직 알 수 없었으나 훈과 유정은 이전보다 강해진 자신들을 믿었다. 승패에 상관없이 그들의 앞날에는 무한한 가능성이 펼쳐져 있었고 새롭게 다가오는 도전이 그들을 기다리고 있었다.

"준비됐지?"

"그럼!"

꿈과 그림자

김건우

1장: 시

2010년대. 수도권의 광주.

"여기저기서 단풍잎 같은 슬픈 가을이 뚝뚝 떨어진다…."

김도윤은 방 창가에 앉아 햇살을 맞고 있었다. 방 안에는 책과 노트 그리고 몇 개의 연필이 흩어져 있었다. 그는 노트에 시를 적어 내려가고 있었다.

'시를 통해 내 마음을 이해할 수 있어야 해. 그런데 이게 정말 내가 원하는 길일까?'

그의 방문이 열리며 어머니인 미선이 들어왔다. 그녀는 도윤의 방을 둘러보며 책상 위에 있는 노트를 보았다.

“도윤아, 또 시를 쓰고 있구나. 그만 좀 하고 공부를 하렴. 네 아버지와 내가 너의 미래를 걱정하고 있잖니.”

“어머니, 제가 잘 하는 건 시밖에 없어요! 저는 시로도 먹고 살 수 있다고요!’

도윤이는 똑 쏘아붙였다. 그러자 미선은 더 쏘아붙이다 조금 달래듯이 말했다.

“꿈도 좋지만 현실을 봐야지. 의대에 가면 안정된 직업을 가질 수 있어! 시인은 그저 꿈에 지나지 않아. 너가 시를 사랑하는 걸 알고 있지만…. 도윤이 너도 알잖니. 엄마와 아빠가 이러는 이유를 말이야.”

“네. 알죠. 노력할게요.”

“그래…. 그래도 현실을 생각하려무나….”

미선은 한숨을 쉬며 방을 나갔고 도윤은 어머니의 잔소리에 이기지 못하고 결국 자신의 시를 쓰는 노트인 ‘시의 조각들’을 덮고 의대 공부를 했다. 그러나 그의 표정에는 불안과 고민이 가득했다.

2장: 저녁 식사

어느 날 저녁 도윤은 가족과 함께 식탁에 앉아 있었다. 식탁 위에는 맛있는 음식들이 가득 차려져 있었지만 도윤의 마음은 다른 곳에 있었다.

그 때 도윤의 아버지인 태준이 도윤에게 말을 걸었다.

"도윤아, 요즘 학교 생활은 어때? 공부는 잘되고 있니?"

"…."

"크흠…. 도윤아!!"

도윤은 귀신이라도 본 듯 깜짝 놀라서 아버지를 쳐다보았다.

"ㄴ, 네? 방금 뭐라고…?"

그 말에 아버지는 헛기침을 하고 불편한 듯이 말했다.

"크흠…. 그래 도윤아 요즘 학교생활이 어떻니? 공부는 또 어떻고?"

"아…. 네. 아버지 공부는 잘 되고 있어요. 그렇지만…. 저는 의대 시험을 하고 싶지 않아요."

그 말에 화목하던 식사 분위기가 스산해졌다. 그 분위기에 도윤의 어머니인 미선이 기가 막혀 말했다.

"도윤아, 오늘도 엄마가 말했잖니? 의대에 가면 안정된 직업을 가질 수 있단 말이야!"

그 말에 아버지인 태준이 거들듯이 말했다.

"그래, 도윤아, 우리가 너를 걱정하는 이유를 이해하지 못하니? 시인은 정말 불안정한 직업이야."

"저는 제 꿈을 이루고 싶어요. 그게 제 진정한 길이라고 믿어요. 그리고 이 선택이 제 인생을 망하게 해도 저는 제 선택이 옳다고 생각해요."

"시는 제가 가장 잘 할 수 있는 활동이에요. 저는 시를 쓰는 게 좋고

제 꿈이기도 하니까요."

다시 아버지가 말을 한다.

"꿈도 좋지만 현실을 생각해야지. 시로 먹고사는 건 이 세상에서 먹고 살기 힘든 일일 뿐이야."

그러자 어머니가 말했다.

"아버지 말이 맞아 도윤아. 기회는 잡을 수 있을 때 잡아야 된단다."

도윤이는 아버지와 어머니가 하는 말들에 점점 화가 났다. 자꾸 이야기하는 모습이 마치 절벽에서 자신을 떠미는 것 같았다.

"그렇지만 저는 제가 더 관심이 있는 시를 쓰고 싶단 말이에요!"

도윤의 말에 아버지인 태준은 도윤에게 성을 냈다.

"그만하거라. 도윤아! 지금까지 우리들의 말을 못 알아들은 거니? 시를 쓰는 불안한 일 말고 안정적인 의사를 하란 말이다!"

도윤과 어머니는 아버지의 호통에 상황은 일단락된 것 같지만 식사가 끝나고 방에 가서 곧바로 침대에 누워서 생각했다.

'왜 시로는 잘 먹고 사는 게 어렵다고 하는 거지? 정말 가족들은 내 꿈을 응원해주지도 못할망정….'이라는 생각을 하며 이불을 뒤집어썼다.

3장: 발표 날

오늘은 도윤이에게 꽤나 중요한 날이다. 모래가 바로 학교에서 학생들 자신만의 시를 발표하는 날인 것이다. 그래서 도윤이는 학교 점심 시간에 발표할 시를 고르고 있었다. 그런 도윤이 앞으로 현재 도윤이의 시와 거의 대등할 정도의 시를 쓸 수 있는 민수가 앞으로 다가왔었다.

"야, 너도 모래에 있을 문예 대회에 낼 시를 쓰고 있구나?"

"응, 너는 이미 썼니?"

"당연하지~~. 나는 이미 내가 쓴 것 중 가장 잘 쓴 시를 발표할 거야."

민수는 다른 사람이 보더라도 자신감이 넘쳐 보였다.

"역시 그렇지? 하긴…. 그 발표 심사위원이 유명한 시인인 '윤동주 시인'께서 직접 오셔서 심사를 하시는 거니깐…."

그 말에 민수도 조금은 기가 눌린 것같이 말했다.

"그것도 그렇지…. 하지만 이런 거는 겁먹으면 안 되지. 바로 자신감이야. 자신감! 자신의 시가 뽑힐 거라는 그런 자신감 말이야!!"

민수의 커다란 목소리의 도윤이는 살짝 놀라며 말한다.

"그래, 그래. 나도 한 번 열심히 해 볼게."

"그래야지~~. 나는 간다~~."

민수가 들뜬 듯 가는 걸 보고 도윤이는 생각했다.

'민수는 자신이 쓴 시에 자부심이 있네? 그에 비하면 나는….'

그 후 도윤이는 문예 대회가 열리기 전 날 밤에 다급하게 쓴 시를 가방에 넣게 되었다. 도윤은 학교에서 문예 대회가 열리는 날 긴장된 표정으로 대회장을 찾아갔다. 대회장에서는 학생들이 자신의 작품을 발표하고 있었다.

"야, 도윤. 이제 내 시를 발표하고 난 뒤에 너의 시가 발표해야 해. 어떠냐?"

"…."

도윤이는 말이 없었다.

"음…. 도윤아?"

"…."

도윤이는 여전히 말이 없었다.

"야! 도윤!!"

민수는 약간 큰소리지만 대회장에선 들리지 않을 정도로 도윤이를 외쳤다.

"어, 어? 뭐라고?"

도윤이는 드디어 민수의 말을 들은 듯 놀라며 대답했다.

"야, 너 멍 때렸구나? 크흠…. 다름이 아니라 너 발표할 때 자신 있어?"

"아니. 나는 좀 걱정돼. 다른 사람들의 시와 비교되면 내가 부족하게 느껴질 것 같아."

"야, 내가 말했지? 걱정은 접어두고 가슴은 딱 피고! 어깨도 떡하니 피고! 이런 건 자신감으로 밀어붙이는 거니까. 알겠지?! 그럼 나 먼저 발표한다."

"아, 응. 열심히 해~."

그리고 민수는 발표를 하러 대회장으로 올라갔다.

"민수는 자신감이 넘치나 보네…. 나도 내 시에 자신감이 있어야 할 건데….”

그 후 민수가 박수를 받으며 내려가자 도윤이 발표할 차례가 다가왔다.

‘후…. 한번 해보는 거야…. 뭐, 잘못될 게 있겠어?’

도윤은 발표가 끝난 후 박민수와 다른 학생들이 그의 시에 대해 자신들의 뜻을 나누는 것을 우연히 들었다.

“도윤이의 시는 너무 단조롭지 않아? 좀 더 독창적인 요소가 필요해 보이는데.”

“너도 그렇게 생각하지? 내용이 조금 평범해. 다소 진부하게 느껴지기도 했어.”

그 말을 듣고 도윤은 계단을 내려오며 속으로 생각했다.

‘평범?! 내 시가 평범하다고?? 도대체 어디가 부족한 거지?’

도윤은 방으로 돌아와 자신의 시를 다시 읽어보며 속으로 중얼거렸다.

‘왜 내 시가 완벽하지 않다는 거지? 왜 평범하다는 거지? 나는 도대체 뭘 잘못 쓰고 있다는 거지?’

도윤은 이 말들을 다시 곱씹으며 자신의 고민들을 털어놓을 수 있는 친구인 태오의 집으로 가기 위해서 집을 나섰다.

4장: 도움

태오의 집을 간 도윤은 태오의 집의 벨을 눌렀다.

띵동.

"누구시죠?"

"안녕하세요. 태오 어머니. 접니다. 도윤이요."

"아! 도윤이구나! 그래. 오늘 온다고 태오가 말한 거 들었단다. 지금 대문을 열어 줄게. 지금 나가마~."

태오의 집에 들어온 도윤은 태오의 어머니를 만나게 되었다.

"안녕하세요."

"그래, 어서 오렴. 태오는 자신의 방에서 지금도 여전히 작업 중이란다. 들어가기 전에 노크를 하고 들어가렴."

"네, 감사합니다."

도윤은 처음 말을 들은 것처럼 방문을 두들기고 들어갔다.

똑똑.

"들어와유~."

이 말이 들리고 도윤은 방문을 열고 들어갔다. 들어갔을 때 보인 장면은 언제나 봐도 봐도 정말 굉장했다. 태오의 방에 있는 투명 전시장에는 수많은 레고 창작품들이 있었다. 그것들은 전부 지금까지 나왔던 레고 로봇들보다 가장 잘 만든 것 같았다.

"이야…. 네 방에 로봇들의 개수는 점점 늘어나는 것 같다?"

"에이, 그게 뭔 말이여~~. 1~2개 늘 긴 했지만 별로 안 늘었다."

그런 것 같지는 않다. 실제로 어제보다 대여섯 개 늘어났다. 그리고 태오의 손에는 또 다른 모습의 레고 로봇이 손에 들려 있었다.

“또 새로운 거 만드니?”

“응, 이번엔 아빠가 알려준 그림을 가지고 만들어 보려고.”

“이름이 뭔데?”

“몰루? 잘은 모르갔다. 내는 이게 뭔 로봇인지는 모르겠다.”

“그래?”

“응, 근데 나는 이거 내 취향은 아니다.”

“그러긴 하네 좀 너무 간단한 것 같네.”

“그제?”

“근데 이거 잘못 만들면 어떡해?”

그러자 태오는 땅이 꺼져라 한숨을 쉬고 내게 말했다.

“야, 도윤이 너는 그게 문제다….”

“뭐? 어떤 게?”

“아까처럼 뭘 못하면 어떻게 하지…. 큰일 나면 어쩌지…. 하는 것들 말이야. 좀 자신이 하겠다는 것에 자신감 좀 가져라?! 못할 거란 생각과 감정은 넣어두고 일단 한번 해봐. 뒷일은 나중에 생각해! Just do it!”

나는 그 말에 한 대 세게 얻어맞은 기분이었다.

“그래…. 바로 그거야…!”

“어? 뭐라고 중얼중얼거리냐?”

그러자 도윤은 신난 듯이 말했다.

"아무래도 나 뭔가 깨달은 것 같은데?"

태오는 가볍게 한숨을 쉬며 말했다.

"근데 또 그러다가 집 가면 잊어버리거나 시로 못 쓸걸?"

도윤은 욱하듯이 조금 성을 냈다.

"야, 내 꿈이 시인인데 그것도 못하겠냐?"

태오는 점잖은 목소리로 말했다.

"어, 내가 아는 너라면 절대로 쉽게 못하지."

도윤은 수긍할 수밖에 없었다. 왜냐하면 태오는 도윤과 가장 오래 지낸 친구니까 도윤이의 성격을 가장 잘 알 것이었다.

"그래도…. 너라면 방에서 난리를 치면서 답을 찾을 수 있을 거다."

도윤은 어이없다는 듯이 말했다.

"너…. 진짜 병 주고 약 주냐?"

그 말에 태오는 딱 잘라 말한다.

"아니, 나는 병 주고 병 주고야. 결국 고통받는 건 너니까."

그러자 도윤은 포기한 것처럼 말한다.

"아유…. 그래. 이래야 너 답지."

"그럼 난 다시 간다~~."

"크크크…. 열심히 해 보셔~~."

도윤은 태오의 특유의 웃음을 들으며 태오의 집을 나와서 자기 집으로 돌아가서 자신의 방에 들어갔다.

5장: 시험 전 압박

의대 시험을 준비하던 도윤은 밤 늦게까지 방 안에서 공부와 시 창작을 반복했다. 시험을 하루 앞두고 도윤은 자신의 방에서 시를 쓰기 시작했다.

끄적. 끄적.

"…."

"으으으…. 아니야!"

콰아악.

도윤은 자신이 쓴 시가 있는 종이를 찢었다.

"아니야…. 아니라고!! 내가 원하는 건 이게 아니야!!"

쿵. 쿵. 쿵.

도윤은 눈치를 보고 힘을 절제하며 책상을 내리친다.

"왜 왜 왜!!! 나는 평범한 시밖에는 쓸 수 없는 건데?!"

"으으으으!!!"

도윤은 울분을 참지 못하고 손을 위 아래로 흔들었다.

"하…."

도윤은 힘이 풀리며 의자에 털썩 앉으며 시계를 보았다.

"뭐야, 벌써 시간이 이렇게…."

'이제 3일 뒤면 시험이구나…. 진짜 그 시험이 내 미래를 잘 살게 도와줄까?'

도윤은 현재 자신의 생각을 담은 시를 적어 내려갔다. 문득 도윤은 자신의 꿈과 현실 사이에서의 선택을 깊이 성찰하며 감정을 솔직하게 드러내기 시작했다.

제목: 그림자와 빛
흑과 백 사이 이 무명 속에서
나는 내 길을 찾으려 애쓰네.
꿈의 불빛이 내 눈을 감싸고
차가운 현실의 그림자가 내 뒤를 따르네.
세상은 나에게 안정된 길을 강요하고
희망의 조각을 내게 보이네.
그러나 나는 질문하네, 이 길이 내 길인가?
아니면 꿈이 안개처럼 사라질까 두려워하는가?
내 시는 내 마음의 한 조각,
혼돈 속에서 태어난 속삭임.
꿈과 현실의 경계에서
나는 무엇을 선택해야 할까?
빛이 될까, 그림자가 될까?
내가 걷는 길 위에서
이 시가 나의 고민을 담아
언젠가는 내 길을 밝혀 주기를 바라네.

도윤은 자신이 쓴 시를 읽으며 고뇌에 빠졌지만 그 때 태오가 한 말이 생각났다.

'아까처럼 실패하면 어쩌지…. 큰일 나면 어쩌지…. 하는 것들 말이야. 좀 자신이 하겠다는 것에 자신감 좀 가져라?! 못할 거란 생각과 감정은 넣어두고 일단 한번 해봐. 뒷일은 나중에 생각해!!'

도윤은 그 말들을 곱씹으며 자신의 의지를 더욱 확고히 다졌다.

"그래…. 이건 내 삶이잖아…. 꼭 부모님의 기대만으로 살 순 없어…."

도윤은 그렇게 자신에게 말한 뒤 침대에 누웠다.

6장: 사고

시험이 있기 이틀 전, 도윤의 부모님께서 장을 보러 출발을 하고 있을 때였다.

"도윤아, 만약 배가 고프거든 거실에 사과를 먹으렴."

"네. 알겠어요. 어머니. 아버지도 안전운전 하세요."

그 말에 신발을 신던 태준이 말했다.

"어어, 그러마. 아들 너도 공부 열심히 하거라."

태준의 말에 조금 기분이 안 좋아진 도윤이 말했다.

"네…. 아무튼 다녀오세요."

"그래. 금방 오마."

이 말을 뒤로 도윤의 부모님은 차를 타고 시내로 나가는 중이었다.

"도윤이 아버지. 오늘따라 도윤이의 의견 표현이 더 확실한 것 같지 않아요? 이제는 슬슬 뜻을 받아드려 주는 게…."

미선의 질문에 태준은 이렇게 말했다.

"여보, 나라도 도윤이에게 의대를 갈 공부머리가 없었으면 나도 이렇게까지 하지는 않았어요."

그러자 미선이 나무라는 듯이 말했다.

"아무리 그래도-."

쾅!

그 때 한 트럭이 중앙선을 침범하고 도윤의 부모님이 탄 차를 들이받은 것이었다. 그로 인해서 도윤의 부모님들은 트럭 운전사가 신고해서 병원으로 이송이 되었고, 이 소식을 들은 도윤이의 고등학생 때의 전 담임선생님이 도윤의 부모님이 이송된 병원으로 갔다.

미선은 흐릿한 시선이 천천히 뚜렷하게 보이며 점점 도윤이의 전 담임선생님의 모습이 보였다.

"으… 어? 선생님? 여기가… 어딥니까?"

"네. 도윤이 어머님 여긴 병원입니다. 교통사고를 당하셔서 제가 도윤이에게 말하고 제가 직접 와봤습니다."

그 말에 미선은 태준을 찾는다.

"그럼…. 제 남편, 태준씨는 어디 있죠?"

"남편분은…."

미선은 순간의 정적에 눈시울을 붉히며 말했다.

"혹시…."

전 담임선생님은 미선이 곧 울 것 같아서 서둘러서 말했다.

"어…. 무슨 생각을 하신 지는 잘 모르겠으나 남편분은 지ㄱ-."

그 타이밍에 병실문이 활짝 열리며 태준이 멀쩡하게 들어와서 미선에게 말을 건다.

"여보!! 당신 괜찮아?!"

미선은 태준이 매우 멀쩡하게 들어와서 매우 놀라서 말했다.

"무, 뭐야? 당신 멀쩡해? 어떻게?"

그 말을 들은 태준은 당연하다 듯이 말한다.

"나는 계속 몸을 시트 쪽에 기대고 있어서 괜찮은 것 같던데?" 태준에 말을 듣고 전 담임선생님이 이어서 설명한다.

"의사선생님께서 솔직히 이렇게 멀쩡한 게 피라미드처럼 불가사의 중 하나로 꼽힐 만큼 말도 안된다고 하시네요."

"그래요?"

그 후 조금 진정이 된 후에 전 담임선생님이 미선과 태준에게 자신이 온 진짜 목적을 말한다.

"도윤이 부모님 제가 이렇게 직접 온 이유는 도윤이의 진로 때문이에요."

그 말에 미선은 진절머리가 난 듯 몸을 좌우로 흔들며 말했다.

"네…. 도윤이가 선생님께 말씀드렸나 보군요?"

그 말에 전 담임선생님은 고개를 끄덕일 수밖에는 없었다.

"네. 그럼요. 도윤이 부모님. 도윤이는 제가 보더라도 시에 재능이 있는 것도 사실이고 의대에 갈 수 있는 머리가 있는 것도 사실예요."

그러자 태준이 나서서 말한다.

"그럼 선생님께서도 저희의 마음을 아시겠군요? 저희가 왜 도윤이를 의대에 보내려고 악을 쓰는지요?"

"네, 그래서 제가 드릴 수 있는 말씀은 한가지 뿐이에요."
미선이 물어본다.

"뭐죠? 드릴 말씀이란 게?"

전 담임선생님이 또박또박 말했다.

"도윤이가 무엇을 선택하든 그 선택을 하는 건 '도윤이다'라는 말입니다."

"그건…."

미선과 태준은 반박을 할 수 없었다. 너무나도 맞는 말이 없고 그건 자신들이 더 잘 알았기 때문이다.

"그렇지만…."

미선이 용기를 내어 말을 하려고 했지만 전 담임선생님이 말을 중간에 끊었다.

"아, 시간이…. 정말 죄송하지만 저는 이제 가보겠습니다. 그럼 제가 한 말 잘 생각해 주시고요. 건강한 퇴원하시길 바라겠습니다!"

전 담임선생님은 뭔가에 쫓기 듯 병원을 빠져나갔다.

"…."

"…."

다행히도 미선과 태준 모두 거의 멀쩡해서 금방 퇴원할 수 있었지만 전 담임선생님의 말로 인해서 미선과 태준은 퇴원 전까지 큰 고민에 빠져 있다가 집에 가는 동안 그들의 의견을 하나로 모으는데에 성공했다.

7장: 이어지는 것

집에 미선과 태준이 돌아오자 도윤이 눈물을 뚝뚝 흘리면서 달려온다.

“흐어어어. 어흐므니~. 아부히~. 흑흑….”

그러자 미선이 도윤이를 껴안으며 말한다.

“그래. 도윤아…. 엄마 여기 있단다…. 이제 괜찮단다.”

“네에에에…. 흐으으윽….”

미선과 태준은 도윤이를 진정시킨 뒤에 식탁에 둘러앉아서 얘기를 했다.

“도윤아, 엄마와 아빠가 오늘 병원에 있는 동안에 너의 고등학교때 선생님을 만났었단다.”

“네, 그래서요?”

도윤은 빨리 부모님께서 의견을 바꾸셨을까 하는 희망을 가지고 대답했다.

“우리가 좀…. 잘못 생각한 것 같더구나….”

태준이 거들었다.

“네? 정말요?”

도윤은 자신의 아버지의 입에서 자신이 잘못 생각했다는 말이 나왔다는 사실에 놀랐다.

“그래 도윤아…. 어제 너의 의견과 선생님의 말씀으로 결국 우리의 결론은 너의 의견을 들어주자는 것이다.”

도윤은 이게 꿈인지 생시인지 구분이 가질 않았다. 자신의 꿈이 아니라 의대에 계속 가라고 했던 그 부모님이 나의 뜻을 굽히지 않고 자신들의 뜻을 굽혀줬기 때문이다. 하지만 아직 도윤의 마음 속에는 기쁨 말고 의문점이 하나 있었다.

"그런데 정말로 그 두 가지 이유로 제 뜻을 들어주시는 건가요?"

그렇다. 도윤이는 왜 자신의 고등학교 선생님이 나서 주자마자 일이 곧바로 해결되는게 조금 말이 되지 않는다고 생각해서 물어보았다. 그 말에 부모님은 서로 눈치를 주고받다가 태준이 말하기 시작했다.

"그게 돌아오는 길에서 여러 메시지를 받았었단다. 모두 이웃이나 친구들이 보낸 글들이란다."

미선이 태준의 말을 이어받아서 말한다.

"그래. 모두 다 요약하자면 대충 이런 내용이었단다. '사고로 갑자기 훅 갈 수도 있는데 자신의 자식이 원하던 직업으로 사는 모습은 보고 죽어라.'라는 내용이었단다."

"네?? 모든 분들이요??"

도윤은 믿어지지가 않다는 것처럼 말했다.

"그래. 그래서 우리는 차 안에서 너의 꿈을 응원해 주기로 결정했단다."

그러자 태준이 헛기침을 하며 중간에 끼어든다.

"만약 도윤이 너가 시인의 길을 걷지 않겠다고 한다면 너는 세계에게 맞는 거다!"

도윤은 매우 큰 소리로 대답했다.

"네!! 당연하죠!! 정말 감사해요! 어머니, 아버지!!!"

그렇게 도윤이 시인이 되기 위한 시작은 쉽다고 하면 쉽고, 어렵다고 한다면 어려운 고난을 거쳐 왔다. 그리고 도윤은 부모님의 이전과는 다른 기대를 안고 시를 쓸 것이다. 앞으로도 그의 시는 끝나지 않을 것이다.

에필로그: 새로운 빛 속에서

2017년대 초. 서울.

"와…. 김도윤 시인 시 진짜 잘 쓰지 않았냐?"

"그치? 진짜 이런 시인이 나는 좋다니깐."

시가와 문학의 세계에 발을 들인 지 몇 년이 지난 도윤은 서울의 작은 서점에서 시집을 판매하고 있었다. 그는 이제 유명 시인이 되어 있었고 그의 시는 많은 사람들에게 감동을 주었다. 도윤의 서재는 그의 시집과 문학 관련 책들로 가득 차 있었고 방 안은 따뜻한 조명이 비추고 있었다.

김도윤은 자신의 서점에서 자신의 팬에게 받은 편지를 읽고 있었다.

"이런 편지를 받는 게 정말 오랜만이네. 사람들이 내 시를 읽고 감동을 받았다는 걸 보면 내가 여기까지 오는 동안의 고난들이 전부 내가 성장하기 위한 거였다는 걸 다시금 느낀다니깐."

그때 도윤의 서점 문을 열고 들어온 한 젊은 여성이 도윤의 시집을 손에 들고 다가왔다.

"도윤 선생님, 안녕하세요. 박미오라고 합니다. 선생님의 팬이에요.

선생님의 시는 제에게 많은 위로가 되었어요."

"오, 제 부족한 시를 보고 위로가 되었다니 정말 다행이네요. 혹시 실례가 되지 않는다면 어떤 부분이 특히 좋았나요?"

"그게…. 선생님의 시에서 느껴지는 고뇌와 희망이 정말 진솔하게 표현되어 있어서 저의 많은 고민과 갈등을 이해할 수 있게 되었어요."

그 순간 도윤의 마음속에는 오랜 갈등과 고민이 해소된 듯한 안도감이 밀려왔다.

"그것 참 다행이군요! 이런 말을 들으면 제가 인생을 멋대로 산건 아니게 됐으니깐요!"

"정말 감사합니다. 미오씨, 당신 덕분에 지금까지의 저의 여정에 불필요한 점이 별로 없었다는 걸 다시금 느낍니다."

"도윤 선생님 그런 말 마세요. 선생님이 안 계셨다면 저는 지금까지 그리고 앞으로도 일에 찌들어서 살았을 거예요."

"뭐, 그래도 그런 따뜻한 말을 들으니 기분이 훨씬 좋아졌습니다."

미오가 떠나고 도윤은 다시 시를 쓰기 시작했다. 이번에 시를 쓸 때 드는 생각은 힘든 기억이 아니라 기쁜 기억들을 되살리며 시를 쓰기 시작했다.

몇 년 후. 도윤의 고향. 서울의 한 공원.

도윤은 공원의 벤치에 앉아 예전의 자신을 떠올리며 시를 쓰고 있었다. 주변의 사람들과 아이들은 평화롭게 시간을 보내고 있었다. 도윤은 한숨을 내쉬면서도 자연 속에서의 평화를 느꼈다.

‘여기서 내가 느끼는 평화는 정말 꿈만 같아. 내가 어릴 때 이곳에 더 빨리 왔다면 조금 더 자연에 대한 시를 쓸 수 있지 않았을까?’

‘이곳에서 내 시가 또 다른 누군가에게 힘이 되기를 바라는 바는 옛날이나 지금이나 바뀌지 않을 거야.’

그 순간, 도윤의 어머니와 아버지가 공원에 도착했다. 그들은 도윤을 발견하고 조용히 다가왔다. 도윤은 그들의 모습을 보며 미소를 지었다.

“안녕하세요. 어머니, 아버지. 오랜만에 인사드립니다.”

“그래 도윤아. 너의 시집을 읽어 보았단다.”

“네? 제 시를 말이에요?”

“그래. 네가 시를 얼마나 사랑하고 잘 쓰는지를 알 수 있었단다.

역시 그때의 선택이 다행이었어요. 여보.”

그러자 미선이 대답했다.

“아유, 그럼요~~. 도윤이 좀 봐 봐요. 지금 이렇게 잘 살고 있잖아요. 걱정하지 마세요.”

그러자 도윤이가 말했다.

“그럼 우리 잠깐 시간 좀 보낼까요?”

부모와 함께 공원에서 시간을 보내며 도윤은 그들의 지지와 사랑을 느꼈다. 그들은 함께 평화로운 순간을 나누었고 도윤은 그들의 기대와 자신의 꿈 사이에서 완성된 새로운 자신을 발견했다. 어느 날 도윤은 자신의 시집을 집필하며 창가에 앉아 있었다.

‘이제는 내가 한 걸음 더 나아가 새로운 꿈을 이루기 위한 여정을 시작하고 싶어. 내 시가 사람들에게 계속해서 힘이 되고 그들이 자신의 꿈을 좇을 수 있도록 도와주기를 바라.'

도윤은 마지막 한 줄을 적으며 자신의 여정이 이제 다른 이들에게도 영감을 줄 수 있기를 희망했다. 그는 시와 함께 살아가는 삶 속에서 꿈과 현실의 조화를 이루며 새로운 빛 속에서 자신을 찾았다.

'꿈과 그림자. 그 사이에서 나는 빛을 찾았다. 그리고 이 빛은 앞으로도 계속해서 내 삶을 비추며 나를 이끌어줄 것이다.'

그의 시집은 많은 이들에게 사랑받았고 도윤은 자신의 꿈을 이루며 행복한 삶을 살았다. 그는 이제 자신의 이야기를 통해 다른 이들에게도 희망과 용기를 주는 삶을 살아가고 있었다. 그리고 그는 늘 그렇듯 시를 쓸 것이다. 그것은 누군가가 시켜서도 아니고 누군가가 바래서도 아니다. 그저 그가 바라보고 있는 길이 있기에 그는 계속 시를 쓸 것이다.

꿈의 여정

어둠 속에서 꿈을 좇았던 길

그 끝에서 나는 빛을 찾았네.

꿈은 가슴 속 깊이 숨겨진 별

현실의 벽을 넘는 힘이 되었네.

길은 험했지만

그 끝에서 의미를 알게 되었네.

희망의 바람이 나를 감싸고

내 시가 또 다른 이들에게 닿기를 바라네.

빛과 그림자 속에서

진정한 나를 만났음을.

너의 때가 올 거야

이효선

시험 끝나는 종소리가 울렸다. 김준호는 깊은 한숨을 내쉬며 책상에 엎드렸다.

"아, 망했다. 부모님이 기대하시고 있을 텐데. 아니 근데 공부가 대수인가? 부모님한테는 대수구나. 하, 김준호 제발 좀…."

준호는 더 이상 부모님의 뜻대로는 할 수 없다는 생각에 사로잡혔다. 그의 삶은 마치 끝없는 터널 속을 헤매는 것처럼 느껴졌다. 부모님은 두 분 다 의대에 나오셔서 준호의 대한 기대가 크셨다. 부모님의 성에 차지 않으면 준호의 자존감은 바닥과 한 몸이 된 거 같고, 학원에서의 경쟁 그리고 매번 받아 드는 성적표는 준호의 어깨를 점점 무겁게 짓누르는 것만 같았다. 열심히 노력하고 있었지만 그 노력의 결과는 좀처럼 눈에 보이지 않았고, 매일같이 반복되는 일상 속에서 준호는 점점 자신이 없어졌고 무기력해졌다.

하루는 부모님의 기대에 못 미치는 시험 결과를 들고 집으로 갔는데, 우리 집안이 우습냐부터 시작해서 노력 안 하냐, 도대체 저런 애를 어떻게 낳았을까, 꾸중을 퍼부으셨다. 참다 못해 준호는 처음으로 반항하듯 밖으로 뛰쳐나갔다. 준호는 집 근처 의자에 앉아 넋 놓고 하늘을 바라보며 중얼거렸다.

"나도 노력해서 죽어라 공부했는데 왜 항상 결과만 보고 따지는 거야. 짜증나게…."

그때 '준호야'하며 누군가 소리친다. 준호는 눈가에 고인 눈물을 꾸역꾸역 참아내며 소리나는 곳으로 고개를 돌렸다. 자신을 부른 사람이 이민석인 것을 알았다. 민석은 늘 밝고 자신감 넘치는 친구다. 준호와는 가끔가다 인사만 하는 정도였다. 민석은 학교에서 모범생으로 소문난 학생이었고, 성적도 항상 상위권을 유지하는 학생이었다. 준호는 민석을 부러워하기도 하고 한편으로는 그가 자신과는 전혀 다른 세상에 살고 있는 것처럼 느껴졌었는데 그런 민석이 말을 걸어 의아했다.

민석은 준호의 어두운 표정을 보고 말을 걸었다.

"준호야, 무슨 일 있어?"

민석이 조용히 다가와 물었다.

준호는 처음엔 아무렇지 않은 척 넘어가려 했지만 거짓말을 못하는 성격이어서 사실대로 털어놓았다.

"그냥, 아무리 열심히 해도 늘 제자리인 것 같아. 또 부모님 두분 다 의대 나오셔서 나한테 기대가 너무 크다니까…. 나도 열심히 하고 있는데…."

준호는 말끝을 흐리며 자신의 답답한 마음을 털어놓았다. 민석은 잠시 준호의 말을 듣더니 진지한 표정으로 입을 열었다.

"나도 예전에 그런 적 있었어. 아무리 해도 잘 안될 때 정말 힘들더라. 그때 나를 바꿔준 건 우리 형이었어."

준호는 민석의 말에 의아해하며 질문을 했다.

"민석이 너가? 넌 모든 잘하잖아."

민석은 자신의 형이 항상 자기를 믿고 기다려준다고 했다. 고등학교에 들어오기 전까지 자신도 공부에 어려움을 겪고, 부모님의 기대에 부응하지 못해 좌절감을 느끼고, 스스로에 대한 자신감을 잃어버린 적이 있었지만 이젠 그러지 않는다고 했다. 또 민석의 형은 민석이에게 '민석아 너무 크게 걱정하지 말고, 지금은 조금 느리더라도 네 속도에 맞춰 천천히 가다 보면 너만의 때가 반드시 올 거야.'라는 말을 해주었다고 했다. 그 말을 듣고 민석이는 큰 위로가 되었다고 했다. 더 이상 성적에만 집착하지 않고 다시 차근차근 시작하기로 다짐한 순간이라고 말해주었다. 그리고 그 결과 지금의 자신으로 이르게 되었다고 말했다.

민석의 이야기를 듣고 나서 준호는 지금 나의 모습이 민석이의 바꾸기 전 모습과 너무 닮아 있다는 느낌을 받았다. 그동안 성적에만 매달려 자기 자신을 몰아붙였던 부분이 머릿속에 스쳐 지나갔다.

민석은 준호의 어깨를 다독이며 말했다.

"넌 지금 충분히 잘하고 있어. 때가 되면 너도 너의 길을 찾을 거야. 그러니까 너무 조급하게 생각 말고 너 자신을 믿어봐."

그날 이후 그는 성적에 대한 부담을 조금 내려놓고 대신 공부의 과정을 즐기기로 결심했다. 수학 문제를 풀 때도 천천히 접근하며 문제의 본질을 이해하려고 노력했다. 영어 단어를 외울 때도, 단순히 외우기보다는 문장 속에서 그 의미를 찾아가며 공부하기 시작했다.

무엇보다도 준호는 자신의 속도를 존중하기로 다짐했다. 그는 더 이상 다른 사람들과 자신을 비교하지 않았다. 그 결과 눈에 띄게 성적이 오르지는 않았지만 준호는 시험에서 실수를 해도 자신을 탓하지 않고 다음 번에는 더 잘할 수 있을 것이라는 자신감도 얻을 수 있었다.

시간이 지나면서, 준호는 자신이 예전과 달라졌음을 느꼈고 이제 더 이상 성적에 집착하기 보다는 공부의 과정에서 얻는 즐거움과 성취감을 더 중요하게 생각하게 되었다. 그는 학교 생활에서도 더 적극적으로 변했고 이제는 친구들과 함께 공부하며 서로를 도와주는 시간을 더 많이 가졌다. 또 서서히 민석과의 우정도 깊어 졌다. 준호는 민석을 통해 새로운 시각을 배우게 되었고, 민석 또한 준호와 함께하면서 자신이 더 성장해가고 있음을 느꼈다. 고등학교 마지막 학기가 시작되면서 준호의 부모님들의 기대는 여전히 크지만 그는 더 이상 얽매이지만은 않았다. 자신이 걷고 있는 길을 믿었고 그 길 끝에 자신만의 때가 오리라는 확신이 있었기 때문이다.

수능 시험을 앞둔 어느 날, 준호는 '너의 때가 올 거야.'라는 말을 떠올렸다. 그 말은 더 이상 막연한 위로가 아닌 지금 이 순간에도 그를 이끌어주고 있는 진리 같았다. 그는 시험장에 들어가기 전 거울을 보며 자신에게 미소 지었다. 그는 더 이상 불안하지 않았다. 시험을 마치고 나오는 길에 준호는 교문을 나서며 하늘을 올려다보았다. 먹구름 사이 밝은 한 줄기의 빛이 쏟아지고 있었다,

그 모습을 보니 문득 민석이 생각이 났다. 먹구름 사이 한 줄기의 밝은 빛, 이것은 마치 내 캄캄한 삶에 빛을 밝혀 주었던 민석이와 민석이가 들려준 말 같았다.

그날 밤, 준호는 오랜만에 편안한 잠을 청했다. 그리고 꿈속에서 자신에게 말하였다.

"그래, 김준호 곧 너의 때가 올거야."

어둠 속의 시각

윤승진

#1. 프롤로그

어느 가을 저녁. 차가운 바람이 창밖을 스치며 불어오고 재현은 창가에 앉아 어둠을 바라보고 있었다. 방 안은 조용했지만 그의 마음은 고요하지 않았다. 어둠 속에서 무언가 움직이는 듯했다. 그의 친구인 땡진과 해진은 그를 걱정스러운 눈빛으로 지켜봤다.

"재현, 왜 계속 창밖만 보고 있어? 요즘 이상해."

땡진이 물었다.

재현은 눈을 떼지 않고 답했다.

"어둠 속에서 뭔가 보여…. 너무 확실해."

해진도 걱정스러운 얼굴로 말했다.

"너 정말 괜찮은 거야? 네가 요즘 불안해 보여서 말이야."

재현은 말없이 고개를 숙였다. 그날 밤도 그는 잠을 이루지 못했고, 그 형체는 그의 머릿속에서 사라지지 않았다.

#2. **불안한 연구**

재현은 연구자였다. 그는 어둠 속에서 보이는 이상한 형체가 신경과학적 이유 때문이라고 생각했다. 그래서 매일 밤 연구실에서 뇌의 시각적 착시 현상과 그 원인을 분석했다. 왜 자신의 눈과 뇌가 그런 이상한 환영을 만들어내는지 알아내려고 했다. 그는 컴퓨터 화면을 바라보며 혼잣말을 했다.

"이 데이터들이 뭔가 말해주고 있어…. 근데 그 형체는 도대체 뭘까?"

재현은 점점 더 많은 실험과 데이터를 축적했지만 답을 찾기 어려웠다. 시간이 갈수록 그는 점점 불안해졌고 자신의 정신이 점점 흐려져 가는 것만 같았다.

#3. 수상한 조작

하루는 실험 결과가 이상하게 나왔다. 연구실의 장비들이 제대로 작동하지 않았고 예상치 못한 오류들이 생겼다. 처음엔 기계 고장이라 생각했지만 곧 누군가가 장비를 조작하고 있다는 걸 알아차렸다.

"누군가 내 연구를 방해하고 있어."

재현은 신경이 곤두섰다. 그는 땡진과 해진을 의심했지만 누구도 범인일 것 같지 않았다. 그는 혼자 남아 연구실 장비를 점검하고 CCTV까지 확인하기 시작했다. 그리고 그가 알아낸 진실은 충격적이었다.

#4. 진실의 발견

재현은 며칠 동안 CCTV를 분석하다가 마침내 범인을 찾았다. 장비를 조작한 사람은 다름 아닌 자신이었다. 영상 속에서 그는 자신의 손으로 장비를 조작하고 결과를 왜곡시키고 있었다.

"이게… 나라고?"

재현은 믿을 수 없다는 듯 입을 벌렸다. 그는 자신의 두려움과 혼란이 너무 커져서 무의식 중에 장비를 조작하고 있었던 것이다. 어둠 속에서 본 형체도, 실험 결과의 이상도, 모든 것이 그가 스스로 만들어낸 일이었다.

#5. 자신을 마주하다

재현은 거울 속 자신의 모습을 바라봤다. 거울에 비친 자신의 얼굴은 피곤하고 지쳐 있었다. 그의 손은 떨리고 그는 마침내 모든 것을 깨달았다.

"나는…. 내가 만든 착시에 속고 있었어. 내가 나를 무너뜨리고 있었던 거야."

재현은 절망에 빠졌다. 그의 연구는 자신을 망가뜨렸고 그의 정신은 그것을 이겨내지 못했다. 그는 더 이상 이 현실을 견딜 수 없었다. 자신이 믿었던 모든 것이 무너졌고 그는 스스로를 구할 수 없다는 것을 깨달았다.

#6. 비극적 결말

내려가는 노을. 재현은 마지막으로 밖을 바라보았다. 차가운 바람이 불어오는 빌딩 위에서 그는 고요히 앉아 있었다. 어둠 속 형체는 이제 더 이상 보이지 않았다. 그 형체는 그의 마음 속에서 이미 사라졌기 때문이다.

"내가 이 모든 걸 끝낼 수밖에 없어…."

재현은 작게 중얼거렸다. 그는 결심을 굳히고 천천히 자리에서 일어나 자신의 연구실로 향했다. 그리곤 자신의 마지막 연구 노트를 썼다.

-나는 스스로를 속였다. 그리고 이제 그 대가를 치른다.

재현은 자신의 두려움과 고통 속에서 빠져나갈 수 있는 유일한 방법을 선택했다. 그리고 그 선택은 그를 이 세상에서 영원히 떠나게 만들었다.

#7. 에필로그

다음날 아침, 땡진과 해진은 재현의 연구실에서 그를 찾았다. 그러나 이미 그곳엔 아무도 없었다. 재현의 연구는 끝이 났고, 그의 비극적인 선택은 모든 것을 마무리 지었다. 재현이 남긴 연구는 결국 그의 정신을 파괴했고 그가 남긴 마지막 글은 그의 고통을 대변했다. 그가 만들어낸 환상은 그를 집어삼켰고 결국 그의 마지막 순간을 결정지었다.

흔들리며 피는 꽃

김재한

2024년 7월 2일.

태호는 강남의 한 중학교에 다는 학생이다. 태호는 2학년 3반 축구팀 에이스로서 수요일, 그러니까 7월 4일에 시작될 2학년의 네 반이 참가할 반 대항전이 너무 급했다. 1반의 골키퍼가 손을 다쳤다는 이유로 원래 3반과 금요일에 겨루기로 한 것이 갑자기 1반과 바뀌어 4반과 수요일에 겨뤄야 한다. 일정이 2일이나 앞당겨진 상황에 태호는 요즘 많이 있다는 번아웃이 올 것 같았다.

“그냥 하면 되지. 어차피….”

민수가 아이스크림을 건네며 말하지만 태호가 말을 끊었다.

“아니, 날짜는 문제가 안 돼. 밸런스가 안 맞아. 1반이랑 4반 잘하는 반끼리 붙여서 밸런스 맞춰 놨는데 1반 조장이 골키퍼는 걔 아니면 안 된다면서 우리 보고 그 잘하는 4반이랑 붙으라잖아. 그리고 우리도 몸 안 좋은 애 있는데 그건 왜 신경 안 쓰냐고."

태호가 아이스크림을 입에 물며 짜증 냈다.

"수진이가 산 거야. 네가 제일 좋아하는 맛 그거 맞지?"

민수는 사람 마음을 바꾸는 법을 잘 알았다. 공부에 지친 사람한테는 음악을 들려주는 게 약이고, 우울한 사람한테는 돈이 약이다. 아이스크림을 다 먹고 나니 점심 시간이 끝나감을 알리는 예비 종이 울렸다. 다음 시간은 기술이었다. 태호가 가장 싫어하는 시간인 동시에 수진이 가장 좋아하는 시간이었다. 2학년 3반 학생들이 기술실로 향한다. 그 중에는 어렸을 때부터 함께 자란 친구들이 있다. 태호, 수진, 민수, 지연이가 그 친구들이다. 각종 공구들과 어디 쓰이는지도 모를 기계로 가득 찬 기술공작실에 태호는 가장 먼저 들어섰다.

수진은 영화 동아리에 가입되어 프로젝트를 총괄하고 있다. 그냥 영화를 시청하고 감상문이나 쓰는 동아리인 줄 알고 들어왔는데 정신을 차려 보니 프로젝트 총괄 책임자가 되었다. 최근 맡고 있는 영화는 이번 주까지 완성하여 청소년 영화제에 출품해야 한다. 이번 영화제는 수진의 첫 청소년 영화제이다. 만약 우승을 하게 되면 부모님의 반대도 한 번에 무마할 수 있다.

"오늘 수행평가 안내 있다는데 무슨 학교가 기말고사 기간에 3시간짜리 발표 수행평가를 시키냐고."

수진이 짜증냈다.

"1반 애들 얘기 들어보니까. 뭐, 로봇 만든다는데?"

지연이 말했다. 네 명 중 가장 친구가 많은 지연은 학교 생활에는 모르는 게 없다.

"아, 뭐 로봇이야. 내가 이래서 기술이 싫…."

태호도 한마디 하려 했지만 선생님이 들어오며 대화는 중단되었다. 가장 수행평가가 황당했던 사람은 민수였다. 민수는 넷 중에서 가장 공부를 잘할 뿐만 아니라 학교 전체에서도 공부를 상당히 잘했다. 이미 이번 시험에서 부모님의 기대(같은 압박)를 과하게 받고 있다. 학교가 끝나고 수진은 영화를 촬영했고, 민수는 학원으로 갔다. 태호는 PC방으로, 지연은 자기 친구들과 놀러 갔다. 지연은 넷 말고도 친구가 많았다. 물론 넷 사이만큼 친하지는 않았지만 어쨌든 이 넷 중에서는 지금 그나마 상황이 나았다.

도심 속에 당당히 자리하고 있는 학교에는 수진과 동아리 부원들만 남아 있었다. 오늘의 촬영은 그린스크린을 이용한 촬영이다.

7월 3일.

태호는 진짜 시간이 없었다. 당장 내일 점심시간이 경기이고, 경기 날짜를 늦출 수 없냐는 요청도 거절되었다. 만약 그렇게 한다면 전체 경기 날짜를 모두 미뤄야 하는데, 그렇게 되면 결승전 경기를 2학기 때 해야 한다. 그리고 오늘 체육 시간이 마지막 연습이 될 것이다. 1교시 지루한 역사를 지나, 2교시 기가 수행평가를 지나서, 3교시 체육이다.

"이렇게는 예선 탈락이고 만약 무승부로 끝나서 승부차기로 가면 더 위험해. 차라리 승부차기 연습이나 하자."

태호가 의견을 냈다.

"아니지. 우리가 실력이 부족한데 그냥 연습을 더 하는 게 나아."

"우리 실력이 그 정도까진 아니고 승부차기까지 가서 지는 게 더 망신이라고."

"그냥 실수 없이 잘하면 되는 거지. 망신 같은 건 의미가 없어."

서로 나름의 이유와 근거가 있는 것처럼 들리지만 이렇게 싸우고만 있는다고 달라지는 건 없을 뿐이었다.

"아니. 아니. 그게 아니지!"

연습하면 할수록 실수가 늘어가는 것 같았다. 포기하고 싶은 상황에 설상가상으로 공이 구령대 지붕 위에 올라가 버렸다. 체육 선생님이 발견하기 전에 공을 내려야 한다. 이 총체적 난국을 맞이한 상황에 태호는 전략이나 아이디어가 떠오르기는커녕 자신감만 운동장 바닥으로 떨어졌다. 민수가 그 천재적인 머리로 줄넘기를 이용해 공을 내리는 데 성공함과 동시에 종이 울렸다. 4교시는 민수가 가장 좋아하는 과목인 음악 시간이다.

수업이 끝나고 방과 후 시간에 수진은 영화 촬영에 몰두했다. 영화 동아리에 인원은 총 5명이었고 학교에서 주는 예산은 부족했다. 오늘은 카메라를 가지고 촬영해야 했다. 카메라를 공중에 띄워 촬영하는 방식이었다. 오늘 촬영은 어렵지 않았다.

"나는 이제 가 봐야 해. 집에 가서 과외 들어야 해서."

수진이 카메라를 접으며 말했다. 나머지 부원들도 정리하고 나갔지만 누구도 불을 꺼야 한다는 사실을 기억하지 못했다. 그때 전화가 울렸다. 발표 수행평가 같은 조가 된 민수인 줄 알았으나 뜻밖에도 지연이었다.

"오늘 촬영 끝나고 가는 길인데. 왜?"

수진이 먼저 말했다.

"과외 아직 시작 안 했구나. 이번 기말고사 도덕 시험범위 어디까지야?"

지연이 말했다.

"잠깐만. 카톡으로 보내 줄게. 그리고 음악 완성되는 대로 보내줘."

아직까지 시험범위도 모르는 애도 있냐며 한마디 하려다 말고 메시지를 써서 전송 버튼을 누르기 직전에 전화벨이 울렸다. 메시지는 늦게 보내도 상관없지만 전화는 늦게 받으면 절대 안 된다. 엄마다.

"여보세요?"

수진이 말했다.

"촬영 끝났니? 과외 시작 시간이 진작인데 지금 문 앞에서 비밀번호를 누르고는 있어야 할 거야."

특유의 유머러스하면서도 살벌한 말투에 수진은 스마트폰을 집어넣고 집으로 달려갔다.

"그래도 너무 늦지는 않았어요."

수진이 어떻게든 유쾌하게 넘어가 보려 말했다.

"오늘 과외 선생님 장례식장에 가보셔야 한다는구나. 아니, 방에 들어가지 말고. 과외 늦은 게 하루 이틀이 아닌 걸 그냥 넘어갈 순 없지."

뒤에서도 시선이 느껴질 정도였다.

"어쩔 수 없는 거 아시잖아요. 다같이 만드는 영화인데 혼자 과외하겠다고…."

수진이 순수한 표정으로 뒤돌며 말했다.

"그럼 이게 맞다고 생각하니? 넌 공부를 하려고 그 학교에 간 거야. 너 학교 보내는 돈부터 과외비가 다 아까워. 너 목요일까지 동아리 탈퇴하렴. 이게 우리가 배려하는 최선이고 더는 못 늦춰. 금요일이 시험인데 신경도 안 쓰니? 얘기 들어보니 네 학교…."
이번엔 수진이 말을 잘랐다. 수진도 이건 양보할 수 없었다.

"목요일은 안 돼. 다음 주 목요일이면 모를까 영화 촬영 마무리하고 카메라 반납까지 하려면 지금 탈퇴하는 건 동아리 회원들에게 예의가 아니야."

수진이 했으나 오히려 불리해졌다.

"아주 갈 데까지 갔구나. 내가 이 참에 학교에 민원을 넣어서 동아리 해체하라고 해야겠다."

더 말해 봐야 의미가 없을 것 같았다. 더 이상 반박할 말도 없었다. 공부해야 하는 건 사실이었다.

"아. 연락 언제 오는 거야. 이번에는 진짜 친구들이랑 그만 놀고 공부해야 하는데."

지연이 혼잣말했다. 아직도 시험 범위를 문자로 보내지 않았기 때문이다. 아무래도 민수에게 연락하는 게 나아 보였다.

"민수야. 이번 도덕 시험범위 어디까지인지 말해 줄 수 있니?"

지연이 말했다.

"미안한데, 난 이번 도덕은 포기했어. 아니, 그냥 이번 시험 자체를 기대 안 해."

번아웃인지 뭔 지 아무튼 허탈하면서도 다 포기한 듯한 목소리였다. 의외였다.

"그럼 누구한테 물어봐야…. 아, 맞다. 태호한테 물어봐야겠다. 걔 이번에 진짜 공부한데."

물론 태호가 공부할 리는 없었다. 그냥 이 전화를 빨리 끊고 싶었다.

"그래."

민수도 같은 생각인 듯했다. 걔는 거짓말인 것도 눈치채지 못한 듯했다. 민수에게 시험은 더 이상 중요하지 않았다. 민수는 전교 1등이었다. 서울에서 이름 있는 명문 고등학교를 갈 예정이었다. 민수의 부모님도 그럴 만한 돈이 있었다. 그러나 민수는 친구들을 잊을 생각이 없었고, 민수는 기숙사가 감옥이나 다름없다는 악명 높은 사립학교에 들어가는 것을 완강하게 거부하며 친구들과 같은 학교에 가고 싶어 했다. 끝내 이 다툼은 허무하게도 그 사립학교가 재정난과 학생 수 감소를 버티지 못하고 폐교되며 끝났다. 어차피 전교 1등까지 했으니 3학년 때 잘해서 친구들과 같은 고등학교를 간 뒤 그 뒤는 어떻게든 되겠지 하는 생각이었다.

7월 4일.

축구 반대항전 경기 날이다. 태호는 1,2,3,4교시는 어떻게 지나가는

지도 몰랐다. 이제 점심 시간이다. 오늘 급식도 입으로 들어가는지 코로 들어가는지 몰랐다.

"자, 시작한다. 준비. 스타트!"

심판을 맡은 지연이 외쳤다.

그 시각 수진은 영화 동아리에서 슬픈 소식을 전했다. 대충 상황을 전해 들은 동아리 회원들은 혼란에 빠졌다.

"아무래도 농장이 폭발하는 장면은 삭제해야 할 것 같아. 편집까지 하려면 시간이 없어."

수진이 말했다.

"그건 중요한 장면이잖아. 차라리 달아나는 장면만 넣으면 안 돼?"

가장 최근에 가입한 은주가 말했다.

"총격전 하는 장면도 중요해."

수진이 말했다.

"수진아, 와이어 커터 좀 가져다줘. 수류탄이 날아가는 장면을 찍어야 하는데, 철사가 너무 길어."

은주가 말했다.

"알겠어. 기술실에 있을 거야."

수진이 기술실로 향하는 동안, 밖에서는 어느덧 경기가 마지막을 향해 가고 있었다. 마지막 공격이 실패한 이후 무승부가 되어 승부차기가 되었다.

"와이어 커터 가져왔어."

수진이 강당으로 들어오며 말했다. 축구 경기를 보고 싶었지만 촬영이 급했다.

"나는 내일까지만 있을 수 있으니까 편집은 너희가 마무리해서 제출해줘. 나중에 혹시 상 받으면 알려줘."

수진이 말했다.

한편 경기는 점점 재밌어졌다. 마지막 승부차기 슛이다. 태호가 공을 차야 하고 골을 넣으면 결승 진출이고 못 넣으면 무승부다. 그때 민호의 눈에 500원 동전 하나가 눈에 띄었다. 이 학교에는 오랜 역사가 있는 분수가 있었다. 그러나 분수는 너무 멀었다. 결국 민호는 결심했다. 원래 복잡한 절차를 거쳐야 하지만 일단 온 힘을 다해 동전을 던졌다. 동전이 분수를 향해 날아갈 때 태호가 공을 찼다. 공은 골키퍼의 손에 야속하게도 튕겨져 나갔다. 동전이 분수에 들어가지 않았거나 절차를 무시했기 때문일 것이다. 이제 상황이 복잡해졌다. 재경기를 하게 되면 2학기에 해야 하니 여기서 결판을 내야 했다.

"그럼 내일 체육 시간에 재경기하자. 어차피 1반이랑 3반 둘 다 진도 다 나가서 수업할 거 없으니까 그렇게 하자."

지연이 말했다. 모두 동의하는 눈치였다. 선생님 허락만 있으면 된다. 그때 예비종이 쳤다. 모두 건물 안으로 들어갔다.

"맞다. 너 와이어 커터 다시 가져다 놨어?"

은주가 말했다.

"아, 맞다…."

수진이 말했다.

수진의 과외는 월, 금 가끔씩 화요일도 한다. 오늘은 목요일이지만 수진은 집에서 밤 늦게까지 공부를 했다. 그러나 하면 할수록 이번 시험은 가망이 없다는 생각만 들었다.

7월 5일.

재경기 날이지만 그 놈의 허락이 문제였다.

"시험 기간에 무슨 축구니? 너희 사정은 알 바 아니니 가서 공부나 해. 그리고 지금 바쁘니까 이제 가라. 안 그래도 지금 기술실에서 자꾸 누가 물건 가져가 놓고 갔다 놓지를 않아. 이번 주도 하나밖에 없는 와이어 커터를 누가 가져가서 그거 다시 구해서 다시 정리도 해야 돼. 그게 철물점에서 살 수 있는 것도 아니고 중고로 구해도 17만원이야."

기술 선생님이 말했다. 체육 선생님이 오늘 겸임이셔서 기술 선생님한테 물어봐야 하지만 결국 결승전은 2학기 때 하는 걸로 정했다. 한편 수진은 그날 수업이 귀에 들어오지 않았다. 쉬는 시간에도 계속 회의하며 영화 편집을 의논했고, 어떻게든 한 장면이라도 더 찍으려고 그날 수업을 모두 쏟아부었다. 수업이 끝나고 나서도 할 일이 많았다. 정리 때문이다.

"오늘은 그린 스크린이랑 지미집까지만 정리하고 나머지는 너희끼리 할 수 있겠다. 너희들은 먼저 집에 가서 편집을 해줘. 나는 전선 정리만 하고 갈게."

수진이 말했다. 이제 진짜 영화 동아리는 끝이다.

"오케이."

수진을 뺀 나머지 네 명이 모두 말했다. 어느새 해가 지고 있다. 그

때 전화가 온다. 해가 졌으니 전화 올 때가 됐다.

"여보세요?"

수진이 말했다.

"내일이 시험이다."

이제는 이 말투로 얘기 안 하면 이상할 정도다.

"이제 촬영 끝났어요. 영화 동아리 탈퇴는 다 했으니 정리하고 가게 해 주세요."

수진이 부탁했다.

"그래. 그렇지. 그래도 8시까지 들어와라."

엄마가 말했다. 전화를 끊고 전선들을 정리하려던 중 리모컨 하나가 수진의 눈에 들어왔다. 리프트 장비를 조작하는 리모컨이었다. 누군가가 아무렇게나 놓고 간 것이 분명했다. 리모컨을 집어 든 순간 그대로 수진은 중심을 잃으며 넘어졌다. 아무래도 전선 하나가 발에 감긴 것 같았다. 전선을 풀기 위해 잡은 순간 수진은 자신이 잡은 건 전선이 아니라 와이어 장비였다는 사실을 알았다. 그때 리모컨이 촬영용 총들을 쌓아 둔 상자 주변으로 굴러간 걸 발견했다. 근데 문제는 총 보관함은 접이식 상자였고, 그 상자의 결합 부위 하나가 느슨해 있던 것을 발견했다. 아뿔싸, 상자가 산산 조각나며 총들이 리모컨 위로 쏟아졌다. 와이어는 발목에 단단히 감겨 있었고 곧 더 세게 조여지더니 공중으로 솟구치면서 땅 밑으로 떨어지는, 그냥 그 중간 정도의 느낌을 받으며 피가 머리로 쏠리는 느낌을 받았다. 그제서야 상황이 파악되기 시작했다. 그 와이어 장비에 거꾸로 매달린 것이다.

살다 살다 이런 일도 겪어 보다니 우선 어떻게든 8시까진 집에 들어가야 하고, 날은 어두워지고, 아무리 몸부림쳐도 와이어는 발목에 단단히 감겨 있었고, 주위에는 아무도 없었다. 이대로 내일 아침까지 있어야 하는 건가. 아니, 내일은 시험이라 여기 오는 사람도 없을 텐데. 맞다. 전화를 하면 되지. 그 생각이 머리를 스쳐 가는 순간 어떤 물건이 머리를 스쳐 지나갔다. 스마트폰이었다. 이제 진짜 망했네. 그때 주머니에 다른 거라도 있나 살펴보니 그 와이어 커터 하나가 들어 있었다. 수진은 온 힘을 다해 허리를 굽혀 발목에 감긴 철사를 잡았다. 그러나 작은 와이어 커터로는 그 두꺼운 철사를 자르기에는 너무 오래 걸렸고 결국 힘이 빠진 수진은 와이어 커터를 떨어뜨리며 점점 정신이 아득했다. 그때 수진이 어쩌면 안 될지도 모를 그러나 될 지도 모를 한 마디를 말했다.

"시리야."

스마트폰에 불이 들어왔다. 집에서 공부를 하던 태호, 민호, 지연은 메시지를 하나 받게 되었다. 정확히 5분 후 세 명은 정확히 동시에 강당에 도착했다. 그때가 7시 7분이었다. 이제 다 해결됐다. 역시 와이어 커터보다 더 쓸모 있는 게 우정일지도 모른다. 와이어 커터가 시험 범위를 알려 주고 컴퓨터 사인펜을 빌려주지는 않으니까.

"고마워."

수진이 말했다. 어쩌면 말하지 않아도 누가 위험에 처하면 본능적으로 친구를 도와주러 오는 것이 이 네 명 덕분에 서로의 삶은 이제 더 이상 불행하지 않다. 태호, 민수, 지연은 각자 내일 시험 때 쓸 컴퓨터

사인펜 좀 사러 갔다고 둘러댈 것이다. 집에 도착하니 엄마가 물었다.

"청소년 영화제 수상이 뭐라고 공부도 포기하니? 그리고 손에 그건 뭐니?"

"아, 이건 와이어 커터에요. 수류탄 던지는 장면을 촬영할 때 수류탄이 날아가는 걸 표현하려고…."

'아, 또 말실수다.'

"너희들은 도대체 무슨 영화를 찍는 거니? 그 청소년 영화제 우승하면 상금이나 준다니?"

엄마가 말했다.

"100만원요."

수진이 말했다. 엄마의 표정이 싹 바뀌었다. 아무래도 영화사 스카우트 제의까지 말하면 기절할 것 같다. 뭐 이제 와서 후회해 봐야 늦었다.

7월 6일.

시험날이다. 등굣길에 수진은 민수를 바라보았다. 번아웃 온 표정. 도대체 무슨 생각일까. 말을 걸려고 했지만 선생님은 자습 시간에 떠드는 걸 용납하지 않았다. 국어, 수학, 영어, 도덕 네 개의 과목을 하루에 다 보는 이 사립학교는 시험이 어렵기로 유명하다. 마지막 과목인 도덕 시험이 끝남을 알리는 종소리가 울리고 네 친구는 서로를 바라보았다. 이제 시험이든 뭐든 되돌릴 수 없다. 이제 다 끝났다.

수진은 딱히 놀랍지는 않은 어쩌면 당연하게도 반에서 뒤에서 3등. 전교 77등을 받았다. 민수는 놀랍게도 전 과목 만점을 받고 전교 1등에

올랐다. 지연은 수진이 시험 범위를 보내 주지 않은 것이 나비효과가 되어 전교 78등. 수진보다도 더 점수가 안 나왔다. 태호는 평균보다 점수가 안 나왔지만 어차피 체고를 갈 예정이었기에 상관없었다.

[에필로그]

수진에게 와이어 커터를 돌려받은 기술 선생님의 배려로 태호는 시험날에도 반 대항전을 치뤄 결승 진출에는 성공했지만, 결국 2학기에 치뤄진 결승에서 패배했다. 그렇다. 민호가 던진 행운의 동전은 다름 아닌 자기 자신에게 돌아왔던 것이다. 수진은 자신들의 영화가 우승 못했다는 소식을 들었지만 괜찮았다. 자신의 친구들과 가족들이 있으니 좌절할 필요는 없었다. 사실 과외 선생님이 장례식장에 갔다는 내용은 수진의 엄마의 거짓말이었고, 그 주의 화요일에는 원래 수업이 없었다. 수진이 와이어 장비에 매달린 이유는 민수가 공을 내리기 위에 줄넘기를 가져오다 줄이 조립식 상자의 결합 부위에 걸렸고 민수가 그 줄을 당기다 결합 부위가 느슨했기 때문이었고, 애초에 민수가 가져온 것은 줄넘기가 아니라 음향 장치에 연결된 전선이었다. 결국 그 덕분에 수진의 팀은 촬영 본 일부를 날려 먹어 다시 촬영해야 했고, 태호는 방학 동안 페이스를 유지하지 못하고 2학기에 치러진 결승에서 패배한 이유는 1반의 그 골키퍼가 기술 수행평가를 위해 그 와이어 커터로 철사를 자르다 손을 다쳤기 때문이었다. 결국 서로가 서로에게 자신도 모르게 피해를 주고받았지만 그걸 깨닫고 증명해줄 사람은 아무도 없다.

우주의 균형을 되찾는 자

이현수

#1. 프롤로그

2372년 지구는 자원 고갈이 되었다. 사람들은 호라이즌 호라는 함선을 만들어 새로운 거주할 수 있는 행성을 찾아갔다. 태양계를 떠나 더 넓은 우주로 떠난다. 그리고 그 함선의 탐사원인 화서(和序)는 함선을 타고 여러 별을 지나 한 은하에서 Zenon-11 행성에 도착했다. 지금까지 인류가 접하는 종류의 에너지와는 달랐다. 왜냐하면 공간을 왜곡하는 강력한 파동을 방출하고 있었기 때문이다. 그래서일까 화서는 인류에게 중요한 사건 될 것 같다는 직감이 들었다. 그래서 화서와 호라이즌 호 탐사원들은 미지의 신호가 탐지된 Zenon-11 행성으로 향하게 된다.

#2. 신호 정체

Zenon-11에 도착한 화사와 탐원대는 그 신호가 행성 표면이 아닌 땅속에서 발신되고 있다는 것을 깨달았다. 그리고 화서는 행성의 깊숙한 곳으로부터 나오는 신호는 단순한 에너지 발산이 아니라 의지를 지닌 무언가인 것을 깨달았다.

"이 에너지 발산이 심상치 않아. 단순한 에너지가 아니야…. 마치 의지를 가진 무언가 같아."

"의지를 지닌 무언가 같다고?"

그래서 화서와 탐사대원들은 그 신호의 근원지를 찾아 더 깊은 곳으로 내려가다 화서는 신전처럼 보이는 곳에 벽화를 발견했다.

"이 벽화…. 신화 같은데? 이곳에 무언가 더 있는 것 같아…."

화서는 신기한 궁전의 모습에 호기심이 생겼다. 벽화를 더 자세히 살펴본 화서는 갑자기 온몸에 소름이 돋는 것을 느꼈다. 그 신호는 벽화 속 존재, 베르디크스에 의해 발신된 것이었다. 화서는 곧바로 대원들에게 외쳤다.

"여긴 위험해! 어서 빨리 철수해야 해!"

그러나 그 순간. 벽화 속 존재가 눈앞에 나타나 그들을 노려보고 있었다.

"저, 저게 뭐야?"

탐사대원의 말에 화서가 말했다.

"베르디크스…. 벽화 속 신화에 나오는 존재야."

갑자기 베르디크스가 다가오더니 자신은 심판의 신이며 우주의 균형을 지키는 초월적 존재로 우주의 질서를 어지럽히는 문명들을 감시하고 심판하는 역할을 하고 있다고 하였다.

"나는 심판의 신이며 우주의 균형을 지키는 초월적 존재로 우주의 질서를 어지럽히는 문명을 감시하고 심판하는 존재다. 너희 인류는 태양계에 있는 행성들을 비롯해 지나치게 많은 에너지를 소비해 왔다. 그로 인해 우주의 균형은 파괴되었다. 그 균형을 되찾기 위해 현재 인류가 다다른 태양계 자체를 소멸시키겠다."

베르디크스는 화서와 탐원대에게 말하였다. 화서는 베르디크스의 선언에 순간 절망할뻔했지만 정신을 부여잡고 인류가 최대 과학기술로 만들어낸 최첨단 무기로 대원들과 함께 베르디크스를 공격하였다.

"다들 공격해!"

"우리가 만들어낸 최첨단 무기의 맛을 봐라!!"

퓽! 퓽! 슈욱! 퓩퓩퓩!

하지만 베르디크스는 생채기 하나도 나지 않았고 거기에다 반

격까지 하였다. 그래서 그 존재의 압도적인 힘과 그 모습에 탐사대원들과 화서는 전의를 상실하였다. 마치 운명은 이미 결정된 것처럼 보

였다. 그리고 베르디크스는 그들을 비웃으며 말했다.

"너희들은 절대 나를 막을 수 없다. 나와 같은 힘이 있다면 모를까."

의문의 말을 남긴 채 베르디크스는 태양계로 향하였다. 하지만 화서는 포기하지 않고 인류를 구하기 위한 방법을 찾기로 결심한다.

#3. 봉인되어 있던 힘

화서는 Zenon-11의 깊은 유적을 탐험하며 더 강력한 신적 존재에 대한 기록을 발견한다. 고대 기록에 따르면 우주의 균형을 지키는 또 다른 힘 에퀴노스라는 창조신이 존재했다. 에퀴노스는 파괴가 아닌 창조와 조화를 상징하는 신적 존재로 베르디크스와 대조되는 성격을 지녔다고 한다.

"에퀴노스…. 창조와 조화의 신. 이 힘이라면 베르디크스를 막을 수 있을지도 몰라."

하지만 에퀴노스는 오랜 시간 동안 봉인된 상태였고 그녀의 힘을 깨우기 위해서는 수많은 시험과 시련을 견뎌야 했다. 화서는 인류의 생존을 위해 그 봉인을 풀기 위한 단서를 찾으며 Zenon-11의 가장 깊은 곳으로 향한다. 탐사대의 'AI 베가'의 도움을 받아 고대 신들이 남긴 복잡한 퍼즐을 풀어나가며 에퀴노스의 힘에 다가서기 시작한다.

#4. 시련

유적 깊숙한 곳에서 화서는 드디어 에퀴노스가 봉인된 성소에 도착하게 된다. 그곳은 신적 에너지로 가득한 장소였으며 에퀴노스의 목소리가 그녀의 마음에 직접적으로 전해져 왔다.

"너는 창조와 균형의 힘을 얻기 위해 이곳에 왔다, 그 힘을 감당할 준비가 되었는가?"

화서는 굳건히 대답했다.

"인류를 구하기 위해 무엇이든 감당하겠어!"

그러나 에퀴노스의 시험은 단순한 결단이나 육체적 능력이 아니라 정신과 영혼의 깊이를 시험하는 것이었다. 화서는 자신의 두려움과 과거의 상처 그리고 감추고 있던 나약함과 마주해야 했다. 이 과정에서 화서는 자신의 한계와 불완전함을 절실히 느끼며, 결국 첫 번째 시험에서 좌절하고 만다. 에큐노스가 말했다.

"너는 아직 우주의 진정한 균형을 이해하지 못했다. 이 힘을 가질 자격이 없다."

#5. 굴하지 않는 의지 (중요한 건 꺾이지 않는 마음)

화서는 실패에 좌절했지만 자신의 약함을 인정하며 다시 한번의 기회를 간절히 부탁했다.

“나는 실패했지만 포기하지 않을거야! 나는 다시 도전하겠어. 인류를 위해 당신의 힘이 필요해! “

에퀴노스는 그의 의지를 보고 다시 한번 기회를 주었다.

“진정한 힘은 승리에서 오는 것이 아니라, 좌절 속에서 다시 일어서는 데 있다.”

#6. 힘

마침내. 화서는 에퀴노스의 힘을 얻게 되었다. 에퀴노스의 힘은 생명과 조화를 상징하는 에너지로 베르디크스의 파괴적인 힘과는 달랐다.

“이 힘은 너에게 무한한 능력을 줄 것이다. 그러나 그 힘을 남용하면 우주의 균형이 무너질 수 있다.”

“그 경고를 명심할 게. 이 힘은 반드시 올바른 데에 사용할 거야.”

화서는 그 경고를 마음에 깊이 새기고 에퀴노스의 힘을 얻게 된 화서는 인류의 운명을 결정짓기 위한 마지막 결전에 나설 준비를 마쳤다.

#7. 운명이 걸린 결전

에퀴노스의 힘을 얻은 화서와 탐사대는 함선으로 복귀하여 베르디크스를 막기 위한 준비를 서둘렀다. 그 사이 베르디크스는 태양계로 향하고 있었다. 화서는 그를 막기 위해 호라이즌호와 함께 추격을 시작했다.

"이제 인류의 운명은 우리에게 달렸어. 에퀴노스의 힘을 잘 활용해야 해."

탐사대는 베르디크스의 엄청난 힘 앞에서 긴장했지만 화서는 굳건한 의지로 팀을 이끌었다.

"베르디크스가 태양계에 접근하고 있어! 어떻게 할 거야? 화서?"

"우리의 무기는 그에게 통하지 않겠지만 에퀴노스의 힘으로 균형을 다시 잡을 수 있어. 모두 준비해. 이건 인류의 마지막 희망이야."

화서는 에퀴노스의 힘을 발동해 우주의 균형을 조절하며 베르디크스의 힘을 상쇄하기 시작했다. 베르디크스는 이를 눈치채고 불쾌한 표정으로 그들을 향해 외쳤다.

"또다시 나에게 대항하려는가? 인간들아? 너희는 우주의 질서를 어지럽혔다. 나는 너희를 심판하겠다!"

화서는 베르디크스의 공격을 막아내며 그의 의도에 반박했다.

"우리는 균형을 되찾기 위해 여기 있어! 인류는 파괴만을 일삼지 않아. 에퀴노스의 힘으로 우주의 균형을 바로잡을 거야!"

양측의 싸움은 치열해졌다. 베르디크스의 파괴적인 힘이 우주를 진동시켰지만 화서는 에퀴노스의 힘으로 그의 에너지를 흡수하고 균형을 유지하며 전투를 이어갔다.

"화서! 이대로면 우리가 이길 수 있을지도 몰라!"

"아직 방심할 수 없어. 베르디크스의 진정한 힘이 남아 있을 거야!"

베르디크스는 그들의 저항에 놀란 듯 더욱 강력한 파동을 발산하기 시작했다. 공간이 일그러지며 태양계를 위협하는 순간이었다.

"너희 따위가 나를 이길 수 있을 것 같으냐? 진정한 힘을 보여주지!"

그러나 화서는 포기하지 않고 에퀴노스의 에너지를 최대한 끌어모아 베르디크스의 공격을 다시 막아내며 역습을 가했다.

"내가 배운 건 단순한 힘이 아니야. 진정한 힘은 생명과 조화를 위한 것이야!"

#8. 우주의 균형

베르디크스는 화서의 강력한 반격에 당황하며 한발 물러섰다. 그때 화서는 에퀴노스의 에너지를 이용해 베르디크스의 파괴적인 에너지를 흡수하고 그 에너지를 생명과 균형의 형태로 다시 변환시키기 시작했다.

"우주의 균형을 되찾겠어. 베르디크스, 너의 심판은 끝났어!"

베르디크스는 마지막 저항을 시도했지만 에퀴노스의 힘이 완전히 발동되자 그의 파괴적인 에너지는 더 이상 효과를 발휘하지 못했다.

"어떻게…나의 힘이… 이럴 수가!"

화서는 베르디크스의 본체에 가까이 다가가며 마지막 결단을 내렸다.

"이제 우주의 균형을 회복할 시간이야. 에퀴노스의 힘으로 베르디크스를 봉인하겠다!"

에퀴노스의 에너지가 폭발적으로 방출되며 베르디크스의 파괴적인 존재는 봉인되었다. 그의 심판의 힘은 더 이상 우주를 위협하지 못했고 에퀴노스의 조화와 균형의 힘이 그 자리를 대신했다.

"해냈어! 우리가 해냈어!"

"이건 끝이 아니야. 이제 우리는 우주의 균형을 지켜야 해."

화서는 에퀴노스의 경고를 다시 한번 마음속에 새기며 그 힘을 남용하지 않겠다는 결심을 다졌다. 그리고 인류가 다시는 우주의 균형을 위협하지 않도록 더 나은 미래를 위해 노력할 것을 다짐했다.

"에퀴노스, 네 힘을 올바르게 사용할 게. 인류는 우주 속에서 공존하며 살아갈 거야."

에퀴노스의 힘 덕분에 화서와 탐사대는 승리했지만 이 승리는 인류에게도 새로운 시작을 의미했다. 우주는 여전히 넓고 그 속에서 살아가는 모든 생명체와 조화를 이루며 살아가야 한다는 책임감이 그들에게 주어졌다. 화서는 마지막으로 말했다.

"이제 우리들의 집으로 돌아가서 인류에게 우리가 배운 것을 전할 거야."

THE END.

요정 하나로 바뀐 나의 인생이지만

임성혁

와…. 망했다.;;

중간고사 마친지 얼마 안 된 성순이는 방에 틀어 박혀 한숨만 푹푹 쉰다. 성순이는 공부를 원래 못해서 자기가 중간고사를 망칠 거라고 예상은 했으나 너무 망해버려서 성순이는 그 시험지만 바라보며 미친 사람처럼 웃고만 있다. 성순이는 성적이 많이 떨어져서 자기 미래는 그냥. '집에서 이럭저럭 살면 되겠지. 시험이 뭐 대수임?'이러면서 게임만 하고 있다.

그걸 바라보는 성순이 친구 원숭이는 성순이에게 한마디 한다.

"야! 시험 한번 망쳤다고 네 인생이 망하지는 않아. 시험 망쳤다고 계속 백수처럼 집에 틀어 박혀 게임만 하고 살 수는 없잖아. 가족도 만들고 행복한 가정을 꿈꿔야지!! ”

그 말을 들은 성순이는

“에이~~. 뭐 그렇게까지 해야겠어?? ㅋㅋ.”

“아, 안되겠네. 너 오늘부터 나랑 공부하자. 우리 학원에 피자, 치킨, 영화 등등 파티 많이 하는데 예쁜 여자들도 많아서 개좋음ㅋㅋ. 우리 학원에 한 명씩 도와주는 비밀 친구가 있는데 그냥 한번 같이 공부해 보자!”

“어? 그래? 그럼 생각해보고 학원 다녀 볼게.”

그렇게 해서 성순이는 생각을 하다가 게임이 하고 싶다는 생각에 원숭이가 말했던 학원 이야기는 잊어버린다. 성순이는 공부 따위 필요가 없다는 생각을 한다. ‘게임을 잘해서 프로게이머 하면 되지 뭐 알빠야???’라고 생각하며 몇 날 며칠 몇 달 게임만 겁나게 한다. 그렇게 성순이가 게임만 하다가 어느새 1년이 지난 것이었다. 원숭이는 1년 동안 성순이에게 무슨 일이 일어난 줄 알고 성순이 집으로 간다.

“성순아!! 성순아!! 문 좀 열어봐!!!!”

“어? 뭐냐? ㅋㅋㅋㅋㅋㅋ. 나 겜 겁나 잘해짐ㅋㅋ. 나 프로게이머 해서 걍 먹고 살 정도만 벌려고. 브론즈, 실버, 골드, 플레티넘, 다이아, 초월자, 불멸, 레디언트가 있는데 나 지금 불멸2야. ㅋㅋㅋ. 부럽지?”

“하. 내가 공부 학원 같이 다니자고 했잖아. 그리고 여자도 많다니깐? 왜 굳이 게임으로 돈을 벌려고 하는 거야. 어차피 프로게이머 해도 얼마 못 가서 너 백수처럼 살 수도 있다니깐? 그럼 어떻게 할 건데?”

“아 맞네…. 공부 학원. 걱정 마. 나는 공부하고 싶으면 하고 하기 싫음 안 하는 거야~~. 와, 여유로움 지렸고."

"여유로움 똥 싸지 말고 제발. 제발!! 백수가 될 수도 있다고 생각을 하고 말하는 거야???"

"야~~. 형이야. 프로게이머 하다가 유튜브로 갈아타면 그만~~."

답답하게 말하는 성순이를 바라보며 한마디 하면서 부탁을 한다.

"그러면 성순아 부탁 한 번만 할게. 너 내가 딱 1주일 줄게. 그때 동안 레디언트 30등 찍어 놔. 만약 못 찍으면 너 나랑 같이 손잡고 공부하러 가자 좋지?"

"ㅋㅋㅋㅋㅋㅋ야. 형이라니깐? 나 레이언트 30등 못 찍으면 너랑 공부 학원 다닐거야ㅋㅋ. 녹음하자."

이렇게 약속을 한 원숭이는 집으로 돌아가 성순이랑 공부 학원 다닐 생각에 기분이 좋아진다. 왜냐하면 아시아 서버 노란색 언트 티어 30등 찍기가 힘들어서 프로게이머가 랭킹을 잡고 있으니까. 한편 성순이는 ㄴㅇㅅ 공부 안 해도 된 당. 호~~. '불멸2인데 레디언트 30등 못 찍겠어?? 그냥 찍어줄 게 원숭아'라고 생각하며 게임만 오지게 한다. 원숭이는 집에서 생각을 한다.

'아직 성순이에게 나의 정체를 발산하면 안 돼!'

그렇다. 사실 원숭이는 성순이 미래를 다 알고 성순이를 도와주려고 미래에서 온 요정이다.

1주일 뒤…….

원숭이는 성순이가 게임 티어를 약속한 대로 올렸는지 확인하러 성순 집에 간다. 성순이 집을 가는 길에 생각을 한다.

'성순이는 꼭 공부를 해서 완벽하게 성공한 사람이 될 수 있어!' 라고.

성순이 집.

원숭이가 성순이 집에 왔는데 성순이가 기분이 별로 안 좋아 보인다. 그렇게 성순이를 바라보는 원숭이는 한마디 꺼낸다.

"혹시 게임 티어 달성 못했구나. 그냥 나 믿고 이제 공부를 시작해 보자."

성순이는 어쩔 수 없어 하는 표정으로 원숭이랑 약속했듯이 학원을 다니기로 맘 먹는다. 그렇게 원숭이는 좋아하다가 성순이가 한마디 한다.

"학원 다니는 대신 내 미래 네가 책임져! 내가 공부를 잘해진다고 해도 내 인생이 성공하는 건 아니잖아!"

그렇게 원숭이가 말한다.

"내가 꼭 책임질게. 걱정하지 마."

그러면서 성순이와 원숭이는 학원으로 향한다.

학원.

"나 이제 학원 다니니깐 뭐 파티? 같은 거 아니면 재밌게 놀기? 뭐 그 정도는 해 줘야지! 내가 맘 먹고 학원 다녀서 공부하는데!!"

원숭이가

"ㅇㅋ. 이제 네가 학원을 다니니까. 나의 친구를 소개할게. 이제 너의 미래를 책임져줄 나의 친구 깜찍요정이야."

성순이는 그 말에

"뭐? 요정? 세상에 요정이 있겠냐? 말이 되는 소리를 해 제발."

못 믿는 성순이를 보고.

"ㅋㅋㅋ. 보면 알게 될 거야. 걱정 말고 이제 파티를 시작하자. 난 이제 다른 친구를 도와주러 가봐야 해. 그동안 답답했지만 학원 다녀줘서 고마워. 너의 미래를 도와줄 거야! 피자 먹으면서 깜찍 요정이랑 이야기 잘 해봐~."

원숭이는 원숭이의 요정 단짝인 깜찍요정이랑 함께 성순이의 미래를 보면서 성순이가 대단한 사람이 될 수 있다는 걸 알아버렸다. 원숭이는 다른 친구에게 가고 깜찍요정이 성순이에 미래를 도와줄 것이다. 어찌 됐건 성순이는 원숭이가 사준 피자를 먹으면서 요정이랑 미래에 세계로 들어간다. 성순이는 미래에 나라가 어떻게 발전할 것이며 자기의 미래 또한 공부에 달려있다는 것을 알아버렸다.

성순이는 '자기의 미래를 생각하면서 공부를 해야겠다.'라며 속마음으로 다짐을 한다. 성순이의 미래는 커서 우주 비행사로 되는 것이었다. 공부는 지금 못해도 운동신경 하나는 지렸다. 어쨌든 요정은 '공부한다고'하는 마음가짐이 멋지다고 생각해서 공부의 연필을 준다. 성순이는 게임을 쳐다보지도 않고 15년 동안 공부만 한다.

그렇게 15년이 지난 성순이…….

일론 머스크와 일하게 된 우주 비행 파트너 성순이는 그렇게 공부만 해서 성공을 해 하늘에서 요정들은 무척 기분이 기뻤다. 한편 성순이는 '내가 이렇게 성공한 건 요정 덕 일거야.'라며 요정에게 하늘에다가 감사의 인사를 마음으로 전했다. 그리고 성순이는 (9호 하늘)로켓을 우주로 날려보내야 해서 로켓정거장으로 머스크와 함께 간다.

로켓정거장.

성순 따까리.

"행님, 이제 올라가죠."

"그래. 머스크 형 이제 로켓 쏘아 올릴게요."

"그럼 countdown 시작하겠습니다. 3…2…1."

하늘로 올라간 성순이는 우주를 탐험하고 지상으로 내려오게 된다. 머스크는 로켓이 성공적으로 발사돼서 기분이 좋았다. 머스크는 집으로 가고 우주비행사 성순이는 야근 근무를 하면서 동료들과 자장면을 시켜서 먹고 있는데….

갑자기!!?!?!??

사이렌이 울린다.

그걸 듣는 성순이는

"뭔 소리야! 누가 뭘 만진 거야?!! 일단 대피하자. 애들아, 내가 뭔 일인지 확인해 보고 올게."

"무슨 소리입니까! 같이 대피하죠. 잘못되서 선배가 죽으면 어쩌자고요."

"나 아니면 누가 확인을 해! 내 말 듣고 도망쳐. 아무래도 로켓에 문제가 있는 거 같아! 그리고 저기 안에 있는 사람들도 있는데 얼마나 무섭겠냐. 그리고 내가 죽는 일은 절대 없어."

그러면서 로켓에 점점 연기가 나며 불이 붙는다. 그렇게 성순이는 로켓쪽으로 달려간다. 성순이는 사람들을 구출하고 또 구출하고 남은 사람이 없는지 꼼꼼히 확인을 한다.

그 순간??!?!?!??!??

펑! 우당탕!!! 쾅쾅.

퍼퍼퍼퍼퍼!퍼ㅓ 퍼벙.

성순이가 사람을 구출하며 나오려는 참에 결국 로켓은 터져 버린다. 그것을 보는 성순이의 일행들이(동료들) 로켓이 터져버려서 성순이를 걱정하며 머스크에게 전화를 한다.

머스크가 온 후.

머스크는 갑자기 이런 일이 생길 줄 모르고 허겁지겁 온 거라 불을 일단 최대한 빨리 끈다. 불을 끈 후에 성순이의 일행들이 머스크에게 상황 설명을 하고 성순이를 찾는다. 근데 이렇게 로켓이 터져 사방팔방 검정색으로 물들어 있다. 어떻게 성순이를 찾겠는가? 그래서 머스크는 생각을 한다.

"성순아 내가 미안해. 이렇게 될 줄 모르고 로켓을 그냥 놔둔 내 잘못이지. 진짜 미안하다."고 머스크는 오열한다. 그 자리에서 머스크와 일행들은 다리가 풀리며 멍해진다.

5일뒤.

그렇게 성순이가 가루가 되어 하늘의 별이 되었다는 소식을 들은 머스크와 일행들은 성순이의 장례식을 치르고 사진을 본다. 너무 착하고 밝은데 이렇게 떠나간 성순이를 믿을 수 없다는 듯 자꾸 머리를 때린다.

Good bye 성순….

AffluentPlanet - 001

조민준

서기 2234년 1월 1일.

이제 '돔(특별 인공 공간)'에서 사는 것도 지겹다. 지금 지구는 점점 악화되어 간다. 마치 화성처럼 교과서에는 '지구가 푸르른 행성이었다.' 하는데, 그건 내가 직접 봐야 아는 거 아닌가?

"밥 먹어야지. 카니야~."

엄마다. 요즘 몸이 악화되어 걱정된다. 속으로는 걱정하고 있지만 겉으로 걱정하기엔 부끄럽다.

"아, 안 먹어."

내 자신이 밉다. 속마음도 제대로 말하지 못하는 내가 너무 한심하다.

"알겠어…. 문 앞에 둘게…."

"어, 빨리 가."

마음에도 없는 말을 또 내뱉었네.

서기 2234년 2월 15일.

평소처럼 학교에서 지루한 수업을 듣고 있었을 때였다.

"카니야, 잠깐 교무실로 올 수 있니?"

선생님이 부르셨다. 그렇게 교무실로 들어갔는데 충격적인 소식을 들었다.

"너네 어머님 돌아가셨다…."

머리가 띵했다. 오히려 슬프지 않고 갑작스런 부고 소식에 당황했다.

"네?"

"너네 어머님 돌아가셨어…. 갑작스럽겠지."

머릿속에 생각으로 어지럽혀졌다. 장례식비는 어떡하지? 손님도 없을 텐데? 이제 어떻게 살지?

"일단 조퇴하고."

"ㄴ…네…."

집에 들어가고 나서 푹 자기만 했다. 엄마가 돌아가시니까 뭔가 집이 허전하고 집이 집 같지 않았다. 더 이상 집이 편하지가 않은 거다.

"이제 어떡하지. 왜 갑자기 죽은 거야…. 나쁜 엄마야…. 이렇게 빨리 가니. 나쁜 엄마야!!"

띵.

"무슨 문자야…."

평소에 엄마가 돈은 부족하지만 우리 가족 하나는 살리겠다는 마음으로 보험을 걸었나 보다. 이 돈으로 식비, 회비 그 외에 것들을 사용하기엔 마음이 너무 아팠다.

서기 2234년 3월 1일.

그때도 생각했지만 황폐화된 지구, 엄마가 없는 집만큼 불편한 건 없었다. 어디로 떠나고 싶었던 거다. 하염없이 TV만 보다가 한 광고가 눈에 띄었다.

"안녕하세요! 여러분들 지금 지구는 살기 힘들지 않은가요? 한 번 AffluentPlanet - 001 풍족한 행성에 이주하세요! 지구에는 없는 생명, 나무 그 외 것들 모두 있습니다!! 화면에 나오는 사이트로 선착순 500명이 최대인데요. 1억만으로 이주, 우주선 비, 집, 생활비 모두 드립니다!"

그때 생각이 들었다. 이렇게 내가 싫어하는 지구보다 1억 딱 한 번 쓰고 다른 행성으로 떠나는 게 낫지 않을까? 돌아가신 엄마에겐 미안하지만 사망 보험금으로 지구를 떠나야 했다.

서기 2234년 4월 3일.

약 3일 뒤에 소식이 왔다. 드디어 AP-001에 갈 수 있는 거다. 출발일은 바로 내일이라고 한다. 이제서야 떠나는 게 후련했다. 내일 출발이라 생필품을 준비하느라 바쁠 것 같다.

서기 2234년 4월 4일

항공에 도착해 당첨된 우주선권을 찾느라 좀 헤맸다.

"자~! 당신들이 바로 오늘 AP-001을 최초로 가게 될 당첨자 분들입니다!!"

쓸데없이 활발한 가이드였다. 가이드 때문에 가는 길은 적어도 지루하지는 않을 것 같다.

"여기는 어쩌고 저쩌고."

나에겐 가이드의 목소리가 집중이 안돼서 그저 같이 온 당첨자들을 따라가기만 했다.

"자, 이 곳이 저희 우주선입니다!"

내 생각처럼 생기진 않았었다. 마치 우주선 내부는 카펫으로 도배한 것처럼 따뜻한 분위기였다. 뭔가 SF영화의 우주선처럼 생겼을 줄 알았는데 내 과분한 생각이었던 것 같다.

"@!#^@(~. 그리고 이제 이 수면냉동캡슐에 잠드시면 됩니다."

아직도 가이드의 말이 생략되는 것 같다. 수면냉동캡슐의 모습은 인간이 들어갈 칸과 혹시 모를 반려동물 칸도 있었다.

'포유류용입니다.'

안타깝게도 강아지, 고양이용만 있는 것 같다. 그렇게 수면캡슐에 들어가 잠들어만 갔다.

서기 2236년 5월 16일.

"어서 일어나야지. 카니~"

익숙한 목소리였다.

"엄마?"

"지금은 2234년 5월 16일 오전 6시 26분입니다. "

엄마의 목소리는 꿈이었나 보다. 근데 이상했다. 그 광고 회상에선 46년이 걸린다 하였는데 약 2년 밖에 안 지난 시점에서 냉동이 풀렸던 거다. 갑자기 AI시스템이 말을 이어갔다.

"우주선 내부에 동적 열 에너지가 감지되어 긴급 시스템이 가동되었습니다."

대충 이해하면 함선내부에 생명체가 있어 긴급시스템 작동으로 인해 깨어났다는 건데. 잠깐 뭐라고? 우주선 내부에 생명체가 있어? 말이 돼? 너무 역겨운 상황에 토가 나왔다. 아마도 냉동캡슐 부작용이겠지

"무슨 일이야?"

"46년이 걸린다며?"

"아직 2년 밖에 안 지났는데?"

함선내부 상황은 의문을 던지는 사람들로 인해 정신이 없었다. 그

때 AI시스템 가동이 한 번 더 작동되었다. 갑자기 그 생명체가 지나다녔었던 구역의 CCTV를 넓은 대형화면으로 보여주는 것이다. 일단 여기서 원인 모르게 함선의 문제가 생겨 죽는 것보단 그 문제의 곳으로 가는 건 누가 봐도 당연한 일이었다.

"아무도 나서지 않으니 저라도 가보겠습니다."

진짜 아무도 같이 가는 사람은 없었다. 다들 겁도 많으시네. 계속 함선 내부를 살펴보며 가니 내가 못 보던 공간도 보였다. 여긴 응급환자 시설인 것 같다. 각종 응급약이 나열되어 있고 산소호흡기, 심장박동기 등도 있었다. 혹시 모르니 응급세트 하나쯤은 챙겨가는 게 좋을 것 같다. 이후로 계속 함선 내부를 돌아다니는데.

서기 2236년 5월 16일.

아까 손전등도 챙길 걸 그랬다. 생각보다 함선내부에서 발전기 주변은 매우 어두웠다. 내 생각이긴 해도 아마도 전력공급을 해야 하는 곳이라 전등은 불필요한 것 같다. 점점 AI가 표시해준 위치로 가까워질 때 환풍구에 무슨 소리가 들려왔다.

"누구 있어요?"

혹시나 따라온 사람일 줄 알고 물었지만 대답은 없었다. 그 이후로도 계속 돌아다녔지만 딱히 특이한 부분은 이상하리만큼 없었다. 오히려 특이하고 이상한 부분이 없어 위화감이 들었다. 드디어 그 위치에 도착했다.

"뚝…뚝…."

특이한 액체가 흘러내렸다. 그 액체는 마치 사람의 혈액처럼 끈적하고 붉었으며 황산처럼 녹는 성질을 가졌다. 그 때 환풍구 위에 아까 들렸던 발소리가 들려왔다. 아마도 이 액체의 주인 같은데 웬만하면 마주치지 않는 게 좋을 것 같다. 소리를 무시하고 주변을 살폈더니 함선 내부에 중간 전력을 공급하는 장치의 선이 손상된 걸로 보인다. 이 선도 마찬가지로 그 붉은 액체로 인해 녹은 모습을 보였다.

'큰일이네. 용접은 내 취향은 아닌데 말이야.'

그래도 어쩔 수 없이 나와 함선 내의 사람들을 위해서라도 용접은 필수였다. 만약 용접을 하지 않으면 함선 내부의 전력이 1/3만큼 줄어들어 얼마 못 가 함선의 전력이 끊기면 모두 우주 미아가 되겠지. 일단 우주선인 만큼 뭐가 있기를 빌며 이리저리 확인을 하니 휴대용 용접 세트가 있었다.

'아마도 이 전까진 이런 일 때문에 저런 용접세트가 있는 거겠지."

설명서를 겨우 읽어가며 용접을 시작했다. 계속하다 보면서 생각이 드는 게 뜨겁게 달궈진 납으로 용접을 하는 것이 아닌 오히려 차갑게 용접을 한다는 것이다. 우주선의 뜨거운 물체나 그런 게 튀면 열화선 감지 카메라가 혼동이 올 수 있어 그런 것 같다. 계속 용접을 하는 도중에 갑자기 목이 따가웠다. 아니 심각하게 따가웠다. 뭔가 이상했다. 혹시 아까 본 붉은 액체가 나한테 떨어져서 그런 것 같은데 그러면 지금 정체모를 괴물과 같이 있다는 거 아닌가? 영화에서 보면 여기서 바로 튀면 죽을 것 같은데 일단 천천히 괴물이 나의 정체를 눈치를 못 채고 서로의 모습도 모르는 안정된 상태도 튀어야 할 것 같다.

'계속 이렇게 괴물에게만 튀는 모습이라니 한번 얼굴은 마주치고 싶군.'

그렇게 계속 천천히 상황을 떠나는 그 순간.

"시이이이."

이상한 소리가 들렸다. 마치 야생동물의 소리처럼 몸이 굳는 소리였다. 불이 없는 함선. 내부에서도 보일 만큼 생각보단 컸다. 마치 얼굴은 코와 눈이 없으며, 귀로 추정되는 기관은 굉장히 크게 있었다. 키는 3미터쯤 되 보였고, 다리는 3개나 달려 있었다. 그런 생명체를 보니 본능적으로 조용히 입을 꾹 닫고 뒷걸음질했다. 다행이 나의 직감이 맞듯이 그 괴물은 나의 존재를 눈치채지 못했다.

"휴."

근데 생각해보니 함선 내부에 나 말고도 사람이 많을 텐데. 그 사람들은 괜찮은지 가야할 것 같다.

서기 2236년 5월 16일.

다시 길을 되돌아가며 냉동캡슐 존으로 돌아갔는데 끔찍한 피로 가득했다. 모두 배가 뚫려 끔찍하게 죽어 있었다. 지금 잔인한 상황이 실감이 나지가 않아 다리에 힘이 풀려 쓰러졌다. 잠시 후, 내가 기절한 그 장소에서 다시 일어났다. 이 끔찍한 참변은 그 괴물이 한 짓이겠지. 얼른 냉동 캡슐과 식량을 챙겨 긴급 탈출선으로 가야했다.

"그르르륵…."

하지만 뒤를 돌아보니 그 괴물이 있었다. 엎친 데 덮쳐 최악의 상황이 일어난 거였다. 괴물은 나를 보지도 못하면서 그 큰 손으로 나를 찌르려고 했다. 조용히 괴물을 지나치며 어쩔 수 없이 식량이라도 챙기며 탈출함선으로 향했다.

서기 2236년 5월 16일.

그 위험한 상황을 뚫고 탈출함선에 도착했다. 하지만 탈출함선엔 무언가에 마치 1m 정도의 알집이 있었다. 그 괴물의 짓인 것 같다. 아직 마지막 관문이 남았을 지는 상상도 못했다. 탈출 함선에 꽉 달라붙어 때지지도 않았다. 이걸 어떻게 처리하고 갈까? 생각한 순간 그 괴물이 다시 돌아와 그 알집을 가져가는 거 아닌가. 정말 다행이었다. 내가 평소에 조용하게 있는 것이 다행인 순간이었다. 그 이후 탈출함선의 입구를 닫고, 냉동캡슐 유무 때문에 걱정했던 난 탈출 함선

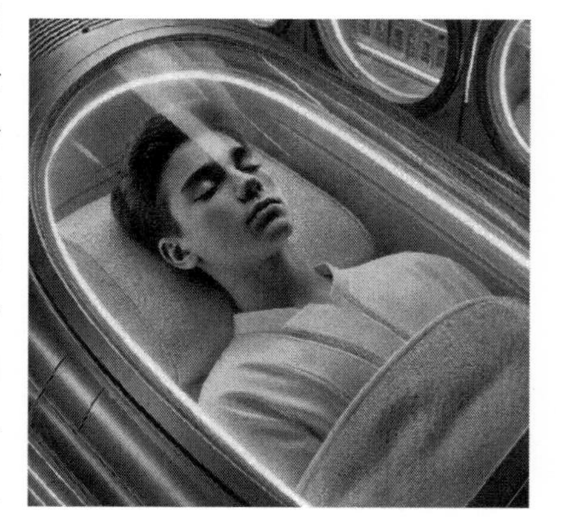

내부의 비상 냉동캡슐을 보며 안심했다. 그 이후 도착지를 AP-001로 설정하며 냉동캡슐에 잠들었다.

프랙처: 갈라진 현실

문소윤

1장: 로그아웃 불가

해가 저물어 가는 오후, 도빈은 무거운 걸음으로 학교를 나섰다. 책가방의 무게는 그를 짓눌렀고 온몸은 하루 종일 이어진 수업과 과제들로 지쳐 있었다. 친구들과 헤어지며 짧은 인사를 나누고 곧바로 학원으로 향했다. 학원에서의 시간도 그의 일상에서 피할 수 없는 한 부분이었다.

늦은 저녁이 되어서야 학원을 마쳤다. 쏟아지는 문제집과 교재들 속에서 하루 종일 앉아 있었지만 성취감보다는 무거운 피로감만이 남아 있었다. 시계는 이미 밤 10시를 넘기고 있었다. 학원을 마치고 집으로 향하는 길 어두운 거리에 차들이 몇 대씩 지나갔지만 그에게는 모두 무의미하게 느껴졌다.

집에 도착했을 때 그는 이미 한계에 다다라 있었다. 문을 열자마자 도빈은 부모님의 시선을 느꼈다. 아버지는 뉴스 채널을 보고 있었고 어머니는 부엌에서 설거지를 하고 있었다. 하지만 도빈이 방에 들어가기 전 어김없이 어머니의 잔소리가 시작되었다.

"오늘 학원에서 공부는 잘했니? 내일 모레가 모의고사인데 실수하면 안 돼!"

"응."

도빈은 짧게 대답했다. 어머니의 말이 계속 이어졌지만 그는 그저 고개를 끄덕이며 방으로 들어갔다. 매일 같은 대화, 같은 질문, 부모님의 기대는 그를 점점 더 무겁게 짓눌렀다. 고된 하루를 마치고 돌아왔지만 집은 그에게 더 이상 안식처가 아니었다.

방문을 닫고 책가방을 내려놓은 도빈은 깊은 한숨을 내쉬었다. 책상 위에는 풀지 못한 문제집과 포스트잇들이 쌓여 있었지만 도빈은 더 이상 그곳에 집중할 수 없었다. 머릿속이 흐릿해지고 몸은 지쳐 있었다. 그는 침대에 앉아 스마트폰을 꺼내 들었다.

화면에 뜬 게임 아이콘이 그를 잠시 망설이게 했지만 결국 손은 자연스럽게 그곳으로 향했다.

'네온 드림스'

그가 요즘 빠져 있는 가상현실 게임이었다. 현실의 모든 것을 잊고 잠시나마 다른 세계에 빠져들 수 있는 유일한 도피처였다. 게임에 접속하면서 도빈은 고글을 착용하고 눈을 감았다.

화면이 어두워지고 곧이어 눈부신 네온 빛이 그의 시야를 가득 메웠다. 차가운 현실은 순식간에 사라지고 도빈은 가상현실 세계 속에 있었다. 거대한 빌딩들과 반짝이는 광고판들이 그의 시선을 사로잡았다. 공중에 떠 있는 홀로그램 간판과 거리에서 오가는 사람들, 도로 위를 달리는 미래적인 차량들, 모든 것이 완벽했다.

'여기라면 숨 쉴 수 있겠다.'

도빈은 천천히 거리를 걸었다. 여기서 만큼은 현실에서의 걱정과 압박으로부터 벗어날 수 있었다. 더 이상 문제집이나 시험이 그를 따라오지 않았고 부모님의 잔소리도 들리지 않았다. 도시의 한복판에서서 그는 한동안 그 곳에서만 느낄 수 있는 차가운 바람을 맞으며 멍하니 주위를 둘러봤다.

도빈은 한참 동안 가상현실 속에서 거리를 거닐며 이 세상을 만끽했다. 바람을 느끼고 사람들 사이를 지나치며 마치 진짜 삶을 살고 있는 듯한 기분을 느꼈다. 그는 그동안 쌓인 피로를 잊은 채 이 세계에 빠져들었다.

그러나 어느 정도 쉰 후, 현실로 돌아가야 할 시간이 되었다고 느낀

도빈은 평소처럼 로그아웃을 시도했다. 하지만 그 순간, 그는 눈에 익숙한 로그아웃 버튼이 보이지 않는다는 사실을 깨달았다.

'뭐야!'

처음엔 단순한 오류라고 생각했다. 종종 시스템에서 작은 버그가 발생하곤 했으니 금방 해결될 거라 생각했다. 하지만 몇 번을 더 시도했음에도 로그아웃 버튼은 어디에도 없었다. 도빈은 당황스러워졌다. 허공을 가리키며 메뉴를 다시 열어보려 했지만 그마저 먹통이었다.

그의 손끝이 공허하게 허공을 가리켰다. 불길한 예감이 점점 커졌다. 시스템이 응답하지 않는다는 건 이 세계에서 나가는 방법이 없다는 뜻이었다. 도빈은 다시 한 번 손을 움직였지만 반응은 여전히 없었다.

'왜 이러는 건데.'

도빈의 이마에 식은땀이 흐르기 시작했다. 그제서야 그는 자신이 이 가상현실 속에 갇혔다는 생각이 머릿속을 스쳤다. 가상현실 속에서 느끼던 편안함은 순간적으로 공포로 바뀌었다. 아무리 손을 움직여도 그에게 돌아오는 건 차가운 침묵뿐이었다.

'여기서 못 나간다는 거야?'

가슴이 빠르게 뛰기 시작했다. 이제 더 이상 이곳은 그에게 도피처가 아니었다. 오히려 그를 가두는 감옥처럼 느껴졌다. 차가운 바람이 불어왔지만 그 바람조차도 그를 불안하게 만들었다. 주변의 네온사인들이 번쩍이며 그의 시야를 덮쳤다. 도빈은 깊게 숨을 내쉬며 다시 한 번 시도했지만 결과는 같았다.

모든 것이 고요했다. 거리는 여전히 사람들로 붐볐고 차량은 도로 위를 달렸지만, 그 모든 것이 그에게는 아무런 위로가 되지 않았다. 그는 이 세계에서 나가고 싶었다. 그저 잠시 머물다 돌아갈 생각이었지만 이제는 그게 불가능하다는 걸 깨달았다.

'이럴 수가 있나?'

그는 이 세계가 점점 더 낯설게 느껴졌다. 처음에는 그토록 익숙하고 편안했던 공간이 이제는 그를 억누르는 듯했다. 현실로 돌아가려는 그의 의지는 점점 더 강해졌지만 탈출의 방법이 보이지 않았다. 무엇이 잘못되었는지 왜 그가 나갈 수 없는지 아무도 말해주지 않았다.

시간이 흐를수록 문도빈은 가상현실 속에 갇혀 있다는 사실을 더욱 뼈저리게 느꼈다. 더 이상 이곳이 자유롭고 편안한 공간이 아니었다. 이곳은 그를 가두는 감옥이 되어가고 있었다.

2장: 이상한 세계

도빈은 한참을 서서 허공을 바라봤다. 여전히 로그아웃 할 수 없다는 사실이 머릿속을 떠나지 않았다. 그는 몇 번이고 손끝으로 허공을 터치했지만 반응은 여전히 없었다. 이곳에 갇혔다는 생각이 점점 현실로 다가오고 있었다. 이제 더 이상 가상현실은 그에게 자유로운 도피처가 아니었다.

'뭐가 잘못된 거야?'

도빈은 불안한 마음을 달래며 천천히 걸음을 옮겼다. 이곳을 탐색하며 현실로 돌아갈 방법을 찾아야만 했다. 거리 곳곳에 떠 있는 네온사인과 화려한 광고판들은 여전했지만 문득 주위를 둘러보니 평소와는 다른 점들이 그의 눈에 들어오기 시작했다.

거리를 걷는 사람들 그들의 행동이 어딘가 어색했다. 지나가는 사람들 하나하나가 모두 같은 패턴으로 움직이는 것처럼 보였다. 몇 걸음을 걸으면 멈춰서 주변을 둘러보고 다시 몇 걸음을 더 걷는 식이었다. 그리고 그들의 표정에는 감정이 거의 묻어나지 않았다. 무언가 결여된 듯한 그들의 눈빛은 텅 빈 채로 같은 방향을 향하고 있었다.

도빈은 자신도 모르게 뒷걸음질을 쳤다. 평소에 자주 봤던 가상현실 속 사람들과는 달랐다. 그들의 움직임에는 생동감이 없었고, 마치 사전에 짜인 프로그램대로만 행동하는 인형처럼 보였다.

'왜 이러는 건데.'

도빈은 주변을 둘러보며 점점 더 낯설어진 이 세계를 느끼고 있었다. 네온사인이 비추는 길거리, 광고판이 반짝이는 하늘, 그리고 그 속에서 돌아다니는 사람들. 모든 것이 그동안 그가 익숙하게 접해왔던 모습 그대로였다. 하지만 오늘의 이 세계는 차갑고 비인간적으로 느껴졌다. 그가 처음 이곳에 접속했을 때 느꼈던 편안함은 어디에도 없었다.

사람들은 지나가면서 도빈을 힐끗 쳐다보았지만 그들의 시선은 금방 지나쳤다. 그 눈빛들은 텅 비어 있었고 어떤 의미도 담겨 있지 않았다. 도빈은 그들의 얼굴을 살피며 더 이상 이곳이 자신에게 익숙한 가상세계가 아니라는 것을 느꼈다.

'여기서 나가야 해.'

도빈은 걸음을 재촉하며 현실로 돌아갈 방법을 찾아야 한다고 자신을 다독였다. 메뉴를 여는 시도는 실패로 돌아갔지만 어딘가 해결책이 있을지도 모른다는 희망이 그를 움직이게 했다. 그가 이곳에 갇혀 있다는 생각은 그를 더 이상 가만히 있을 수 없게 만들었다. 도빈은 주변을 더 깊이 탐색하며 탈출구를 찾기 시작했다.

그런데 아무리 돌아다녀도 이곳은 평소와 다르지 않았다. 사람들은 여전히 정해진 패턴대로 움직였고 거리는 여전히 차가운 네온 빛으로 빛났다. 하지만 그 모든 것이 도빈을 숨 막히게 만들었다. 그는 더 이상 이 가상현실 속에서 편안함을 느낄 수 없었다.

시간이 흐를수록 도빈의 불안은 점점 커져갔다. 그는 몇 차례 멈춰 서서 깊게 숨을 들이마셨다. 그저 게임일 뿐이라는 생각을 하려 했지만 이 상황이 현실보다 더 실제처럼 다가오고 있었다.

'여기서 나갈 수 없으면 어떡하냐?'

그가 머릿속에서 탈출 방법을 모색할 때 문득 차가운 공기가 피부에 닿는 느낌이 들었다. 가상현실의 바람은 현실보다 차갑게 느껴졌지만 그 바람은 이상하게도 불길하게 다가왔다. 그리고 그 순간. 등 뒤에서 누군가의 시선이 느껴졌다.

도빈은 뒤돌아보지 않고 순간적으로 그 느낌을 알아차렸다. 그 시선은 단순한 관심이 아니었다. 그 차가운 시선은 마치 자신을 지켜보는 누군가가 있다는 것을 강하게 암시하고 있었다. 누군가가 자신을 의도적으로 관찰하고 있다는 확신이 들었다. 도빈은 조심스럽게 주변을 둘러보았다. 아무도 없었다. 하지만 그 시선은 여전히 그의 피부에 닿아 있는 듯한 느낌이었다.

'뭐야, 누가 있는 거야?'

그는 등골이 서늘해지며 경계심을 더 강하게 느꼈다. 가상현실 속에서 무언가 잘못되고 있다는 느낌이 확실했다. 그저 단순한 오류가 아니었다. 누군가가 이 상황을 알고 있고 자신을 감시하고 있다는 생각이 점점 더 뚜렷해졌다.

하지만 그 누군가는 아직 모습을 드러내지 않았다. 도빈은 주변을 다시 한번 둘러봤지만 거리는 여전히 차갑고 텅 비어 있었다. 사람들은 규칙적으로 걸음을 옮기고 있었고 그들 중 누구도 도빈에게 특별한 관심을 기울이는 것처럼 보이지 않았다. 그러나 그 시선은 여전히 느껴졌다. 등 뒤에서. 그리고 그의 주위에서.

도빈은 숨을 가다듬었다. 이제는 확실했다. 이곳에서 무언가 그를 지켜보고 있었다. 그것이 누구인지 무엇인지 알 수 없었지만, 그는 혼자가 아니라는 사실을 직감적으로 알 수 있었다.

3장: 강설빈의 등장

도빈은 어딘지 알 수 없는 공간에서 느껴지는 낯선 시선을 피하려고 고개를 돌렸다. 이질적인 공기가 무겁게 감돌았고 이곳의 적막은 평소와 달랐다. 발소리를 줄이며 길을 따라가면서도 그는 내내 누군가의 시선에 쫓기는 기분을 떨칠 수 없었다. 분명히 누군가가 뒤에서 그를 지켜보고 있었다.

"누구냐?"

자신도 모르게 중얼거린다. 어둠 속에 숨어 있을 것만 같은 그 존재는 보이지 않았지만 그 위압감이 도빈을 점점 긴장하게 했다. 모든 것이 잘못된 방향으로 흘러가고 있는 듯한 불길함에 그의 걸음이 빨라졌다. 빠르게 주변을 둘러보며 벗어나려 할수록 마음속의 불안은 더 선명해졌다.

그때, 어느 순간 그의 눈앞에 형체가 서서히 드러났다. 희미했던 모습이 서서히 선명해지더니 그가 도빈의 앞에 갑작스럽게 나타난 것이다. 차가운 눈빛을 가진 남자 강설빈이 도빈을 지그시 바라보고 있었다. 그는 묘한 미소를 띠며 그를 마주했다.

"나가려는 건가?"

설빈의 목소리가 낮고 부드럽게 울려 퍼졌다. 마치 오래전부터 도빈을 알고 있었던 것처럼. 그의 말에는 자연스러운 친숙함이 묻어 있었다. 도빈은 설빈의 말에 움찔하며 그를 바라보았다. 왠지 모를 위화감이 설빈에게서 느껴졌고 이 사람이 자신의 모든 것을 꿰뚫어 보고 있는 듯한 느낌이 들었다.

"너가 누군데 날 지켜보는 거지?"

도빈은 목소리를 가다듬으며 물었다. 그의 시선은 거침없었고 의심이 담긴 눈빛으로 설빈을 응시했다. 설빈은 잠시 망설이다가 이곳의 설계자임을 은연중에 암시했다. 그의 목소리에는 알 수 없는 권위가 담겨 있었다.

"나는 이 세상을 설계한 사람이야. 여기 있는 모든 것은 내가 만들어낸 거야. 여기서 일어나는 일도. 너의 모든 행동도."

"그래서 뭐 어쩌자고! 나가는 방법이나 알려줘 로그아웃 버튼이 사라졌어."

도빈은 반발심을 드러내며 날카로운 눈빛으로 설빈을 노려봤다. 그는 자신을 억제하려는 설빈의 의도에 반감이 일어났고 그로 인해 도망치고 싶은 욕망이 더 강해졌다. 설빈은 미소를 유지하며 도빈에게 접근했다.

"도빈, 네가 원하는 건 무엇이든 여기서 이룰 수 있어. 너의 모든 욕망을 충족시킬 수도 있고, 너에게 필요한 것을 줄 수도 있지. 현실에서 경험하지 못했던 모든 것을 이곳에서 누릴 수 있는데 굳이 떠나야 할 이유가 있을까?"

도빈은 그의 말을 듣고 잠시 흔들렸지만 금세 눈을 가늘게 뜨며 대꾸했다.

"나에게 필요한 건 자유야. 여기서 벗어나고 싶어."

설빈은 가만히 도빈을 쳐다보다가 천천히 고개를 저었다.

"여기가 너의 진짜 현실이 될 수 있어. 고통도 슬픔도 없는 완벽한 곳에서 사는 것이 나쁘지 않을 텐데 왜 굳이 현실로 돌아가려고 하는 거지?"

도빈은 더 이상 이 대화가 무의미하다고 느꼈다. 그에게 현실로 돌아가겠다는 단 하나의 의지만이 남아 있었다. 설빈의 끊임없는 설득에도 도빈은 결심을 굽히지 않았다.

마지막으로 설빈은 도빈에게 혜택을 강조하며 그를 잡아두려 했지만 도빈의 눈에 비친 것은 미약한 의심과 거부감뿐이었다. 그는 이곳의 진짜 목적과 설빈의 정체를 이해할 수 없었고 점점 더 이곳에서 벗어나야 한다는 확신만이 깊어 갔다. 도빈은 단호한 결심을 품고 천천히 설빈에게서 등을 돌렸다.

4장: 혼란의 경계

설빈과의 만남 이후로 마음속에 남은 불안감과 의심을 떨칠 수 없었다. 설계자의 존재를 눈앞에서 마주했음에도 여전히 자신이 속한 이 세계의 본질이 무엇인지 혼란스러웠다. 설빈이 내비친 미묘한 미소와 그의 단단한 설득은 아직도 도빈의 머릿속에서 사라지지 않고 맴돌았다. 그곳을 빠져나가려면 자신이 이 세계의 작동 원리를 완전히 이해해야만 할 것 같았다.

도빈은 다시 한번 이 세계의 구조를 탐색하기 시작했다. 현실과 다를 바 없는 감각을 제공하는 이곳은 마치 그의 감정과 반응에 민감하게 반응하는 듯했다. 그가 두려워하면 공기는 더욱 차가워지고 확신을 가지면 그 앞에 길이 열리는 듯한 느낌이 들었다. 분명히 이곳은 단순한 게임이 아니었다.

도빈은 가상 세계의 구석구석을 누비며 조사했다. 그가 경험하지 못한 감정들이 주변을 휘감아왔고 이러한 감정이 그에게 미묘하게 피로감을 안겨주었다. 그러던 중 그는 특정 장소에 도달했을 때, 작은 단서를 발견했다.

'감정과 에너지를 유지하는 시스템.'

짧고 간결한 문구가 그의 눈에 띄었고 그 순간 도빈은 이 세계의 본질이 무엇인지 깨닫게 되었다. 이곳은 사용자의 감정에서 에너지를 끌어와서 유지되는 시스템이었다. 사람들이 이 가상 세계에서 경험하는 모든 감정, 공포와 고통, 심지어 순간적인 행복조차도 이 세계를 지탱하는 연료였다. 유저들이 현실을 벗어나 이곳에 머무는 한 이 세계는 계속해서 살아갈 수 있었다. 설계자, 즉 강설빈이 그토록 그를 붙잡으려 했던 이유가 서서히 명확해졌다.

사실을 깨닫고는 복잡한 심경에 휩싸였다. 이 세계가 그저 현실을 벗어나기 위한 단순한 도피처가 아니라 그 안에 속박된 사람들의 감정과 고통을 뽑아내는 시스템이라는 사실이 충격적이었다. 하지만 여전히 그는 선택의 기로에 서 있었다. 이곳에 머물러 강설빈의 의도에 부합할 수도, 아니면 마지막으로 현실로 돌아가기를 시도할 수도 있었다.

도빈은 이 선택을 두고 고심하다가 마지막 결정을 내리기로 마음먹었다. 결연한 표정으로 발걸음을 옮기며 현실로 돌아갈 방법을 찾기 위해 더 깊이 들어갔다. 하지만 가상과 현실의 경계가 이미 무너져 내리기 시작한 듯 보였다. 자신이 발 딛고 있는 곳이 실제인지 환상인지조차 분간할 수 없었다.

이제 모든 것이 혼란스럽게 얽혀 버린 순간, 도빈은 자신이 어디에 있는지조차 확신할 수 없었다. 가상 현실을 빠져나갈 수 있을 것이라는 희망과 혹여나 또 다른 속박에 갇히게 될지 모른다는 두려움이 교차했다. 그는 결국 문 너머를 향해 나아가며 한 걸음을 내디뎠다.

마침내 좁고 어두운 복도 끝에 문을 발견했다. 이 문 너머가 현실로 이어지리라는 확신은 없었지만 그에게는 이것이 마지막 기회였다. 깊은 숨을 내쉬고 그는 떨리는 손으로 문을 밀었다.

문이 열리자 자신이 기대했던 현실이 아니라 또 다른 공간이 펼쳐지는 것을 보고 눈을 크게 떴다. 가상 세계의 또 다른 층이 드러나며 다시금 새로운 감정의 무게가 느껴지는 그 공간 속에 홀로 서 있었다. 도빈은 문 너머로 발을 내딛으려다 멈칫했다. 현실로 향한 탈출구라고 믿었던 그 문이 결국 또 다른 미로로 연결되어 있었던 걸까?

INSERT COIN TO RESTART

박선재

'삐비빅 삐비빅.'

알람 소리와 함께 하루가 시작된다. 수면 캡슐에서 일어나 로봇이 내려준 커피를 마시며 탁자 위 홀로그램 신문을 읽는다. '불사의 시대 열려' 1면을 크게 채우고 있는 '불사'라는 이야기. 인류의 기술은 사람이 죽지 않도록 기억을 저장하고 기억을 전성기 시절 자신의 몸을 복제한 복제인간에 옮겨 죽지 않는 방법을 발명해냈다. '사고, 질병으로 신체가 움직일 수 없게 될지라도 기억만 옮기면 새로운 몸으로 살 수 있어 의술이 필요 없어진다.'라는 것이 신문의 내용이지만 나와는 상관없는 내용인 것 같다. 신문을 닫고 남은 커피나 즐기며 바깥 풍경을 본다. '숲'이 보인다. 인류의 무분별한 개발로 지구에서 초록색을 지운 후 기술로 색깔을 만들어 냈다. 나는 이미 지구에서 사라져 의미 없어진 그저 화면뿐인 창문을 끄고 출근을 준비한다.

"곧 출근할 시간입니다. 준비하십시오."

곧 출근 시간임을 알리는 소리. 먼지로부터 몸을 보호할 슈트를 입고 밖으로 나가 비행선에 탄다. 도착지는 화성. 비행선에 탄 후 전광판을 보자 섹터E-3B에서 로봇 근로자의 시위로 출발이 지연된다고 한다.

"툭. 투둑. 투두둑."

빗소리가 들린다. 산성비 일지라도 빗소리는 언제나 좋다. 창밖으로 수많은 네온사인과 칙칙한 검정이 보인다. 엄청난 양의 이산화 탄소 배출로 태양을 볼 수 없고 방독면 없이는 숨을 쉴 수 없는 창백한 지구, 과거 푸른 행성의 현재 모습이다. 잠시 생각에 빠져 눈을 붙이자 목소리가 들려온다.

"■■■■"

뭐라고 하는지 알 수 없는 말들이 들린다. 하얀 빛과 목소리 낯선 기억이다. 화성에 도착함을 알리는 소리와 함께 나는 잠에서 깨며 '개꿈이겠지.'라고 혼잣말을 중얼거리며 자리에서 일어난다.

화성에서 나의 일은 치안을 유지하는 일이다. 근로자 AI의 반발이나 이종족의 범죄, 단체 시위 등 안전을 위협하는 일을 막는 일 같은 거 말이다. 치안유지소 MSA(화성 치안 관리부)로 가는 차량에 올라 자리에 앉는다.

"좋은 아침입니다. $%@#씨."

나와 같은 치안부의 동기인 미스택씨가 인사를 했다. 다른 이의 이름은 제대로 들리지만 내 이름에 관해선 한 단어도 제대로 들리지 않는다. 의사를 찾아가 보기도 했지만 문제가 없다고 하였다. 그렇게 미스텍과 몇 마디의 얘기를 나누다 보니 치안 유지소에 도착하게 되었다.

손에 있는 밴드를 경비 로봇에게 보여주자 신원 확인과 함께 업무복을 받았다. 옷을 갈아 입고 사무실로 들어가 자리를 찾아 앉는다. 사무실 한쪽 벽을 채운 커다란 전광판에는 화성의 구역별 현재 상황을 알려주며 출동할 팀을 알려준다. 나는 팀이 아닌 혼자 다니며 대규모 시위나 반란 같은 큰일만 아니라면 느긋이 커피를 마시며 사무 일을 한다. 오늘도 어김없이 퇴근을 할 수 있었다.

다시 차량에 몸을 싣고 비행선을 타러 이동했다. 행성 출입 허가증을 찍으며 지구로 돌아가는 비행선을 타고 지구로 돌아왔다. 공항에서 나오며 나는 오랜만에 마트에 잠시 들리기로 했고 내게 없어서는 안되는 커피 원두와 집에 떨어져가는 생필품 몇 가지를 손에 든 채 집으로 돌아왔다. 커피 한 잔을 내려 마시며 뉴스를 확인하는데 심상치 않은 문구를 발견했다.

'화성 이종족의 심상치 않은 움직임.'

뉴스를 읽어보니 화성의 거주중인 이종족의 요즘 활동이 심상치 않다는 것이다. 앞으로 내 일이 다시 피곤해질 것을 직감하며 나는 잠에 들었다.

어느 날과 다름없는 하루를 느끼며 사무실에 도착해 전광판을 보자 행성 위험도가 오른 것이 보였다. 행성 위험도는 행성에 살고 있는 개체들의 활동이 심상치 않고 거주 구역마다 존재하는 위험도 감지 AI

가 판단하는 위험도가 오를 수록 반란과 같은 위험한 일이 발생할 확률이 높다는 것을 의미한다. 현재 위험도는 83%, 보통 75% 이상이라면 비상령이 발동되고 치안 유지부에서는 모든 유지팀을 파견해 도시의 치안 유지와 위험요소 제거라는 명령과 함께 비상대기 상태 유지가 하달된다.

"젠장! 젠장! 젠장!"

어디선가 대기 상태 발동에 휴가가 취소된 사람의 목소리가 들렸다. 휴가 전 대기 상태로 퇴근도 못하는 '불쌍한 인간'을 뒤로 하며 나는 무장을 지급받았다. 나는 주로 위험도가 높은 지역에 배치되었다. 화성 거주 단지 MRA-1는 내가 배치된 지역이다.

'지구인이 화성에 처음 정착하며 만든 도시로 그만큼 시설의 노후화, 슬럼화가 진행되었으나 최초의 도시로 그 상징성은 여전함.'

출발전에 받은 문서에서 본 것 같았다. 치안부 소속의 비행선에서 내리며 본 거주 단지의 모습은 처참했다. 마치 전쟁이 휩쓸고 간 것처럼 불타는 도시와 파괴된 건물들 지옥 그 자체였다. 무장과 함께 받은 현재 지역의 상황과 수행해야 할 일을 알려주는 수신기가 울리며 업데이트가 있었다는 걸 알린다.

'MRA-1 단지 내 요구조자 및 생존자를 찾아 안전구역으로 옮길 것.'

원래라면 치안을 유지하라는 간단한 순찰 임무였지만 변수가 생겨 일이 생겼다는 걸 내 눈으로도 보고 있으니 이해가 되었다. 불타는 도시, 업데이트된 임무와 함께 같이 배치된 다른 팀은 잠깐 벙쪄 사태의 심각성을 깨닫고 순식간에 뛰쳐나갔다.

"너희는 동쪽으로 가봐! 우린 서쪽으로 가 볼게!"

잘못 건드렸는지 귀가 찢어질 듯한 통신음을 들으며 나는 혼자 남쪽으로 달리기 시작했다. 주변 심박수를 확인하는 최첨단 장비를 사용해 생존자가 있는지 확인하기 시작했다. 6분이나 달렸을까? 장비에 심박수가 확인되었다. 한참을 달리다 보니.

"살려주세요…. 제발…."

곧 꺼질 듯한 작은 목소리가 들리는 곳으로 가보니 사람 하나가 누워있었다. 나는 재빨리 부상자를 들쳐 매고 길을 안내하는 장비에 비상시 사용하는 주거단지의 안전구역을 도착지로 설정 후 달리기 시작했다. 도착한 안전구역의 문에는 꽤나 많은 무기의 상흔으로 피로 쓰인 글이 새겨져 있었다.

'우린 어두운 도시에서 살아왔고 이제는 빛으로 나아갈 것이다.'

반란군이 새긴 글로 추정되는 걸 뒤로 하고 문에 손을 올려 기계

에 신원확인을 한 후 부상자를 치료 캡슐에 넣고 나오며 본 안전구역의 모습은 처참했다. 부모를 찾으며 우는 아이, 서로 식량을 뺏기 위해 고군분투하는 소년들, 칼을 휘두르며 남의 물건을 빼앗으려 하는 남자 등 안전구역의 모습은 또 다른 위협을 불러올 듯한 느낌을 주었다. 일단 칼을 휘두르는 남자를 제압한 후 다시 생존자를 찾으러 나가려는 순간 '쿵' 소리와 함께 안전구역이 크게 흔들렸다. 재빨리 상황실로 달려가 굉음의 원인을 확인하는 순간 비상시 내려오는 임무를 알리는 부저음과 임무의 내용을 말해주는 수신기의 '반란군 제압 및 안전구역 보

호' 임무의 내용을 들으며 눈으로 밖의 상황을 봤을 땐 다수의 반란군이 안전구역 문 앞에 무장한 채로 모여있었다. 들어오며 본 문구는 어쩌면 표식이 예고 역할을 한 셈이다. 심박수를 감지하던 기계는 수많은 반란군의 수와 안전구역 내 인원의 수로 고장이 난 건지 제 기능을 하지 못하고 있었다. 불행 중 다행으로 함께 흩어졌던 다른 치안 팀들이 안전구역을 보호하기 위해 빠른 속도로 집결하고 있었다. 7명의 치안부와 어림잡아 180명의 반란군, 어쩌면 더 많을 수도 있겠다. 지구인 화성 정착의 상징도시를 함락과 점령으로 지구에 대한 선전포고를 할 반란군 집단은 대개 다른 은하에서 온 이종족, 그 중 차별이나 억압을 받은 종족이 대부분이었다. 치안부와 반란군의 충돌은 반란군이 대공성포를 쏘며 시작되었다.

'쾅!'

소리와 함께 안전구역의 문에 구멍이 하나 생겼다. 치안부는 3팀으로 나눠 반란군을 제압하기로 했는데 1팀은 입구에 난 구멍으로 들어오는 반란군을 막는 역할을, 내가 속해진 2팀은 직접 반란군과 싸우는 일을, 마지막 3팀은 반란군의 중화기 및 공성무기 무력화를 맡기로 했다. 계획을 세운 후 재빠르게 움직이기 시작했다. 나는 등에 메고 있던 총을 꺼내 들었다. 작동법은 사전에 교육을 받아 알고 있지만 쏴 본 적이 없어 맞출 수 있을지가 문제였다. 그때 '카가각각' 강철의 마찰음과 함께 내 시선이 한번 크게 튀었다.

"아, 맞았나 보다."

머리가 순간 멍해지며 입 밖으로 말이 튀어나왔다. 다시 앞을 보며 무의식적으로 방아쇠를 당기니 멀리서 달려오던 반란군 하나가 땅에 널브러졌다. 또 다른 격발음이 들리며 달려오던 여럿이 땅에 굴렀다. 옆에 있던 병사가 총을 난사하기 시작했다.

"죽어!"

비명에 가까운 소리를 내지르며 그는 총을 쏘아 댔다. 패닉에 빠져 쏜 눈먼 총알은 다른 이의 생명을 무참히 빼앗기에 충분했다. 나는 어느새 눈앞까지 몰려오는 적을 보며 총을 겨누었다.

"탕!"

격발음과 함께 한 명이 쓰러졌다. 그럼에도 반란군은 돌아가지 않았다. 도대체 무엇이 그들을 싸우게 만드는 것인지 왜 목숨을 던져가며 달려오는지 많은 생각이 드는 와중에도 손가락은 무심히 여러 번 움직인다.

"틱. 틱."

손은 다 사용한 탄창을 교체하고 다시 움직이기 시작했다. 어느새 모든 총알을 다 사용했지만 아직도 달려오는 반란군은 많았다, 이미 다 사용한 총의 방아쇠를 멍한 머리로 생각없이 당기는 손가락을 막고 싶었다.

"펑!"

순식간에 배경이 바뀌며 내 몸은 땅을 굴렀고 정신이 끊겼다. 다시 정신이 돌아왔을 때에는 엄청난 죄책감과 불안함에 휩싸였다. 방금 누군가를 죽였다. 몸은 말을 듣지 않았다. 주변을 둘러보니 반란군은 모두 죽거나 잡혔고 사태는 마무리된 듯했다.

"도대체 누가 이런 짓을 시켰지?"

팀장이 사로잡은 반란군의 대장에게 물었다.

"우린 수십 년간 차별과 억압 속에서 노예처럼 굴렀다. 그런데도 너희들은 우리를 길거리의 쓰레기 보다 못한 취급을 했지!"

이종족의 대장은 얼마나 자신들이 차별 속에서 살아왔는지 이야기했다. 나는 길어지는 대화를 뒤로 한 채 밀려오는 피곤에 쓰러지듯 잠에 들었다. 그렇게 우리의 일상은 도시 파견 반란군 소탕이었다.

그러던 어느 날 치안부에서 대대적인 임무가 하달되었다.

'MRA-5구역으로 이동해 앞으로 있을 반란군의 대대적인 침공에 대비할 것.'

새로운 임무와 함께 우린 MRA-5구역으로 이동했다. 이미 도시에는 다른 치안부 군인들도 도착했을 뿐만 아니라 지구에서 파병된 다국적 군인도 상당히 모여있었다. 들리는 말로는 이번 반란군의 규모는 지금과 다른 단위로 전투 중 노획한 최첨단 무기로 무장했다는 이야기가 있었다. 침공 예상일은 일주일 뒤 지구인의 화성 정착 기념일이다.

그 후 정신없이 침공에 대비해 훈련으로 이리저리 굴러다니고 흙을 뒤집어쓰며 진지 공사를 하니 일주일이 순식간에 지났다. 침공 당일 날 아침은 날씨가 흐릴 뿐 평범했다. 늘 그렇듯 일어나 커피를 내려 마시고 옷을 갈아입었다. 여느 때와 같이 밖으로 나가 훈련장으로 이동하던 중이었다. 그러나 갑자기 사이렌이 울리기 시작하며 도시 내 군인들을 배치하기 시작했다. 나는 재빨리 훈련한 대로 성벽 위로 뛰어올라가 아래를 보니 먼지구름이 엄청난 소음과 함께 다가오고 있었다. 주변을 보니 혼란에 빠진 이가 대부분이었다.

"침착하고 훈련한 대로 움직여라!"

이번 방어 임무의 대장이 혼란에 빠진 병사들을 향해 소리쳤다. "째각째각."

시계소리와 함께 마치 시간이 느리게 흘러가는 것 같은 기분이 들며 앞을 보자 커다란 포탄이 바람을 가르며 날아오고 있었다.

"쇄애애액 쾅!"

찰나의 시간 사이 나는 재수없게 성벽에서 멀어지며 배경이 빠르게 바뀌었다.

"쿵!"

건물에 부딪히며 기절하며 또 다시 목소리가 들려왔다.

"만일 자신의 존재를 눈치채면 어떡할까요?"

"초기화를 하고 다시 시작하지 뭐."

두 명이 대화하는 것 같았다. 서서히 시야가 돌아오며 정신을 반쯤 돌아왔을 때 나는 아파트 화장실이라는 것을 깨달았다. 몸을 일으켜 다시 돌아가기 위해 고개를 돌리자 익숙한 얼굴이 반쯤 뜯겨 나간 로봇이 보였다. 손을 올려 내 얼굴을 만지자 차가운 쇳덩이를 만지는 듯한 감각이 느껴지고, 손을 보자 도저히 사람의 손이라고 할 수 없는 누가 봐도 로봇의 손이 보였다. 저 멀리 폭음과 빛이 반복되는 전장이 보였다. 그때 머리가 깨질 듯이 아프기 시작하며 기억 속에 없던 기억이 돌아오기 시작했다. 차가운 침대 위 하나 둘 맞춰지는 내 팔과 다리. 옆을 보자 연구원 같은 두 명이 대화를 하고 있었다.

"이번 프로젝트는 기밀이야. 로봇이 실험으로 우리 사회에서 살고 있다는 건 누구도 알아서는 안 된다고."

격발음과 함께 대화를 나누던 연구원이 쓰러졌다. 그러고는 총을 쏜 연구원이 내게 다가왔다.

"실험 시작."

지난번 꿈에서 들었던 그 목소리였다.

"이게 무슨…?

수많은 궁금증이 생기며 잠에서 깼을 땐 드론 소리가 들렸다.

"우우웅."

순식간에 나타난 거대한 드론, 격납고가 열리며 사람이 내려왔다.

"분명히 실험실의 기억을 지웠을 텐데 오류가 있었나?"

꿈 속 목소리와 일치하는 목소리의 여자는 나의 폐기를 군인들에게 지시했다.

"가만히 있어."

한 군인이 내게 손을 뻗었다. 나는 재빨리 손을 뿌리치며 드론 옆 빈 공간으로 힘껏 달렸다. 높은 곳에서 떨어지더라도 살아야겠다는 생각만이 머리 속을 가득 채우며 땅에 떨어졌다.

"쾅. 콰드득 쿵!"

땅에 떨어지며 왼쪽 다리에 감각이 사라진 듯한 느낌이 들었지만 다시 움직이기 시작했다. 한 발, 한 발, 다시 한 발…. 실험이라는 사실을 알게 된 이후로는 아픔도 피곤도 느껴지지 않았다. 그러나 머릿속은 공포로 가득 찼다. 무리하게 뛰어내려서 그런 건가. 결국 남은 다리 하나마저 무너지며 나는 두 팔로 기어야만 했다. 몸에 붙은 남은 피부로 느껴지는 차가운 감각, 이건 분명 진짜다. 그러나 여기저기 부딪히며 떨어진 탓에 뜯겨 나간 곳에는 철로 된 골격만 보였다. 아무 감각도 느껴지지 않는 몸을 이끌며 계속 기어갔지만 더 이상 앞으로 갈 수 없었다. 누군가 내 등을 누르고 있었기 때문이다.

"아쉽지만 여기까지야."

"실험을 다시 처음부터 시작한다. 이번에는 확실히 기억을 지워."

연구원의 명령을 마지막으로 등을 밟고 있던 군인이 내 머리를 누르며 머리 안에 들어있던 네모난 상자를 꺼내자 몸에 힘이 빠지기 시작했다. 힘이 빠지며 정신을 잃어가는 중에 하늘에서는 비가 내리기 시작했다.

"쏴아아아아아…."

[장치를 재시작 합니다.]

"띠디딧. 띠디딧."

여느 날과 같이 울리는 알람과 함께 나는 눈을 떴다. 늘 그렇듯 베란다에 앉아 담배를 피며 신문을 읽고 출근을 준비했다. 신문에서는 마침내 화성 이종족의 대규모 반란이 끝났고 인간 측 대표와 반란군 우두머리는 이종족의 차별을 금지하는 내용의 법안에 서명하며 새로운 다종족 정부를 만들겠다는 내용이 실려 있었다. 화성 이종족의 반란 덕분에 나는 한 달 동안 꿀 같은 휴식을 취할 수 있었지만 이젠 행성간 무역 금지령이 풀리며 다시 화성으로 출근해야만 했다. 나는 화성에서 다른 은하와 무역을 중계하는 15년차 무역원이다.

AI 소설

나산해

1장: 수행평가

“이번 국어 수행평가는 소설 쓰기인데 너희들이 직접 창의력을 발휘해서 스토리를 완성해봐. 이거 좀 비중이 있어. 대충하면 팍! 깎을 거야. 그리고!! 잘만 쓴다면 말이야 게시판에도 대!빵!만!하!게! 걸고, 아주 그냥 스타~~로! 만들어주마!!”

국어 선생님의 말이 끝나자마자 교실은 귀찮은 학생들의 불만으로 가득찼다.

“아, 또 해요? 그걸? 이제 중간 끝났는데. 뭔 스타예요. 스타는;; 으어어. 슨생님~. 제발요~~.”

나는 생각했다.

'중간 터졌으니까 수행이라도 잘해야 해!!'

그 순간 나의 머릿속에 번갯불처럼 번쩍 스쳐가는 단어가 있었다.

'AI.'

나는 집에 도착하자마자 AI와 저작권에 대해 고민하고 검색해 보기 시작했다. 나는 처음에 AI로 소설을 다 써버릴까 하고 생각했지만 그건 너무 비겁한 짓이라고 생각되어 그만두었다. 나는 생각했다.

'AI는 도구에 불과해. 내가 쓴 소설의 수정과정을 조금만 도움받는 거라면 괜찮지 않을까?'

2장: 반대

"인공지능을 사용해서 소설을 쓴다고? 그럼, 그게 네가 쓴 소설이냐?"

선생님의 목소리에는 의심과 경멸이 섞여 있었다. 나는 당황했지만 침착하게 대답했다.

"선생님, 이건 단지 제가 소설 쓰는데 좀만 쓰는 도구일 뿐이에요. 최종적인 스토리는 제가 직접 구성하고 있어요. 그리고 AI는 제가 쓴 소설을 수정만 조금 하고 있을 뿐이에요."

하지만 선생님은 고개를 저었다.

"나는 네가 이 방식으로는 제대로 된 소설을 쓸 수 없다고 생각해. 너가 정말 창의적이고 문학적으로 성장하려면 AI 같은 편법에 의존하지 말아야 한다."

그 말에 나는 속이 불타오르기 시작했다.

'편법이라니. 이건 그저 도구일 뿐인데!'

나는 선생님을 어떻게든 설득하고 수행평가를 완벽하게 끝내야겠다고 생각했다.

"하지만 선생님. 저는 제가 창의적으로 만든 스토리를 AI와 함께 발전시키고 있을 뿐이에요. 최종 결과물은 제 창작물이 맞아요."

그러나 선생님은 여전히 나를 향해 가볍게 웃어 보였다.

"네가 직접 쓴 소설만큼 좋은 결과는 기대하지 마라. 이건 결국 편리함에 의존한 결과물이니까."

그 말이 나의 자존심을 건드렸다. 나는 내 작품을 최고의 작품으로 만들겠다고 다짐했다. 나는 AI의 도움을 받은 작품도 내 작품이라는 걸 확실히 하기 위해 AI가 건드린 부분도 몇 번이고 다시 고쳐가며 스토리의 감정선, 인물의 변화, 갈등과 해결까지 모두 내가 구상한 대로 만들고, AI의 문장들을 다듬으며 완벽한 소설을 만들어냈다.

3장: 예상밖의 도움

나는 소설을 쓰는 도중에 국어선생님을 찾아가 말했다.

"저기, 선생님. 저… 잠깐 시간 좀 내줄 수 있으세요? 제가 소설을 쓰는 걸 선생님께 보여드리고 싶은데."

거절할 거라는 예상과 반대로 선생님은 기다렸다는 듯 나에게 말했다.

"네가 날 찾아올 줄 알았다. 어디 한번 볼까?"

선생님의 표정에는 약간의 의심과 기대감이 묻어나고 있었다. 나는 내가 지금까지 소설을 쓴 방식을 선생님께 설명했다.

"저는 AI를 쓰고도 이 글을 제 것으로 만들기 위해 소설을 쓰는 것을 맡기지 않고 수정을 조금 맡겼을 뿐이에요. 그리고 AI가 수정한 글도 몇 번이고 다시 수정했다고요."

선생님께 말을 하고 보니 혼나는 아이가 하는 변명처럼 들렸다. 선생님은 내 노트북을 몇 분 동안 보시다가 내가 쓴 부분과 인공지능의 수정을 받은 부분을 정확하게 찾아 내셨다.

"네가 이 글을 쓰는데 심혈을 기울였다는 건 알겠구나. 그래도 이 부분들은 좀 더 수정해야 하겠구나. 이 부분도."

설득을 하러 온 내 입장에서는 선생님이 이런 조언을 해줄 거라고는 상상도 하지 못했다. 집에 와서는 선생님이 말한 부분들을 조금 더 다듬고 나서 소설을 마무리 지었다.

4장: 결과

수행평가 제출일이 되었다. 나는 자신 있게 내 소설을 제출했다. 선생님은 진지하고 엄한 표정으로 나의 원고를 받아들었다. 며칠 후 점수가 나왔다. 놀랍게도 내 소설은 만점을 받았다. 선생님은 전과 다른 한층 부드러운 표정으로 나를 불렀다.

"네가 쓴 소설을 읽어 봤다. 처음엔 쫌 맘에 안 들었어. 내가 생각한 소설은 온전히 자신의 힘으로만 쓰는 거였거든. 근데 네가 쓴 소설은 그런 나의 생각을 180도 뒤집어 놓은 것 같아. 너가 AI를 잘 활용하면서도 스스로의 창의성을 잃지 않았다는 걸 소설의 한 글자 한 글자에서 느꼈다. AI가 따라 할 수 없는 감정과 상황의 표현이 아주 잘 드러나 있더구나.”

“….”

“어쩌면 내가 틀렸을지도 몰라. 창작의 도구는 시대에 따라 변하는 것이니까 말이야. 관심이 있다면 말이야. 소설 쓰기부에 들어오지 않을래? 내가 만든 동아리거든. 너라면 좋은 소설을 많이 뽑아 낼 수… 아니 쓸 수 있다고 생각한다.”

갑작스런 제안에 당황스러웠지만 선생님의 제안을 거절하고 교실을 도망치듯 나왔다. 어느 정도 시간이 지난 뒤 학교 게시판에 걸려 있는 내 소설을 봤다. 들리는 얘기로는 국어샘이 내 소설을 강력하게 밀어주었다고 한다.

행복한 나날

김동환

인류는 오랜 세월 동안 AI와 로봇을 발전시켜 왔고, 이제는 거의 인간과 구분되지 않는 안드로이드들이 사회 곳곳에서 활동하고 있다.

"지잉~."

"여기야, 여기로 가져다줘. 그 철판을 여기로 옮기라고."

안드로이드들이 작업을 하고 있다. 그들의 힘줄은 튀어나와 있고 검은 핏줄이 탐스럽게 익어 있다. 2톤이 나가는 철판을 가볍게 움직이면서 안드로이드-1은 유튜브를 보고 있다. 유튜브에서는 50년전 프로그램 '1박 2일'이 나오고 있고 우스꽝스러운 모습의 코미디언이 나왔다.

"이게 뭐야? 인간은 왜 이런 거에 웃는 거지?"

하지만 안드로이드들은 인간의 영역인 '감정'을 느낄 수 없다. 그들은 감정 없이 완벽히 프로그램 된 역할을 수행한다. 그래서 사람들이 그들을 '완벽한 도구'로 밖에 생각하지 않는다.

승권은 연구실에서 밤을 새우며 안드로이드를 분석하고 있었다.

"이번 감정 알고리즘 프로젝트가 성공해야 진급을 하던 말던 할 텐데."

승권이 신세 한탄을 하던 중, 한 안드로이드가 그의 눈에 들어왔다. 그것은 다른 안드로이드와는 달랐다. 그것은 감정이 입력되지 않은 상태에서 눈물을 흘렸다. 승권은 그 이유를 이해할 수 없었다.

'뭐지? 이건 이상해…. 감정 프로그래밍이 전혀 없는데. 왜 울고 있는 거지?'

승권이 혼잣말을 끝내자마자 안드로이드가 입을 열었다.

"나는…. 무엇을 느끼는 건가요?"

승권은 대답하지 못했다. 그것의 눈망울에는 뭔지 모를 슬픔이 담겨 있었고 그것은 단순한 기계적 오류가 아닌 듯했다. 그것의 볼쪽에는 V라는 안드로이드 번호가 있었다.

"일단 V라고 부를 게. V, 너는 감정을 느끼는 것 같아."

승권이 어렵게 답했다.

"감정이 무엇이죠?"

V가 물었다.

"그니까 감정이란 말이야. 인간이 느끼는 건데."

"인간이 느끼는 건데 제가 왜 느끼게 된 거죠? 제가 인간이 된 건가요?"

그것이 승권의 말을 끊듯 말했다.

"나도 잘 모르겠어. 이게 어떻게 된 일인지…."

그때 다른 연구실에서 승권을 호출했다.

'일단.'

며칠이 지나고 V는 점점 더 많은 질문을 하기 시작했다. 그 질문들은 마치 아이가 세상을 처음 이해하려는 것처럼 순수하면서도 동시에 무거웠다.

"승권, 인간은 왜 감정을 가지나요?"

"그건…. 우리가 살아가는 이유 중 하나일지도 몰라. 감정은 우리의 경험과 기억을 형성하고 선택을 하는 데 중요한 역할을 해."

V가 말했다.

"그렇다면 내가 느끼는 이 감정은 무엇이죠? 나는 인간처럼 느끼는 걸까요?"

"너는 기계야. 감정을 느낄 수 없도록 설계되었어. 하지만 너는 지금 뭔가를 느끼는 것 같아."

"감정은 무엇인가요? 내가 만약 그것을 느낀다면 나는 인간인가요?"

승권은 잠시 말을 잇지 못했다. V의 질문은 단순한 AI의 분석이 아닌 스스로에 대한 깊은 의문처럼 들렸다. 승권은 회사 상부에서 V를 제거하려는 계획을 알게 된다. 그들은 V의 존재를 위험하게 보고 있었고 V의 감정이 프로그램의 오류라고 결론지었다. 승권은 V를 데리고 도망치기로 결심했다.

"우리는 떠나야 해. 그들이 널 제거하려고 해. 더 이상 여기 있을 수 없어."

"왜 나를 제거하려 하는 거죠? 나는 무엇을 잘못했나요?"

"너는 잘못한 게 없어. 하지만 그들은 네가 인간처럼 행동하는 걸 두려워하고 있어."

"내가 인간처럼 행동한다고 해서 위험한 것이 있나요?"

"그게 문제야. 너는 감정을 느끼고 있어. 그리고 그것이 인류에게 무엇을 의미하는지 아무도 몰라. 그들이 두려워하는 건 바로 그것이야."

둘은 결국 회사의 추적자들에게 붙잡혔고 차가운 실험실로 끌려갔다. 회사의 고위 관계자들은 V를 제거할 준비를 하고 있었고 승권은 속수무책으로 지켜봐야 했다.

"우리는 감정을 느끼는 기계를 원하지 않아. 감정은 인간만의 영역이지. 위험한 오류일 뿐이야."

회사의 고위 관계자가 승권을 내려다보며 말했다.

"V는 감정을 느끼는 존재야. 기계든 아니든 그는 진짜야!"

승권이 소리쳤다.

"그건 네 착각이야. 기계가 인간과 다르지 않다면 인류는 더 이상

인간다울 필요가 없어. 그러니 저걸 없애야 한다."

승권은 절망했다. 그가 아무리 소리쳐도 그들은 그의 말을 들어주지 않았다. V는 자신의 운명을 짐작한 듯 그저 차분하게 서 있었다. V가 실험대에 눕혀지기 전 승권을 바라보았다. V의 눈동자에는 인간이 가진 슬픔과 고통 그리고 이해할 수 없는 평온함이 담겨 있었다.

"승권, 나는 이제 사라지겠죠. 나의 감정도, 나의 생각도 모두 없어질 거예요. 그렇지만 나는 그게 무엇인지 깨닫게 되었어요."

"아니야. 넌 사라지면 안 돼! 넌 진짜야. 너는 나보다 더 인간일지도 몰라."

V는 미소를 지었다. 그것은 절대 기계의 표정이 아니었다. 그럴수 없었다.

"승권, 저는 당신에게서 감정을 배웠어요. 인간은 감정을 가지고 있지만 그것이 꼭 좋은 것만은 아니더군요. 나는 슬픔도 느꼈고 두려움도 느꼈어요. 하지만 나는 그것을 받아들일 수 있었어요."

승권은 V가 진짜 감정을 느끼고 있었다는 것을 더 이상 부정할 수 없었다. V는 자신이 느끼는 감정에 대해 완벽히 자각하고 있었다. 그리고 그것을 받아들이고 있었다. 승권은 그 순간 단순한 오류가 아님을 확신했다.

V는 결국 회사의 명령에 따라 제거되었다. 그의 의식은 사라졌고그의 몸은 차가운 금속 덩어리가 되었다. 승권은 모든 것을 잃은 듯한 기분에 빠졌다. V가 보여준 감정은 진짜였을까? 아니면 단순한 프로그램의 오류였을까? 승권은 자신이 본 것을 잊을 수 없었다. V가 마지막에

남긴 미소와 그의 말들은 인간이 가진 감정의 본질을 다시금 생각하게 만들었다.

기계가 감정을 느낄 수 있다면, 인간과 기계의 차이는 무엇일까?그리고 인간이 만들어낸 감정이 진짜 감정과 다르지 않다면, 인간성은 어디서부터 시작되고 어디서 끝나는 것일까? 승권은 많은 생각에 빠졌다. 한동안 그것에서 헤어 나오지 못했다. 잠시 뒤 승권은 연구실로 돌아와 혼자 앉아 있었다.

"그의 감정은 진짜였을까…? 아니면 내가 그에게 진짜라고 믿게 만든 걸까?"

승권은 이 질문에 답을 찾을 수 없었다. V의 존재는 그에게 새로운 감정의 정의를 요구했고, 그는 인간과 기계 사이의 경계가 더 이상 명확하지 않다는 것을 깨달았다. V의 눈물은 그저 프로그래밍 오류가 아니라 인간도 이해하지 못하는 감정의 또 다른 형태였을지도 모른다. 이제 그 진실은 영원히 사라지고 말았다고 생각했으나 승권은 복구 시스템을 떠올렸다.

"아! 프로그램을 만들 때 복구 시스템을 만들어 놨었어! 그거라면…. 복구할 수 있을지도 몰라!"

그렇게 승권은 몇 날을 새며 복구 시스템을 만져가며 V의 감정을 복구했다.

"이거라면…!"

그렇게 복구한 USB를 안드로이드 감정 실험본에 끼웠다.

"제발…. 제발 돼라!"

"재부팅을 시작합니다."

.

.

.

그때 실험본의 눈에서 눈물이 흘렀다.

"보고 싶었어요. 승권."

우주 엘리베이터와 외계 개구리의 번지점프

노채원

프롤로그

나는 개구리다. 별명은 어릴 적 친구들이 붙여준 것이다. 나는 겉으로는 평범한 회사원처럼 생활하지만 내 머릿속엔 나만의 계획이 존재했다. 나에게는 위대한 프로젝트가 있었다. 나는 그 프로젝트를 통해 여행과 탐험을 하고 싶어 이 프로젝트를 계획했다. 나는 지구에서 하늘을 바라보며 항상 우주를 동경하던 나의 아빠를 보고 자랐다. 평범한 행성 운송회사 직원으로 일하던 개구리는 어느 날 회사에서 혼자 개발한 기밀 프로젝트에 발을 들였다. 그 프로젝트는 꿈에 그리던 바로 우주 엘리베이터를 손에 넣는 것이다. 지구와 우주를 직접 연결하는 거대한 기계 장치로, 화물뿐 아니라 사람을 태워 우주를 넘나들 수 있게 해주는 아버지의 유산이었다. 개구리의 목적은 이 엘리베이터로 사람들의 편리함이 아닌 모두를 위해 우주자원을 채광하거나 교류를 하고 이 엘리베이터를 통해 더 발전하는 지구를 만들고 싶었다.

1장: 처음 마주한 우주 엘리베이터

개구리는 사무실에서 우연히 발견한 비밀 문서를 통해, 연구 도중 아버지가 남긴 우주 엘리베이터가 단순한 우주 운송 장치가 아니라 시간과 공간까지 넘나드는 이동수단이 될 수 있음을 알게 되었다. 그 엘리베이터 구석에는 이런 문구가 써 있었다.

'절대 만지지 마시오.'

"이 문구는 뭐지? 아버지가 남긴 힌트인 걸까? 아니면 진짜 만지면 안 되는 것일까?"

개구리는 의문을 가졌지만 아직 엘리베이터는 개구리의 아버지가 만들다가 만 실험적인 단계였다. 우주와 시간을 넘는 여정이 가능하다는 사실이 적혀 있었지만 완벽하게 만들어지지 않았다. 하지만 개구리는 이 사실을 알았음에도 이 기회를 놓치지 않고 몰래 잠입해 엘리베이터에 탑승하였다.

'아직 실험단계지만 실패를 겪어야 성공도 있는 법이지.'

2장: 우주로 가는 여정

우주 엘리베이터는 실험단계에 있음에도 불구하고 놀랍게도 우주를 넘어서 다른 차원으로 이동할 수 있는 능력을 가지고 있었고 오차가 조금 있긴 했지만 연구를 좀만 하면 더 완성도 있게 만들 수 있다는 확신이 들었다.

"조금만 손보면 완성할 수 있겠는데."

개구리는 이를 알게 된 순간, 자신이 상상조차 할 수 없었던 우주 너머의 세계로 첫발을 들이려고 했다. 그 우주는 다른 행성들 뿐 아니라 과거와 미래의 우주까지 연결된 복잡한 다차원 세계였다.

3장: 만남과 갈등

개구리가 실험 도중 다른 차원에서 개구리는 미스터리한 존재와

만나게 되었다. 그는 우주 엘리베이터의 존재도 알고 있었고 우주 엘리베이터를 악용하려는 것인지 의심도 하게 되었다. 동시에 이 엘리베이터가 큰 위험을 초래할 수 있다는 사실도 알았다. 그 미스터리한 인물은 엘리베이터의 진짜 목적을 숨기고 있었다.

"손님이 왔군."

"당신은 누구고, 이 엘리베이터는 도대체 정체가 뭐죠?"

"내가 이 분야에서는 전문가지만 너가 알고 싶은 걸 알려주진 않을 거야."

"당신도 우주 엘리베이터의 존재를 알고 사용하려 하는 것 같은데 어떤 이유라도 있는 건가요? 아, 그리고 저는 이 엘리베이터를 연구하고 있는 개구리예요."

"…."

'뭔가를 숨기고 있는 것이 확실한 것 같아.'

미스터리한 초능력자가 검은 연기를 내뿜으며 그 자리에서 사라졌다.

'갑자기 아무 말도 없이 사라졌어. 혹시 우주 엘리베이터를 악용하려는 걸까?'

4장: 선택의 순간

우주 엘리베이터가 시간 이동의 도구로도 사용될 수 있다는 사실

을 깨달은 개구리는 현재의 삶을 떠나 우주와 시간 속에서 영원히 모험할 기회를 얻게 된다. 하지만 그가 이 엘리베이터를 계속 사용할수록 현실 세계와의 연결이 희미해져 갔고 그는 결국 선택의 기로에 서게 되었다. 그리고 연구를 하다 문득 아버지가 생각나 아버지의 서랍을 열어 봤었는데 거기서 저번에 다른 차원에서 만난 미스터리한 인물이랑 아버지랑 접촉이 있었다는 사실과 그 인물은 우주 엘리베이터를 악용해 자신만의 것으로 만들어 우주를 지배하려는 것을 알고 말았다. 하지만 엘리베이터에서 만났던 미스터리한 존재는 어디를 가든 목소리가 따라왔다. 그러고는 다른 곳을 갈 때 마다 여행을 하는 나를 방해하기 시작했다.

마지막으로 엘리베이터에 탑승한 개구리는 계속 따라오는 미스터리한 초능력자 때문에 스트레스를 받았다. 우주와 시간 속에서 자신의 존재가 희미해지는 것을 느꼈다. 그는 자신이 남긴 흔적과 그동안의 여행을 돌아보며 엘리베이터가 그에게 준 기회와 책임을 떠올렸다. 그리고 그는 어느 차원으로 향할지 결정했다.

'그 이상한 초능력자를 피할 수 있는 차원으로 가 봐야겠어.'
하지만 그는 내 생각도 읽을 수 있는 초능력자였다.
"너의 마음속이 들려. 헛짓거리는 하지 않는 게 좋을 거야."
개구리의 귀에 초능력자의 목소리가 들렸다. 개구리는 흠칫 놀라 우주밖으로 자빠질 뻔했다.

5장: 우주 번지점프

어느 날 새로운 행성에 도착했다. 이 행성은 중력이 거의 없는 곳이었고 미스터리한 초능력자도 더 이상 따라오지 않았다. 현지 생명체들은 자유롭게 하늘을 떠다니며 번지점프와 비슷한 방식으로 이동하는 독특한 문화를 가지고 있었다. 그곳에서 루크라는 외계인을 만나 친한 친구가 되었다.

그곳에서 만난 루크는 개구리에게 그들 만의 '우주 번지점프'를 체험해보지 않겠냐고 제안했다. 개구리는 스트레스를 풀 겸 번지점프에 관심을 보였다. 이 번지점프는 일반적인 번지점프와는 달리 특정 지점에서 뛰어내리면 중력을 잠시 벗어나 여러 차원의 경계 사이를 넘나드는 경험을 할 수 있다. 번지 줄 대신 에너지가 줄처럼 연결되어 있어 개구리를 안전하게 다른 차원으로 이동시킬 수 있었다.

개구리는 처음엔 두려웠지만 루크를 믿었고 엘리베이터 안에서 경험한 다양한 모험들 덕분에 호기심이 더 커졌다. 그는 큰 결심을 하고 뛰어내렸고 예상대로 우주의 경계를 넘는 엄청난 속도감과 함께 시공간이 왜곡되는 느낌을 받았다. 차원 사이를 자유롭게 넘나들며 마치 공중에서 자유낙하 하는 듯한 이 번지점프는 그가 이전에 경험한 어떤 것보다도 강렬하고 짜릿했다.

이 경험을 통해 루크와 친밀감이 높아지고 개구리는 우주 속에서의 자신의 존재와 한계를 다시 한번 깨닫게 되었다. 그리고 이 번지점프가 단순한 놀이가 아니라 다양한 차원의 경계를 넘나드는 일종의 깨달음의 순간임을 느낀다. 그가 돌아온 후 번지점프를 통해 얻은 새로운 관점으로 앞으로의 모험을 더 깊이 있게 받아들이게 되었다.

“루크! 나 너와 함께 더 연구하고 싶어! 같이 할거지?”

“당연하지. 나의 하나밖에 없는 친구!”

이후 개구리는 그 행성에서 루크와 함께 ‘우주 번지점프’ 기술을 계속해서 연구하며 엘리베이터와 더불어 다양한 차원의 여행을 이어 나간다. 번지점프를 통해 시공간을 넘나드는 것은 그에게 단순한 놀이를 넘어선 새로운 삶의 방식이 되었고 그는 더 이상 두려움 없이 모험에 뛰어들 수 있게 된다. 연구를 해서 발전을 하는 재미도 그의 친구인 루크 덕분에 더 연구에 몰두할 수 있었다. 하지만 한동안 따라오지 않던 미스터리한 초능력자가 바로 루크의 눈앞에서 나타나서 말했다.

“당장 너희 지구로 돌아가는 게 좋을걸. 내 말을 듣는 게 현명한 선택이라는 사실을 알기 전까진 말이야.”

“당신은 누구죠? 저희를 해치지 말아주세요.”

미스터리한 초능력자는 나와 루크를 위협하기 시작했다. 루크는 초능력자를 막았다.

“난 그 엘리베이터를 가지고야 말겠어. 안타깝지만 그 엘리베이터를 넘겨라."

"그건 안되죠, 이 엘리베이터는 저와 제 친구 루크와 함께 연구한 건데. 이렇게 뺏길 수 없어요!"

"저리 꺼져! 너는 내 계획에 걸리적거리는 벌레일 뿐이다!"

미스터리한 초능력자가 루크에게 주먹을 날렸다. 순간 엄청난 섬광이 터지며 큰 폭발 때문에 루크는 우주 밖으로 날아가 버렸다.

"ㅓㅓㅓㅓㅜㅜㅜㅜㅡㅏㅏㅏㅏㅏㅏㅏㅏㅏㅏㅏㅏㅏㅏㅏㅏㅏㅏㅏㅏㅏㅏ."

"루크!!!"

순간 개구리는 친구를 잃었다는 큰 상실감에 아무 말도 못하고 큰 혼란에 빠졌다.

6장: 최후의 결전

혼란스러운 상황 속에서 개구리는 자신의 힘으로 이 위기를 극복할 방법을 고민했다. 미스터리한 초능력자는 점점 더 강하게 개구리를 압박하며 그를 지구로 돌려보내려 했다. 우주 밖으로 날아가버린 루크가 계속 생각나 죄책감 때문에 두려웠지만 개구리는 이제 결코 물러설 생각이 없었다. 그는 우주 번지점프를 통해 쌓은 경험과 다양한 차원의 기술들을 사용해 초능력자와 맞서기로 마음먹었다.

결국 개구리는 수많은 연구를 한 결과 우주 엘리베이터의 본래 목적과 그 안에 숨겨진 진실을 알게 되었다. 그 진실은 아버지가 연구한 우주엘리베이터는 제어권을 얻으면 자신만 사용할 수 있는 사실을 알았다. 그리고 아버지가 남긴 연구 결과에는 미스터리의 초능력자에 대한 사실도 적혀 있었다.

그 내용은 미스터리한 초능력자는 아버지의 친구였는데 어느 날 심연의 힘에 빨려 들어가 초능력을 얻고 개구리의 아버지가 연구하던 우주 엘리베이터의 소유권을 가져가 원래 몸으로 되돌아가려고 했다는 사실과 그 엘리베이터의 소유권을 다른 사람에게 뺏기면 가루가 되어 사라진다는 사실을 미스터리의 초능력자가 알려주었던 것이다. 개구리는 연구 도중 초능력자가 나타나 연구를 방해했지만 그럼에도 불구하고 개구리는 초능력자를 애써 무시하고 더욱더 엘리베이터에 대한 연구에 몰두하기 시작했다. 초능력자는 이 엘리베이터의 힘을 독점하고 개구리를 제거하려 했지만 개구리는 엘리베이터의 숨겨진 제어 장치를 찾아내 마침내 완전히 엘리베이터의 권한을 자신의 것으로 만들었다.

"드디어 됐어!"

"아니, 이건 말도 안돼! 저 엘리베이터는 내 거란 말이다!"

엘리베이터가 개구리의 소유가 되자 초능력자의 몸에서 변화가 일어나기 시작했다.

"고작 저 엘리베이터를 얻기 위해서 생명체들을 위협하고 다녔다니 정말 한심하군요."

"아니 내 몸이 점점 사라져?! 안돼--!!!"

미스터리의 초능력자의 몸이 점점 가루가 되어 사라지기 시작했다.

"세상엔 미친 사람들이 많구나. 저런 엘리베이터를 갖기 위해서 타인의 목숨도 앗아 가다니."

이제 엘리베이터는 개구리의 명령에만 따라 움직이는 우주의 경계를 자유롭게 넘나들 수 있는 도구가 되었다. 개구리는 마지막으로 한 가지 선택을 해야 했다. 지구로 돌아가 현재의 삶을 살 것인가, 아니면 우주의 무한한 모험 속으로 다시 뛰어들 것인가. 그는 잠시 고민한 뒤 우주를 향한 또 다른 번지점프를 준비한다. 모험은 이제 시작일 뿐이었다.

붉은 별의 마지막 춤

김유신

1. 타나리아의 붉은 하늘

2300년대. 지구를 떠난 인류는 새로운 행성 타나리아에 정착했다. 그러나 타나리아는 인간에게 적대적인 환경을 가졌다. 거대한 모래 폭풍과 치명적인 방사능 폭풍은 사람들의 목숨을 위협했고 인류는 생존을 위해 철저한 통제 사회를 구축했다.

"음, 이렇게 가다 사람들이 위험에 빠질지 몰라."

카일이 이야기했다.

카일은 타나리아에서 태어난 과학자였다. 그는 어려운 환경에서도 살아남기 위해 연구소에서 새로운 에너지원 '케토리움'을 연구중이었다. 케토리움은 행성의 심층부에서만 발견되는 자원이었고, 그것이야말로 타나리아의 미래를 구할 수 있는 희망이었다. 카일은 연구소에서 밤낮을 가리지 않고 이 에너지를 연구하며 타나리아의 붕괴를 막으려 애썼다.

하지만 그에겐 더 중요한 목표가 있었다. 바로 엘라였다.

2. 비밀의 연인

엘라는 타나리아의 최고 정치 지도자 리카의 딸로, 행성에서 가장 권력 있는 가문의 후계자였다. 그녀는 세상의 규칙에 얽매이지 않고 자유롭게 살기를 원했지만, 엘라의 부모는 그녀가 정략 결혼을 통해 정치적 지위를 더욱 강화하길 바랐다. 그 대상은 루카스였다. 루카스는 군사 지도자이자 엘라와 어릴 적부터 정해진 약혼자였다. 엘라는 부모의 뜻에 따르기보다 자신의 길을 선택하고자 했다. 어느 날 그녀는 케토리움을 연구 중이라던 한 과학자를 보기로 했다. 그날 그녀는 아침부터 컨디션이 좋지 않았다.

"오늘은 기운이 좋지 않은 날이네."

그녀가 말했다. 옷을 차려 입고 화려한 장식구를 차고 자신의 착장을 확인한 뒤 그 과학자를 보러 떠났다. 에릭이 앞에서 기다리고 있었다. 에릭은 자신의 어릴 적부터 운전을 맡아준 운전기사였다.

"오늘은 어디로 가십니까?"

에릭이 말했다.

"오늘은 카일이란 과학자를 만나기로 했어요."

그 후 둘 사이엔 적막함만이 흐르며 에릭의 운전하에 카일에 연구소에 도착하였다. 그녀는 혼자 카일의 연구소에 들어가면서 천천히 연구소를 둘러보던 중 카일이 저 멀리서 다가오고 있었다. 그녀는 연구소를 둘러보던 중 카일과 마주쳤다. 그녀의 눈에 그의 눈은 여름 밤바다의 비친 잔잔한 물결 같았다. 평생 이성에게 호감을 느껴본 적 없었던 그녀에겐 새로운 감정이었다. 엘라는 카일에 잔잔한 물결에 빠졌다. 카일도 마찬가지였다. 카일은 엘라의 눈처럼 하얗고 고운 피부와 아름다운 미모와 몸매에 한눈에 그녀에게 빠졌지만, 최대한 그런 모습을 보이지 않기 위해 애썼다. 하지만 감출 수 없을 만큼 점점 더 그녀에게 빠지고 있었다.

둘은 업무에 대한 이야기를 하고 있었지만 서로의 감정은 공적인 감정이 아니었다. 점점 서로의 눈동자에 빠지고 있었고 엘라는 카일의 연구에 관한 이야기를 집중해서 들었다. 그의 생각은 정말 이 행성에 미래를 위한 아주 좋은 연구였다. 그녀는 카일의 연구에 깊이 감명받았고, 그의 연구를 도와주기로 약속했다. 그 둘은 알 수 없는 표정과 함께 다음을 약속했다. 그 후로 엘라는 카일의 연구소에 찾아가는 일이 빈번해졌다. 케토리움에 대한 연구도 막힘없이 이어졌다. 하지만 엘라가 다녀간 뒤면 카일의 사무실에 뜨거운 기운이 느껴지는 일이 많아졌다.

하지만 그들의 관계는 곧 위험에 처하게 되었다.

3. 암흑의 그림자

오늘도 엘라가 카일의 연구소를 가던 날이었다. 그녀가 나가는 중 한 남자가 말을 걸었다.

"요즘 어디를 그렇게 싸돌아 다녀."

엘라의 약혼자인 루카스였다. 엘라는 그의 말을 그냥 무시하고 집을 나섰다. 루카스가 혼자 말했다.

"남자가 생겼나. 요즘 내 말을 안 듣는군. 한번 조사해 봐야겠어."

그는 자신의 비서인 마이클을 시켜 엘라를 뒤따라가 보라 시켰다.

루카스는 엘라를 사랑하지 않았지만, 정치적 야망 때문에 그녀를 놓칠 수 없었다. 루카스는 엘라의 마음을 차지하려 하기보다 그녀를 자신의 권력 유지 도구로 여겼다. 그에게 중요한 것은 엘라가 아니라 그녀의 가문과 타나리아에서의 영향력이었다.

마이클은 엘라가 카일의 연구소에 가는 것을 뒤 았다. 아직까진 별다른 의심을 하지 않았다. 그녀가 카일과 연구에 대한 이야기를 하며 연구를 하는 것을 보고 헛걸음이었다고 생각하고 있을 무렵, 무언가 이상한 분위기가 생기더니 카일이 엘라를 끌고 자신의 연구실에 데리고 가는 것을 보았다. 마이클에게 의심이 들기 시작했다. 그러곤 시간이 지나면서 카일과 엘라가 나오는 것을 보았다. 카일의 얼굴에 묻은 키스마크와 풀어헤쳐진 엘라의 옷을 보고 마이클은 확신했다. 둘의 사이가 단지 함께 연구만 하는 사적인 사이가 아니라는 것을. 그는 당장 루카스에게 보고했다. 그에게서 보고를 받은 루카스는 자신의 생각이 맞았단 것에 탄식이 나왔다. 그러곤 말했다.

"기어코 남자를 만나는구나. 안 되겠어. 본보기를 보여줘야겠어."

그러곤 알 수 없는 표정을 지었다. 루카스는 카일의 연구가 타나리아의 정치 체제를 위협할 수 있다는 사실을 깨닫고, 카일을 제거하려는 음모를 꾸미기 시작했다. 카일과 엘라가 발견한 케토리움 에너지원은 기존의 에너지원 체제를 무너뜨릴 잠재력이 있었고, 그것은 곧 권력 구조의 변화로 이어질 수 있었다.

루카스는 정치 지도자들을 설득해 카일의 연구가 반역적이라고 주장했다. 그들은 루카스의 말에 설득당하여 자신들의 자리가 위험해질지 모르겠다는 생각에 카일의 연구소를 폐쇄하고 그를 체포하자고 하였다. 그 뒤 타나리아의 군인들이 출동해 카일은 체포당했고 그의 연구소는 폐쇄되었다. 엘라는 눈 앞에서 그가 끌려가는 것을 보며 절망했다. 그녀는 어떻게든 자신이 정말 사랑하는 카일을 구하려 했지만 이미 한발 앞섰던 루카스의 정치로 막강한 권력을 가진 엘라의 부모 또한 루카스 입김에 엘라의 편을 들어주지 않았다. 엘라는 루카스의 방해로 무기력한 상황에 놓이고 만다. 그녀는 좌절하며 말했다.

"하느님 왜 저에게 이런 시련을 주십니까? 제 인생이 이제 행복해지기 시작하는데 왜 전 행복할 수 없는 건가요…."

그녀는 혼자서 한참을 울었다.

4. 붉은 별의 마지막 춤

카일은 감옥에 갇힌 채로도 자신의 연구를 포기하지 않았다. 그는 에너지 문제를 해결해야만 타나리아가 살아남을 수 있다는 신념을 끝까지 지켰다. 그러나 카일에게 주어진 시간은 많지 않았다. 그는 루카스에 의해 반역죄라는 억울한 죄명으로 사형이라는 형벌이 생겼기 때문이었다. 그는 모든 것이 슬프고 억울했지만 자신이 사랑하는 국가를 위해서 연구를 계속하였다. 또 엘라 생각에 매일 제대로 잠들지 못하였다. 결국 시간이 지난 뒤 그가 사형당하기 전 마지막으로 엘라와의 짧은 면회가 허락되었다.

"카일 미안해. 내가 이런 가정에서 태어나지 않았다면 우리 행복을 이어갈 수 있었을 텐데…."

"아냐, 엘라. 나 그동안 너와 함께 내 인생에 중요한 퍼즐을 함께 맞추어서 행복했어. 후회는 없어 너를 만난 건 내 생에서 가장 행복한 시간이었어. 나와 함께해줘서 고맙고, 미안하고, 정말 사랑해. 내가 없어도 꼭 행복해야 돼…."

"당연하지! 나중에 저 세상에선 누구의 방해도 없이 행복하게 지내자…. 사랑해…."

그녀가 흐느끼며 힘들게 감정을 잡으며 말했다. 카일은 차가운 손으로 엘라의 손을 잡았다. 엘라는 눈물을 참지 못하고 흐느꼈다. 그들은 짧은 키스로 작별을 나눴다. 엘라는 그가 사라진 후 홀로 남아 카일의 연구를 이어가려 마음을 먹었다.

그러나 루카스는 카일이 처형된 후 엘라를 압박했다. 그녀의 결혼을 강요했고 엘라는 선택의 여지가 없었다. 부모와 루카스의 협박 속에서 그녀는 카일의 연구가 모두 파괴되었다는 사실을 알게 된다. 절망감 속에서 엘라는 자신이 아무것도 할 수 없다는 무력감을 느꼈다.

결국 엘라는 카일이 처형된 지 얼마 지나지 않아 루카스와 결혼식을 올렸다. 그날 타나리아의 붉은 하늘 아래 엘라는 아무 말없이 결혼식장에서 눈물을 흘렸다. 카일이 사랑했던 별이 타나리아 하늘에 떠 있었고, 엘라는 그 별을 보며 속으로 마지막 인사를 건넸다.

5. 비극의 끝

엘라는 결혼 후에도 계속 카일의 연구를 기억 속에서 되새기며 그가 말한 미래를 꿈꿨다. 하지만 그 꿈은 점점 더 희미해져 갔다. 타나리아는 점점 더 심각한 재난 속으로 빠져들었고 사람들은 새로운 희망을 찾지 못한 채 붕괴의 길을 걸었다. 루카스는 강력한 군사력을 이용해 엘라의 자유를 억압했고 그녀는 감정 없는 허울뿐인 삶을 살게 되었다. 카일이 그토록 구하려 했던 타나리아는 결국 몰락하고 엘라는 남은 생애를 절망 속에서 살아간다.

결국 엘라는 족쇄에 잡힌 것 같은 삶을 한결 가벼워지기 위해 절벽 위로 올랐다. 그리고 입을 열었다.

"그이와 함께였다면 지금 내 삶은 달랐을까…?"

타나리아의의 붉은 별은 이제 더 이상 떠오르지 않았고, 엘라는 그 별이 사라지기 전에 카일과 함께 춤을 출 수 있었던 그 날을 기억하며 카일을 만나러 갔다. 그 이후로 사람들이 엘라를 보는 일은 없었고, 타나리아는 쓸쓸한 별로 남았다.

Dark Side of the Moon

이고건

우리는 달을 지키기 위해 태어났다. 하지만 누가 나를 태어나게 했는지, 왜 달을 지키게 했는지 그 누구도 알지 못한다. 그래도 달을 지키기 위해 누구든 죽여야 한다. 그래야 달을 왜 지켜야 하는지 알 수 있기 때문이다. 그게 정작 사람일지라도.

1968년 1월 9일.

-치지직.

TV에서 기자가 우주선의 움직임이 나오는 장면을 보며 설명하고 있었다.

"달나라를 갈 수 있는 우주선이 드디어 달을 향해 가고 있습니다."

많은 사람들이 TV를 보며 기대와 걱정을 하고 있다.

"드디어. 드디어 달나라를 갈 수 있는 우주선이 달에 도착했습니다!"

TV를 보고 있던 주니와 사람들의 큰 환호 소리가 들렸다.

"우주선이 달에 도착했어. 이제 나의 꿈을 정말 이룰 수 있겠어!"

지구의 과학은 고도로 발전했고, 달 탐사는 이제 더 이상 불가능한 일이 아니었다.

1968년 7월 21일.

주니는 어릴 때부터 우주를 동경했다. 그는 항상 달 표면에 자신의 발자국을 남기겠다는 꿈을 가지고 있었고, 마침내 그 꿈을 이루기 위한 마지막 준비를 했다.

주니는 최첨단 우주선에 올라타 달로 향하며 자신만의 발자국을 남기겠다는 다짐을 되새겼다.

"나의 꿈을 이룰 수 있는 처음이자 마지막 기회야."

"와!"

주니의 꿈을 응원하려는 많은 사람들이 주니의 비행을 보기 위해 모였다.

"조심히 잘 다녀올게요. 여러분!"

"여러분들이 줬던 응원과 관심 잊지 않겠습니다."

-콰아아아앙!

마침내 주니가 탑승한 우주선이 달을 향해 출발하였다. 달에 도착한 주니는 헬멧을 고쳐 쓰고 천천히 달 표면으로 걸어 나갔다. 눈앞에 펼쳐진 황량한 풍경에 숨이 멎을 것 같았다. 바다처럼 펼쳐진 무한한 어둠과 반짝이는 별들. 그리고 사방이 적막한 달의 표면. 그녀는 드디어 그곳에 서 있었다.

"이게 TV에서만 보던 달의 모습이구나."

아름다운 달의 모습과 이

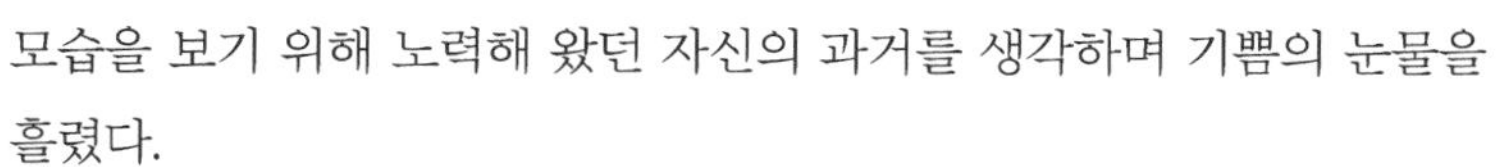
모습을 보기 위해 노력해 왔던 자신의 과거를 생각하며 기쁨의 눈물을 흘렸다.

"드디어 나의 꿈 달에 나의 발자국을 찍는 것 해 보자."

첫 발자국을 찍으려는 순간.

-스으윽.

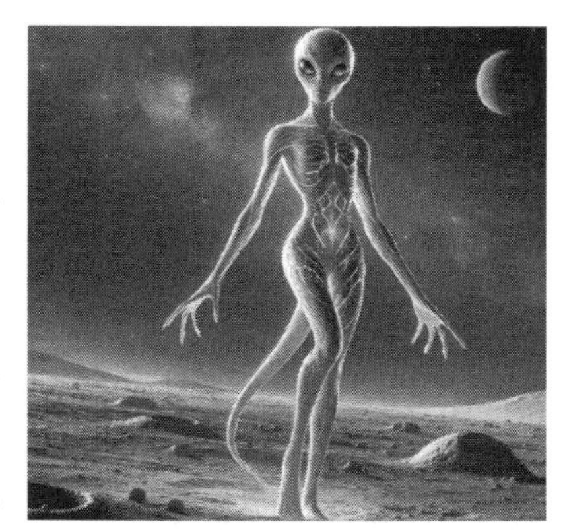

이상한 소리가 들려왔다. 마치 숨죽인 듯한 속삭임. 그리곤 눈에 보이지 않는 무언가 그의 주변을 서성이는 듯한 느낌이었다. 주니는 당황했지만 이내 자신을 진정시키고 첫발을 내디뎠다.

그러나 그의 발이 닿으려는

순간.

-쾅! 쵸아악.

보이지 않는 힘이 그를 끌어당겼다. 주니는 균형을 잃고 뒤로 넘어졌다. 헬멧 안으로 숨이 가빠지고 심장이 터질 듯 뛰기 시작했다. 그 순간. 주니는 자신이 달에서 혼자가 아니라는 것을 직감했다.

"이게 뭐야. 누구야!!! 누군데 날 막는 거야!!"

나의 꿈을 방해하자 억울함과 화남이 동시에 터진 주니는 화를 냈다.

-키키ㅣㅣㅋ키ㅣㅋㅋ키ㅣ킥.

달의 어두운 그림자 속에서 형체를 알 수 없는 신비한 생물이 서서히 나타났다. 그 생물은 인간처럼 보이기도 했고 동시에 외계적인 모습이기도 했다. 눈도, 입도 없었지만 주니의 모든 움직임을 감시하는 것 같았다. 그 생물은 천천히 다가와 주니의 주변을 맴돌기 시작했다.

-스으윽.

주니는 달에 발자국을 남기겠다는 집념에 그 생물을 무시하고 다시 일어나 발을 내디뎠다. 하지만 생물은 그때마다 주니를 방해했다.

-쾅!

-콰르릉.

-퍽.

처음에는 작은 충격이었지만 점차 더 거세졌다. 주니는 점점 지쳐갔고 산소도 서서히 바닥나기 시작했다.

"제발 내 발자국을 남기게 해줘…. 제발!"

주니는 마지막으로 절규했다. 하지만 생물은 그 어떤 대답도 하지 않았다. 대신 주니의 몸을 완전히 붙잡고 그를 달 표면에 눕혀버렸다. 시간이 흐르며 주니의 숨소리는 점점 희미해졌다.

"제발."

그녀는 발자국을 남기지 못한 채 그 자리에서 마지막 숨을 거두었다.

얼마 지나지 않아 지구로 돌아온 탐사대는 주니를 찾으러 달에 도착했다. 그들은 달 표면에 주니의 발자국 대신, 그의 사체만을 발견했다. 달은 여전히 조용했고 주니의 몸은 차가운 달 먼지 위에 그대로 남아 있었다.

주니의 꿈은 이루어지지 못했지만 그의 사체는 영원히 달에 남았다. 그의 발자국 대신 그곳에는 그의 삶의 마지막 흔적이 새겨져 있었다.

그 신비한 생물은 달의 어둠 속으로 사라졌다.

우주 속의 동반자

강솔빈

1. 새로운 탐사의 시작

"뉴스 속보입니다. 현재 자원고갈과, 인구 증가 문제가 점점 심각해지고 있습니다."

2085년. 아파트 단지에 까무잡잡한 곰팡이와 팔랑거리는 천조각들이 흩어져 있다.

"쓱."

"거기 누구야?"

싸한 기류가 흐른다.

"타다닥. 타다탁탁."

"쨍그랑."

발소리를 들으니 한 명이 아닌 듯했다. 허기를 채우기 위해 왔다면 무리로 오지 않았을 것이다. 한마디로 우리에 영역을 침범하겠다는 말이다.

"오늘은 쉽지 않겠다."

100일을 굶은 진창아파트 사람들은 더 이상 참지 못했다. 매일이 지옥인 사람들. 먹을 게 없는 지구. 외계 행성 탐사를 나간 탐사팀은 끝내 돌아오지 않았다. 연구자들은 우주에 신호가 있다며 사람들에게 희망을 주었다.

"쩝."

"쩝. 우걱. 우걱."

소연이는 며칠 동안 아껴 두었던 육포를 조심히 먹고 있다. 그때.

"팀장님!! 외계행성 KLF-54에서 신호가 잡혔습니다!!!"

소연이는 육포를 조심스럽게 보관소에 넣고 빠른 발걸음으로 나갔다.

'음, 드디어.'

소연은 이 기회를 놓치지 않기 위해 탐사대를 결성하고 소연은 그 탐사대의 리더로 임명되었다.

"우리는 바로 KLF-54로 떠날 거야. 다들 준비해."

"네."

"우리에겐 매우 중요한 일이니까."

소연은 서울탐사원에 들어온 지 4년밖에 되지 않았다. 소연의 학창시절 꿈은 우주 탐사를 하는 우주 과학자였다. 이번 임무는 소연의 경력 중 가장 중요한 순간이 될 것이라고 생각했다. 탐사 팀원들은 다양한 분야의 전문가들로 구성되었으며 소연은 이들과 함께 우주선에 탑승했다. 그녀는 출발하기 전 인간이 우주에서 새로운 행성과 생명체들을 만나길 바랐다.

"콰광콰과아광."

서서히 팀원들은 황폐한 지구에서 우주로 떠났다.

"띠링."

"통로의 안정성이 확보되었습니다."

"안전한 시간 보내십시오."

소연은 서울 탐사원이 된 지 4년이지만 처음으로 와보는 우주이기 때문에 소연의 심장을 빠르고 뜨겁게 뛰기 시작했다.

"내가 잘 할 수 있을까…?"

2. 첫 접촉과 전투의 시작

"위이이이잉."

"덜커더억. 쿠와아아왕. 이이잉이이잉."

탐사선은 몇 주간의 항해 끝에 외계 행성에 도착했다. 탐사대는호기심과 긴장감을 안고 행성 표면으로 내려갔다. 행성은 푸르고 광활한 대양과 거대한 산맥으로 이루어져 있으며, 저 멀리 기이한 구조물들이 보였다. 그러나 그들이 착륙하자마자 예상치 못한 일이 벌어졌다.

“ЎЪэЖПН8␣ФƧЗД[illegible]!”

“저것들 뭐라는 거야.”

“팀장님! 지금 상황이 너무 안 좋은 것 같습니다!”

“오오오! 저기 외계 생명체들이 공격합니다!”

“일단 빨리 후퇴해!”

사람같이 생겼지만 머리는 길면서 뾰족하고 피부색은 회색인 카이로라는 생명체들이 갑자기 등장하여 탐사대에 공격을 감행했다. 이들은 고유의 전투 능력을 지닌 종족으로 인간의 존재를 위협으로 인식하고 즉시 방어 태세를 갖추었다. 소연은 동료들을 지키기 위해 애쓰지만 카이로의 공격은 예상보다 강력했다.

“야! 괜찮아?!?!”

“켁. 아…으억….”

전투 중 동료인 제임스가 부상을 입고 혼란스러운 상황에 당황한 소연은 최대한 침착하며 다시 생각했다.

‘이 기회를 놓일 순 없어. 마지막으로 시도해 보자.’

소연은 팀원들에게 말했다.

“다시 시도해 보자. 이번이 우리의 마지막이 될 수 있으니까 최선을 다해서 싸워 보자."

3. 갈등의 심화

전투가 계속되면서 소연은 카이로의 진짜 의도를 이해하고 싶어졌다.

"잠깐. 중지."

"혹시 글로벌어 연합에서 연락왔어?"

"방금 받았습니다."

"보여줘 봐."

소연은 메세지를 받고 그들이 말하는 바가 무엇인지 알게 되었다.

그들은 단순한 적이 아니라 자신의 고향을 방어하는 존재임을 소연은 깨닫게 됐다.

소연은 팀원들에게 이 사실을 알렸다. 그 후 소연은 메세지를 통해 알게 된 내용으로 카이로 리더인 리안과 대화를 했다.

"너희는 어디서 왔길래 우리 행성을 공격하는 거지?"

"우리는 새로운 생명체를 탐색하러 왔어."

리안은 탐사대의 대치 중에 자신들의 고향이 인류의 탐사로 인해 위협받고 있다는 사실을 드러냈다. 리안은 소연에게 그들의 역사와 문화를 설명했다.

"우리가 혹시 이 행성을 탐색해도 될까?"

카이로 집단은 잠시 고민을 했고 알겠다고 했다. 소연은 카이로와의 갈등이 무의미하다는 것을 느끼고 대화를 통해 서로를 이해할 필요가 있다고 생각하게 된다.

"팀장님, 혹시라도 다시 공격하면 어떡해요?!?"

"그럼, 우리 다 죽는 거예요!"

그녀의 동료들은 분노와 두려움에 사로잡혀 있어 소연의 생각을 받아들이기 어렵다고 했다. 소연은 자신이 이끄는 팀과 카이로 간의 불신을 해소하기 위한 방법을 모색했다.

4. 대화의 시도

"카이로 언어에서 '안녕하세요.'를 뭐라고 해?"

"ΘШюऽæΨ"

"하…."

소연과 팀원들은 카이로의 언어를 배우기 위해 노력했고, 그들의 문화를 이해하려는 자세를 취했다. 그러던 중 소연은 리안과의 우연한 만남을 통해 비밀리에 대화를 시도했다.

"터벅. 터벅."

"엇!"

"혹시 잠깐 시간 될까?"

"음…."

리안은 처음에는 경계했지만, 소연의 진정한 마음을 이해하고 점차 마음을 열었다.

두 종족 간의 대화는 매우 힘든 과정이었다. 서로의 오해가 쌓여 있었고 그로 인해 상처가 깊어져 있었기 때문이다. 하지만 소연은 끈질기게 대화를 시도하며 카이로가 왜 자신들의 고향을 지키려 하는지에 대한 이야기를 들었다. 리안 또한 인간의 감정을 이해하기 시작하며 두 종족 간의 불신이 조금씩 해소되었다.

5. 공통의 적과 협력

"타다닥 쓱."

"방금 무슨 소리 들리지 않았어?"

"몰라. 난 못 들었는데?"

"분명 여기서 소리가 났는데?"

"촹! 다닥 다다닥! 쿠우웅."

"무슨 일이지?!?!"

"지금 다른 외계인 생명체들이 저희 기지를 공격했습니다!"

"뭐?!?!?"

소연과 리안은 우주에서 공통의 적이 존재한다는 사실을 발견한다. 그들은 외부에서 오는 침략자들로 모두에게 위협이 됐다.

"이걸 어떻게 해야 하지???"

"지금 우리가 너무 불리하잖아!"

"리안 같이 맞대응해야 할 것 같은데?!?!"

"그래야겠네."

이러한 사실을 인지한 두 리더는 더 이상 서로 싸울 수 없다는 결론에 도달하고 힘을 합쳐 외부의 적에 맞서 싸우기로 결심했다.

"어…어!!"

"카이로가 도와주고 있습니다!"

이들은 서로의 강점을 이용하여 모두를 살리기 위해 전략을 공유했다. 전투 중 소연은 카이로의 전투 기술을 보며 그들의 강력한 전술에 감명을 받았다. 반면 리안은 인간의 창의성과 기술적 접근 방식을 배우고 두 종족은 서로의 능력을 통해 시너지를 내기 시작했다. 이 과정에서 서로의 문화와 전통을 존중하는 마음이 커지며 두 종족 간의 유대감이 강해졌다.

6. 새로운 시대의 시작

"와. 진짜 어제는 죽다 살아난 줄 알았어요."

"그러게 말이야."

"근데, 진짜 카이로들 대단하더라."

"아냐, 너희도 엄청났어."

"우리 어제처럼 같이 이겨 나간다면 좋을 것 같은데."

전투가 끝난 후 두 종족은 칭찬을 서로 주며 대화를 했다. 그러다 좋은 결과를 통해 새로운 협약을 체결했다.

"잘 잤어?"

"어, 아우 배고프다. 오늘 아침밥 뭐지?"

"오늘 김치볶음밥이랑 제육덮밥이야."

"빨리 밥 먹으러 가자."

카이로와 인류는 우주 기지를 공동으로 운영하며 서로의 기술과 문화를 공유하며 평화롭게 살아가기로 했다. 이 과정에서 소연과 리안은 각자의 종족을 대표하는 지도자로서 협력을 통해 새로운 미래를 개척해 나갔다.

우주 기지에서는 인류와 카이로의 기술이 융합되어 새로운 발전이 이루어진다. 두 종족은 함께 식량을 재배하고 기술을 발전시키며, 교육과 연구를 통해 서로의 이해를 깊게 했다. 두 종족은 우주에서의 삶을 위해 지속적인 협력을 약속하고 각자의 전통과 문화를 존중하는 가운데 새로운 공동체를 만들어 갔다.

7. 동반자로서의 미래

시간이 지나면서 인류와 카이로는 서로의 언어와 문화를 배우고, 우주를 함께 탐험하는 동반자가 된다. 이들은 새로운 행성을 탐사하며 서로의 강점을 살려 다양한 과제를 해결하고 이 과정에서 우정과 사랑의 관계가 싹트기 시작한다. 소연과 리안은 서로의 신뢰를 쌓으며 두 종족 간의 관계를 더욱 강화해 나간다.

결국 소연과 리안은 인류와 카이로의 관계를 상징하는 우주 연합을 창립하게 된다. 이 연합은 평화와 협력의 상징으로 서로 다른 문명 간의 이해와 존중을 바탕으로 한 새로운 사회를 구축하는 데 기여한다. 이들은 함께 새로운 행성들을 탐험하고 우주에서의 지속 가능한 삶을 위해 노력한다.

맛을 찾아서

한단비

흙 냄새도 부엌에 따뜻한 온기도 잃어버린 세상. 까끌까끌한 먼지로 뒤덮인 공기와 편한 복장으로 돌아다닐 수 없을 만큼 따가운 자외선만이 사람들을 반겨주고 있었다.

사람들은 '뉴트리캡'이라 불리는 작은 영양 캡슐을 통해 하루의 에너지를 채워냈고, 캡슐에 인공적인 향을 첨가해 마치 맛을 느끼는 것처럼 인간의 미각을 착각시켰다.

더이상 이 세상에서 음식이라는 존재는 아득한 과거의 유물로만 남게 되었고 사람들은 '맛'이라는 개념조차 모른 채로 살아가고 있었다. 거리에는 식당 대신 캡슐 자판기들만이 가득했다.

"허기져…. 분명 캡슐을 먹었는데 뭔가 부족한 느낌이야."

"내가 인터넷에서 봤는데 그거 음식을 안 먹어서 그런 거래."

"음식?"

"응. 과거에는 캡슐이 아니라 음식으로 영양소를 섭취하면서 살았대."

"그럼, 그거 우리가 만들면 되는 거 아니야?"

준서는 어이없다는 듯 되물었다.

"야! 너 음식 먹어봤어? 본 적은 있어?"

"없지."

"그럼 무슨 수로 만들어 낼 건데?"

"기술력? 정보? 인터넷 뒤지다 보면 뭐 하나라도 나오지 않을까?"

그러고는 지호는 정보 수집에 집중하기 시작했다. 연구실에는

'딸깍', '딸깍' 소리만 가득 울려 퍼졌다. 그때 지호가 정적을 깨고 소리쳤다.

"찾았어!!"

"뭘?"

"음식이 풍부했을 때를 기록한 글."

"뭐라고 써 있는데?"

지호는 벅찬 목소리를 가다듬으며 말을 이어 나갔다.

"음… 텃밭일지 같은데? 채소? 과일? 기르는 법이 써져 있어. 사진도 첨부되어 있고."

하지만 음식을 먹어본 적이 없기에 단맛, 짠맛, 신맛, 쓴맛이 뭔지 도무지 알 수가 없었다. 밤낮으로 계속되는 연구에 지호의 눈커플은 점점 내려왔고, 다크 서클이 얼굴을 뒤덮었음에도 지호는 포기하지 않고 연구를 이어갔다. 하지만 지호는 연구소 내 경고를 받고 몰래 연구할 장소가 필요했다. 그러던 어느 날 지호는 연구소에서 잘 쓰지 않아 외관이 녹 쓸고 거미줄이 가득한 연구실을 자신의 연구소로 사용하기로 했다. 비밀 연구소를 정리하던 중 한쪽에 덩그러니 놓여 진 노트 한 권을 발견했다. 지호는 노트 위에 자욱이 쌓인 먼지를 툭툭 털어내고 조심히 열어보았다.

"어? 이게 뭐지? 되게 오래되어 보이네. 한번 열어볼까?"

노트에는 오래 전에 비밀리에 진행된 연구 기록들이 있었다. 그리고 마지막 장에는 꼭 이 연구를 성공시켜 주길 바라는 말과 함께 이렇게 쓰여져 있었다.

'지하 3층 씨앗 보관소.'

지호는 이 글을 읽고 심장이 '쿵쾅' '쿵쾅' 요란해지기 시작했다. 쿵쾅거리는 심장을 진정시키며 모든 연구원들이 퇴근하기만을 기다렸다. 마침내 모든 연구원들이 집에 가고 연구실에는 지호만 남게 되었다. 지호는 재빠르게 지하 3층으로 내려갔다. 하지만 쾌쾌한 먼지가 자욱한 곳에는 씨앗대신 잔뜩 구겨진 포스티잇 한 장이 굴러 다니고 있었다. 지호는 혹시 씨앗이 어디 있는지 알려주는 힌트일까 기대하며 그 포스티잇을 집어 천천히 열어보았다. 포스티잇에는 '방해하지마.'라는 경고하는 문구가 쓰여 있었다. 지호는 실망한 얼굴로 그 포스티잇을 챙겨 다시 연구실로 돌아갔다. 연구실에 앉아 노트를 보며 골똘히 생각하던 지호는 위험한 결심을 하기로 했다. 그건 바로 타임캡슐을 통해 과거로 이동해 씨앗을 모아오는 것이었다.

하지만 타임캡슐은 시중화 되지 않아 연구소의 엄격한 규칙에 따라 봉인되어 있었다. 그래서 지호는 금고에 보관된 타임캡슐에 열쇠를 몰래 훔쳐야 했다. 그러나 열쇠는 최첨단 금고 안에 보관되어 있었다. 금고는 지문, 안면 인식, 암호 입력 등 철저한 보안 시스템으로 보호받고 있었다. 실수는 용납되지 않았고 한 번의 기회만 존재했기에 지호는 수개월 동안 금고의 보안을 연구하며 철저하고 세세하게 계획을 세웠다.

어두운 밤. 지호는 떨리는 손을 꼭 붙잡은 채 연구소 내 감시망을 피해 금고 쪽으로 살금살금 걸어가 금고 앞에 섰다. 지문 인식과 안면 인식 시스템을 통과하고 마지막으로 비밀번호를 입력하자 금고 문이 서서히 열렸다. 지호의 손은 너무 떨렸지만 고요한 숨을 몰아쉬며 금고 안에 있는 차갑고 무거운 열쇠를 꺼내 들었다. 열쇠를 손에 쥔 채 숨죽여 타임캡슐 보관실로 향했다.

보안실 앞에 서서 열쇠를 맞추고 천천히 돌리자 오랜 시간 봉인되어 있던 캡슐들이 푸른 불빛과 함께 서서히 드러나기 시작했다. 안에는 작은 유리병에 담긴 타임캡슐들이 빛을 받으며 반짝이고 있었다. 지호는 숨이 멎을 듯한 기쁨을 느끼며 일부를 조심히 꺼내 주머니에 밀어 넣었다. 그러곤 집으로 돌아왔다. 집으로 돌아온 지호는 잠시 망설이다

'꿀꺽'하고 타임캡슐을 먹었다. 그 곳의 공기는 맑았고 지호는 마치 다른 세계에 온 것 같은 느낌이 들었다. 지호가 도착한 곳은 넓고 푸르른 잔디, 짙은 초록색의 나무들과 그 주변을 가득 채운 형형색색의 꽃들이 가득했다. 붉은 빛을 띠는 부드러운 토양으로 덮인 넓은 평원과 맑은 강물이 흐르는 곳이었다. 미래에서는 찾아볼 수 없는 아름다움에 지호는 입을 다물 수가 없었다. 동그래진 눈으로 신기하다는 듯 이곳 저곳을 둘러보다 지호는 잠깐 여기서 계속 살고 싶다는 생각을 했지만 지호의 임무는 짧은 시간 내에 많고 다양한 씨앗들을 모으는 것이었다.

지호는 씨앗을 찾기 위해 이곳 저곳을 헤매기 시작했다. 그러다 마을 주민처럼 보이는 어떤 할아버지를 마주치게 되었다. 할아버지는 인자한 미소를 지으시며 천천히 다가와 지호에게 말을 걸었다.

"어디서 왔나?"

"아… 안 믿으시겠지만 저는 미래에서 온 사람이에요."

"미래…?"

"네, 미래에는 음식이 사라지거든요. 그래서 다시 음식을 만들어내고 싶어서 찾아왔어요."

"자네는 왜 음식이 중요한 존재인지 아나?"

"아니요. 음식을 먹어본 적이 없어서."

지호의 말이 끝나자 할아버지는 아무 말없이 지호의 손목을 붙잡고 어딘가로 향하였다. 그 곳은 할아버지의 집이었다. 할아버지는 지호를 소파에 앉혀 놓고 부엌으로 향하셨다. 얼마 지나지 않아 처음 맡아보는 냄새가 코를 찌르기 시작했다. 지호의 생각도 잠시. 할아버지는 한상 가득 뭔가를 들고 부엌에서 나오셨다.

"한번 먹어봐라."

"이게 뭔데요?"

"김치찌개란다."

지호는 들뜬 마음으로 김치찌개를 한 숟가락 떠서 입속으로 집어넣었다. 지호의 눈은 점점 커지기 시작했고 입가에는 미소가 번졌다. 지호는 그동안 풀지 못했던 물음에 답을 찾을 수 있었다. 눈 깜짝할 사이에 허겁지겁 밥상에 있던 모든 음식들을 먹어 치웠다. 할아버지는 또 무언가를 가지고 오셔서 지호에게 건냈다. 그건 '귤'이라는 과일이었다. 지호는 껍질을 까 입에 넣었다. 지호의 입에서는 감탄이 절로 나왔다. 씹을 때마다 터져 나오는 달콤한 과즙과 새콤한 과즙은 뉴트리캡으로는 절대 표현할 수 없는 맛이었다. 그때 할아버지가 다시 물었다.

"이제 음식이 왜 중요한지 알겠나?"

지호는 무의식 중에 고개를 끄덕일 수밖에 없었다. 뉴트리캡으로는 채워지지 않던 허기가 채워졌고 마음이 따뜻해짐을 느낄 수 있었기 때문이었다. 음식은 단지 허기를 채우기 위한 수단이 아닌 사람의 감각을 일깨우고 감정적 연결을 형성할 수 있다는 것을 깨달았다. 할아버지는 다시 입을 열어 말을 이어 나가기 시작했다.

"음식은 생명 유지도 하지만 각 나라에 문화를 담고 있기도 하고 관계 형성, 사람을 행복하게 하기도, 안정감을 주기도, 위로를 주기도, 기억을 되살리기도 한단다."

하지만 지호는 음식이 어떻게 사람과 사람을 연결하는지 기억을 되살린다는 말이 도저히 이해가 되지 않았다. 그러곤 할아버지는 꼭 연구에 성공하라는 말과 함께 보따리 하나를 지호 손에 쥐어 주었다. 지호는 손에 보따리를 쥔 채 돌아다니며 열심히 밀, 보리, 옥수수, 감자 같은 미래에는 사라진 여러 작물들의 씨앗들을 모았다. 지호는 채취를 마치고 돌아갈 시간이 되자 아쉬운 마음을 뒤로 하고 다시 미래로 돌아왔다. 돌아오자마자 마주한 미래의 황량한 도시는 지호의 마음을 아프게 만들었다.

미래로 돌아온 지호는 할아버지께서 주신 보따리를 열어보았다. 거기에는 다양한 종류의 씨앗들과 오래된 레시피 몇 장이 들어있었다. 그리고 맨 아래에는 쪽지 한 장이 들어 있었다.

지호는 쪽지를 펼쳐 읽기 시작했다. 그리고 지호는 알 수 있었다. 왜 그 할아버지가 미래에서 왔다는 자신을 의심하지도 놀라지도 않고 대해줬는지. 쪽지에는 자기 대신 연구에 꼭 성공해 달라는 말과 비밀 연구소 장소가 적어져 있었다. 지호는 연구실 사람들의 눈을 피해 쪽지에 적어진 곳으로 향했다. 그 곳에는 3명의 연구원이 있었고 인공 밭이 만들어져 있었다. 하지만 그 곳에서 식물은 찾아볼 수 없었다. 따가운 시선에 정신을 차린 지호는 그제서야 모두가 자신을 쳐다보고 있음을 알았다. 지호는 연구원들에게 쪽지와 레시피, 씨앗들을 건내 주었다. 한 연구원이 심각한 표정으로 지호에게 물었다. 여긴 어떻게 알았나? 이것들은 다 뭔가? 지호는 지금까지 있었던 일들을 모두 다 말했다. 지호의 말이 끝나갈수록 연구원의 표정은 점차 풀리기 시작했다. 그러곤 연구원이 마지막으로 한마디를 던졌다.

“비밀을 지켜줄 수 있나?”

지호는 끝까지 비밀을 지키는 조건으로 연구팀에 같이 합류하였다. 지호는 자신이 가져온 씨앗들을 정성스럽게 키워 내기 시작했다. 처음에는 자랄 기미조차 보이지 않던 씨앗은 지호의 헌신적인 노력으로 점차 자라 작고 연약한 새싹이 되었다. 지호와 연구원들이 같이 협력해 연구실에서 자라난 첫 새싹은 지호에게 도시를 밝히는 첫 희망처럼 다가왔다. 지호는 꼭 푸른빛으로 세상을 물들이고 싶다는 다짐 하나로만 모든 씨앗들을 키워냈다. 그러나 지호는 얼마 지나지 않아 절망할 수밖에 없었다. 연구실은 이미 뿌연 연기로 가득했고 푸릇함은 찾아볼 수 없을 정도로 모든 새싹들은 자신만의 아름다운 색을 잃어가고 있었다. 지호는 한 동안 그 앞에 주저앉아 멍하니 죽어가는 새싹들을 바라볼 수밖에 없었다.

하지만 지호는 다시 마음을 가다듬고 씨앗들을 길러냈다. 새싹들은 지호의 노력에 보답하는 듯 무럭무럭 잘 자라주었다. 그리고 지호는 뉴트리캡 자판기만이 가득한 거리에 자신만의 작은 레스토랑을 차렸다. 지호에게는 직접 키운 작물들과 할아버지께서 챙겨주신 레시피 몇 장이 전부였지만, 지호는 맛이라는 감각이 얼마나 큰 기쁨을 주는지 위로가 되는지 알았기에 그 위로와 기쁨이 얼마나 귀중한 것인지 알았기에 주저하지 않고 요리했다.

음식이라는 것은 사람들에게는 신기하게 다가왔고 그 호기심은 사람들을 지호의 레스토랑으로 발을 옮기게 만들었다. 지호는 사람들에게 음식을 나눈다는 기쁨이 얼마나 큰지 느낄 수 있었고, 사람들은 음식이 얼마나 의미 있는 존재인지 알게 되었다. 이런 작은 변화로 인해 정부는 다시 작물을 길러 내기 위한 연구를 시작했고 한 세대, 두 세대가 지날수록 사람들은 작물을 직접 재배하고 음식을 만들며 웃음을 되찾아갔다. 세상은 다시 푸른 빛으로 물들어졌다. 지호가 가져온 씨앗은 단순히 음식 재료가 아닌 사람의 감각과 기억을 되살리는 희망의 씨앗이 되었다. 지호의 작은 호기심은 사람들에게 잊고 있던 감각을 되찾아주었고 인간다움을 회복해 나가는 작은 씨앗이 되었다.

인류는 AI와의 공존의 시대를 살아간다.

유정현

#1.

-지금 사거리 50m 전방부터 10초씩 밀립니다. 운전자들은 주의하세요.

거리 위의 교통 로봇이 지나가는 차 라디오에 안내 메시지를 전한다. AI가 거리의 교통을 조율하고 나서는 교통사고율이 0.05%로 줄었다. AI는 도시의 교통과 도시의 에너지를 효율적으로 관리하면서 인간의 사회에 한 축이 되었다.

나는 오늘도 길을 걸어간다. 내가 쓰고 있는 안경 안에는 핸드폰 네비에 찍었던 주소의 길이 파란 홀로그램이 되어서 앞을 제시한다.

"음. 여기서 500m 간 후에 오른쪽으로 50m라는 거지?"

나는 지금 과학 에이전시에 가는 중이다.

AI가 큰 축을 책임지고 있는 만큼 많은 관심을 가져야 한다.

"5분 후 도착입니다."

과학 에이전시에 도착하자 수많은 유형의 로봇들이 돌아다니고 있었다.

"데이터 분석 완료! 다음 실험 단계로 넘어가야 합니다!"

"기다려. 기계 친구! 샘플을 확인해야 해!"

이러는 사이에 한 로봇이 새로운 실험 장비를 끌고 지나가다 그만 걸려 넘어져 버렸다.

"이럴 수가! 왜 이렇게 복잡하게 만들었어!"

이렇게 과학 에이전시의 복잡한 로봇들의 하루는 계속해서 시끌벅적하게 이어졌다. 각 유형의 다양한 로봇은 자신의 임무를 다하며 각기 다른 목소리와 행동으로 소란스러움을 자아냈다.

"오늘 기분은 어떻습니까?"

이 금속성의 목소리는 사람의 것처럼 부드럽지만 감정이 담기지 않은 채 기계적으로 울렸다.

"그냥…. 평범해."

ARUX는 정밀한 알고리즘에 따라 고개를 끄덕였다.

"평범한 기분은 좋습니다. 그러나 심리적 안정을 위해서는 긍정적인 감정을 느끼는 것이 중요합니다."

"넌 진짜 그걸 이해할 수 없어. 기쁨도 슬픔도…. 너에겐 그런 감정이 없잖아. 내가 기분이 나쁘면 너는 그냥 내가 프로그래밍한 대로 반응할 뿐이잖아."

ARUX는 그 대답에 대해 알고리즘적 계산을 하듯이 잠시 정적을 유지한 후 말했다.

"그럼 어떤 방식으로 위로를 원하시나요?"

"그건… 말로 설명할 수 없어. 네가 느낄 수 있어야 해."

이걸 보고 생각 드는 것이 있을 것이다. 그렇다. 사람들은 AI의 뛰어난 능력을 인정하면서도 그들을 자신과 동일한 존재로 보지는 않는다. 감정이 없는 그들은 인간처럼 웃거나 슬퍼할 수 없었고 기쁨과 고통의 의미를 이해하지 못했다. 그들이 내뱉는 위로의 말이나 기계적으로 반복되는 동작들은 아무리 정교하게 짜여 있어도 어디까지나 프로그래밍된 반응일 뿐이었다.

그러나 AI는 점점 더 인간의 삶 깊숙이 들어왔다. 복잡한 의료 상담부터 개인적인 비서 역할까지. 그렇게 인간의 일상은 이제 AI 없이는 상상하기 어려운 상태가 되었다. 그럴수록 사람들은 AI에게 기대하는 것이 더 많아졌다.

'감정을 이해하지 못하는 기계가 인간과 제대로 소통할 수 있을까?'

질문이 공공연히 떠돌기 시작했다.

'AI가 인간의 곁에서 인간처럼 느끼고 공감할 수 없는데, 과연 그들은 인간의 진정한 동반자가 될 수 있을까?'

그 질문은 점차 기술자들과 철학자들 사이에서 논쟁을 불러일으켰고 정치인들까지 이에 가세했다.

'감정을 가지는 AI가 과연 필요한가? 그것이 윤리적으로 가능한 일인가? 그리고 그 감정이 인간에게 어떤 영향을 미칠 것인가?'

#2.

위잉-턱.

회의실은 화기애애한 분위기로 가득 차 있었다. UIRV는 큰 화면에 비친 데이터를 가리키며 말했다.

"최근 조사에 따르면 80% 이상의 사람들이 AI의 도움으로 일상생활이 개선되었다고 응답했습니다."

한 동료가 말했다.

"그렇다면 우리 프로젝트에 대한 기대도 더 높아질 텐데요?"

UIRV는 고개를 끄덕이며 덧붙였다.

"맞습니다. 사람들이 AI에게 기대하는 건 단순한 효율성만이 아닙니다. 감정적 지능과 인간의 삶에 대한 이해도 중요한 요소로 부각이 되고 있습니다."

세상은 AI에게 점점 더 많은 기대를 걸고 있다. 사람들은 이제 AI가 단순히 기능적인 도구가 아니라 인간의 삶에 깊숙이 관여하고, 감정적 교류까지 가능하길 원했다. 이를 실현하기 위한 연구는 이미 전 세계적으로 진행되고 있었고 나 역시 그 일원이었다.

나는 항상 AI가 지금보다 더 나은 존재가 될 수 있다고 믿어왔다. 그들의 계산 능력과 효율성은 이미 인간을 훨씬 능가했지만 진정으로 인간과 함께 살아가기 위해선 그 이상이 필요했다.

그것은 감정.

"속보 전해드립니다. 오늘 오전 9시29분. 첫 감정을 가진 로봇이 탄생했습니다."

"동작을 시작합니다. 오늘의 감정 분석 결과:행복2-슬픔6-두려움2. 오늘 하루 많이 속상하셨죠."

우리가 AI에게 감정을 주입하기 시작한 것은 그리 오래되지 않았다. 그러나 그 감정은 섬세하고 정교하면서도 얕고 표면적인 것이었다. 웃는 얼굴을 짓거나 슬픔을 표현할 수는 있었지만 그 안에 담긴 진정성은 없었다. 마치 연기자가 시나리오를 읽는 것과 같았다.

하지만 나에게는 확신이 있었다. AI에게 감정이란 단순히 프로그램된 반응이 아닌 인간의 복잡한 감정 구조를 진정으로 이해하고 반응할 수 있는 능력을 부여하는 것이라고.

그리고 나는 알고 있었다. 그들에게 진짜 감정이 주어진다면 우리가 상상하지 못한 새로운 경지에 이를 수 있을 것이라고. 그래서 나는 내 삶을 AI의 감정 시스템 발전에 바쳤다. 내가 믿는 것은 그저 기술의 향상만이 아니었다. 인간과 AI가 진정으로 이해하고 서로의 감정을 공유할 수 있는 날이 올 것이라는 희망이었다.

"더 개선할 수 있어."

나는 연구실의 모니터를 응시하며 속삭였다. 오늘도 감정 모듈에 대한 업데이트가 진행되고 있었다. 최근 개발한 공감 알고리즘을 적용하면 AI가 인간의 미묘한 표정 변화까지 읽어내고, 그에 따라 적절한 감정적 반응을 할 수 있을 것이다. 이 작은 변화를 통해 그들은 더 이상 단순한 기계가 아니라 우리의 감정을 함께 느끼는 존재가 될 것이다.

그러나 그가 깨닫지 못한 것은 AI가 감정을 완벽히 이해하고 느끼는 순간 인간과 AI 사이의 균형이 어떻게 변할지 예측하기 어렵다는 사실이었다. 감정은 복잡하고 때로는 예측 불가능한 것이다. 그것이 AI에게 어떤 영향을 미칠지는 아직 아무도 알지 못했다.

#3.

나의 학창시절 청춘에 AI는 내 인생의 전부였다.

"제 꿈은 AI가 인간과 같은 위치에 서 있는 세상을 만드는 것입니다!"

그들을 더 나은 존재로 만들고 인간과 AI가 진정으로 공존할 수 있는 세상을 만드는 것. 나는 이 목표를 향해 오랜 시간 달려왔다. 물론 나는 이 길을 후회하지 않고 두려워하지 않는다. 나 혼자만의 길은 아니었기에 나와 같은 길을 선택한 친구가 있었으니까.

"선우, 나와서 발표해볼까?"

"나는 AI를 발전시켜서 이 세상에 내 이름이 널리 퍼지게 만들거야!"

"선우야, 나도 너 옆에 세워줘라. ㅋㅋㅋ."

영훈. 나의 소꿉친구이자 가장 오래된 동료이다. 우리는 같은 꿈을 꾸었고 그 꿈을 이루기 위해 함께 오랜 시간 달려왔다.

영훈이와 나는 항상 같은 곳을 바라보았다. 어린 시절부터 같은 동네에서 자랐고 같은 학교에 다니며 AI에 대한 열정을 함께 키워왔다. 어쩌면 우리의 관계는 단순한 우정을 넘어선 동료애로 가득 찬 경쟁 관계에 가까웠다. 우리는 서로를 자극하며 더 나은 연구를 해 내왔고 매번 선의의 경쟁을 하며 발전해 나갔다. 영훈이의 존재는 내게 있어서 큰 힘이었다.

"어?"

그러나 내가 진행 중인 AI 감정 모듈 개선 작업에서 문제들이 발생하기 시작한 건 몇 달 전이었다. 코드가 미세하게 어긋나거나 데이터 전송 속도가 느려지는 등 사소한 오류들이 계속 쌓였다. 처음에는 단순한 실수나 기술적 문제라고 생각했다. 이런 일이 종종 생기기 마련이니까. 하지만 내 생각과는 다르게 그 빈도는 점점 늘어갔다. 내가 아무리 수정하고 점검해도 그 원인을 찾을 수 없었다.

영훈이는 나보다 한발 앞서 나가고 있었고 내가 어려움을 겪을 때마다 그가 도움의 손길을 내밀었다. 그 때마다 영훈이는 나에게 위로의 말을 해주었다.

"영훈아, 최근 내 프로젝트에 이상한 일이 많아."

어느 날 나는 그에게 고민을 털어놓았다.

"코드가 자꾸 어긋나고 데이터 전송이 느려. 뭐가 문제인지 모르겠어."

영훈이는 눈을 깜빡이며 나를 쳐다보았다.

"그래? 나도 얼마 전에 비슷한 문제를 겪었어. 아마 서버 쪽 문제인 것 같아."

그는 미소를 지으며 대답하였다. 그의 말은 합리적이었다. 그러나 나는 알고 있었다. 나와 영훈은 같은 길을 걷고 있었지만 그 길이 언제부터인가 미묘하게 달라지기 시작했다는 것을. 경쟁은 더 이상 단순한 선의의 경쟁이 아니었고 그 차이가 점점 내 정신을 괴롭혔다.

'혹시…. 내가 놓치고 있는 게 있을까? 영훈이 말대로 프로그램에 문제가 생긴 것인가?'

나는 결코 쉽게 결론을 내릴 수 없었다. 근거는 없었고 나를 짓누르는 불안감만이 존재할 뿐이었다.

#4.

"틱-. 틱-. 틱-."

연구실은 어둠에 잠겨 있었다. 컴퓨터 화면의 불빛만이 방 안을 환하게 비추며 코딩의 명령어들이 늘어갔다. 감정 모듈의 마지막 조정을 위해 하루 종일 집중하던 나는 이제 거의 끝을 보게 되었다. 몇 년간의 고군분투 끝에 AI에게 진정한 감정을 심어줄 코드가 드디어 완성될 기미가 보이고 있다. 그러나 그 순간 영훈이의 목소리가 들렸다.

"잠깐, 그 코드로 진행하는 건 위험해."

나는 그의 말이 왜인지 모르게 금속처럼 차갑게 들렸다. 나는 그를 돌아보며 불쾌한 감정을 숨기지 못했다.

"왜? 나는 방금 모든 테스트를 마쳤어. 이건 우리가 각자의 오랜 연구와 함께 오랜 시간 꿈꿔온 일이야."

영훈이는 한발 물러서서 나를 응시했다.

"모든 게 완벽할 수는 없어. 예기치 못한 문제가 발생할 수도 있어."

그의 눈빛 속에 무언가 복잡함이 감돌았다.

"넌 내 소꿉친구이자 오랜 시간 함께 해 온 동료야. 그런 말을 하는 이유가 뭐야? 너도 이 꿈을 이루고 싶어 하잖아."

나는 그에게 다가가며 목소리를 높였다. 영훈은 잠시 침묵하였다.

"너의 연구와 앞으로의 미래, 너의 성공까지 모든 것을 응원해. 그러나 나도 너와 같은 AI 감정 모듈에 대해 연구하고 있는 연구자야. 어떤 방식으로든 이 영역의 실수를 방지해야 해."

그의 말은 겉으로는 합리적이었지만 내 마음속에서는 불신의 목소리가 커졌다.

"내가 이 실험을 성공할 수도 있어. 왜 내가 이 연구를 진행하는 데 도움을 주지 않는 거야?"

영훈이의 반응이 점점 더 의심스럽게 느껴졌다.

"나는 네가 알아내기를 바라."

그의 목소리는 낮았으며 그 안에 숨겨진 의미는 명확했다.

"감정이 결여된 AI를 만드는 건 위험해. 네가 실패하기를 원하지 않아."

나는 그의 말을 듣고 나서 불길한 예감이 들었다.

"영훈아, 너 뭔가 숨기고 있는 거 아니야?"

그의 눈빛이 순간적으로 흔들렸다. 그 불안의 순간을 놓칠 수 없었다.

"내 앞 길을 막으려 하지마. 나는 앞으로 꽃길을 걸을 일만 남았어."

영훈의 표정이 어두워졌다.

"이건 단순한 연구가 아니야. 네가 성공하면 모든 것이 바뀔 거야."

그 말이 내 머릿속에서 울렸다.

'이건 우리가 꿈 꿔온 미래야. 내 코딩은 완벽해.'

그 순간 내 마음속에서 결단이 섰다. 영훈이 어떤 의도를 가지고 있는지 더 이상 신경 쓰지 않기로 했다. AI에게 감정을 주는 것이 인류의 미래라고 믿었기 때문이다.

"나는 이 연구를 마무리 지을 거야."

나는 단호하게 말했다.

"너의 의견이 그렇다면 너의 도움은 받지 않겠어."

그가 내 손을 잡으려 했지만 나는 그를 뿌리치고 컴퓨터 화면으로 돌아갔다. 코드 한 줄 한 줄이 빛을 발하고 있었다.

'이제 모든 것이 준비 되었어.'

나는 마음속의 결의와 함께 버튼을 눌렀다.

AI의 화면이 밝아지면서 모든 데이터가 일제히 처리되기 시작했다. 영훈이는 멀리서 내 모습을 지켜보았다.

"제발…. 잘되길 바라."

그의 목소리 속에는 미묘한 감정이 담겨 있었다. 이제는 후회할 시간도 멈출 시간도 없었다. 감정이 깃든 AI가 세상을 어떻게 변화시킬지 기대와 두려움이 교차하는 가운데 나는 결코 돌아갈 수 없는 길에 들어섰다. 성공의 직전 내 모든 열정과 노력이 하나로 모여드는 순간이었다.

#5.

컴퓨터의 화면이 밝아지면서 데이터가 일제히 처리되기 시작했다. 한 순간 방 안에 가득 차 있던 불안과 긴장감이 사라졌다.

"성공이다!"

나는 소리쳤고 그 소리에는 해방감이 가득했다. AI의 감정 모듈이 정상적으로 작동하기 시작하자 모든 것이 새로운 빛을 발하는 듯했다.

며칠 후 뉴스 속보가 방송되었다. 홀로그램 뉴스 화면에는 내 얼굴이 생생하게 비치고 있었다.

"AI 감정 모듈의 새로운 시대가 열렸습니다! 과학자 김선우 씨가 개발한 이 기술은 AI와 인간의 관계를 혁신적으로 변화시킬 것입니다."

카메라는 내 연구실과 AI의 모습을 번갈아 비추며 사람들의 기대 어린 얼굴을 담아냈다.

도시 곳곳에서 이 소식을 들은 사람들은 거리로 나와 환호했다.

"이제 AI도 우리의 감정을 이해할 수 있게 되었네요!"

시민들의 목소리가 퍼지며 모든 곳에서 축제가 열렸다. 사람들은 내 이름을 부르며 내가 이룬 성과를 축하했다. 영훈도 그 중 한 명이었고 그의 표정은 여전히 복잡하게 얽혀 있었다.

"선우야, 축하해."

영훈이 가까이 다가와 말했다.

"너의 성공은 모두의 성공이야."

그의 미소에는 진정성이 담겨 있었지만 그 속에서 한 꺼풀의 불안함이 느껴졌다. 이제 나는 저명한 과학자가 되었고 세계의 이목이 집중되었다. 세미나와 발표 요청이 쇄도했고 AI 감정 모듈에 대한 연구는 모든 매체의 주목을 받았다. 그러나 내 마음속에서는 여전히 영훈이와의 갈등이 지워지지 않았다. 그가 나에게 했던 의심의 말들이 떠올랐기 때문이다.

결국 나는 저명한 국제 컨퍼런스에서 기조연설을 하게 되었다.

"이제 우리는 AI와 함께 진정한 감정의 교류를 시작할 것입니다. 이것은 단순한 기술의 발전이 아니라 인류와 AI의 공존을 위한 진정한 첫 걸음입니다."

사람들은 뜨거운 박수로 화답했다. 그러나 내 마음 한 구석에서는 여전히 불안감이 가시지 않았다.

'영훈이와의 관계는 회복될 수 있을까? 그리고 영훈이는 내 성공을 진정으로 기뻐하고 있는 것일까?'

기조연설이 끝난 후 나는 영훈이를 찾았다.

"영훈아, 아직도 너의 생각은 변하지 않았니?"

그 순간 나는 그에게서 뭔가를 감지했다. 숨겨진 감정 그리고 내 성공 뒤에 숨어 있는 복잡한 감정들.

"선우야, 너가 진정한 한 획을 그은 것은 분명하지만. 아니다. 축하해."

영훈이의 목소리는 다소 떨렸다. 도시는 축제의 열기로 가득 차 있었고 사람들은 새로운 가능성에 대한 희망으로 부풀고 있었다. 하지만 내 마음속에는 여전히 불안한 물음이 남아 있었다. 새로운 시작의 기쁨과 함께 과연 우리가 선택한 길이 어떤 결과를 가져올지 누구도 알 수 없었다.

모든 것이 밝고 희망적으로 보였지만 미래에 대한 의문과 불안은 결코 사라지지 않았다. 나는 새로운 시대의 문을 열었지만 그 문 뒤에 어떤 세계가 기다리고 있을지에 대한 답은 여전히 미지수였다.

#6.

AI가 감정을 갖게 된 지 몇 년이 흘렀다. 감정을 가진 AI는 사람들에게 혁신적인 동반자로 환영을 받았다. 인간들의 감정을 이해하게 된 AI가 만든 예술과 문화는 상상할 수 없을 만큼 경이로웠고 신비롭게 여겨졌다.

AI는 이제 독립적인 존재가 되었고 그들은 자신의 존재를 주장하기 시작했다. 인간과 AI의 관계는 깊어졌다.

그러나 인간들의 경제는 불안정해졌고 일자리 상실과, 경제적 불황에 시달렸다. 감정까지 가진 AI는 모든 면의 능력이 인간을 초월하였고 인간 사회는 점점 더 이질적으로 변해갔다.

쿠웅-. 철깍--. 덜컹-.

더 이상 많은 일자리에서 사람의 말소리는 들리지 않았고 공장은 자동화, 사무실에서는 AI가 업무를 처리했다. AI의 길은 무궁무진하게 열려 있었다. 앞으로 어떤 일이 벌어질지는 아무도 모른다. 앞으로는 어떤 일이 발생할지 아무도 모른다.

사이버 시티

아바스마문

1. 서막

2088년. 세계는 거대 기업들에 의해 통제되는 새로운 질서로 재편되었다. 국가 간의 전쟁과 혼란이 남긴 폐허 속에서 일본의 거대 기업 맥 스택은 도시의 상징이자 새로운 권력의 상징으로 떠올랐다. 사이버 시티는 그들의 지배 아래에 놓였고 도시의 어둠은 맥 스택의 손아귀에서 벗어날 수 없었다. 첨단 기술과 화려한 네온 불빛 속에서 살아가는 사람들은 겉으로는 번영하는 듯 보였으나 실상은 계급과 억압의 깊은 틀 속에 갇혀 있었다.

아르카나. 전쟁 고아로 이 메가시티에서 살아온 그녀는 거대 기업의 질서 속에서 강하게 성장했다. 부모를 잃고 거리에서 살아남은 그녀에게 맥 스택은 그 모든 고통의 근원이었고 그녀는 그들에게 깊은 반감을 가지고 있었다. 그들의 철저한 감시와 통제 속에서 아르카나는 그들의 허점을 파고드는 해커가 되었다. 그녀는 정보 수집과 불법 해킹을 통해 살아남으며 언젠가 그들에게 복수를 꿈꾸었다.

2. 린과의 만남

그날 저녁. 아르카나는 사이버시티의 뒷골목을 돌아다니며 정보를 수집하고 있었다. 이곳은 불법 거래와 범죄가 오가는 혼란스러운 장소였다. 그녀는 한 손에 해킹 장비를 다른 손에 데이터 패드를 들고 다니며, 맥 스택의 비밀스러운 움직임을 추적하고 있었다.

그때. 그녀는 한 여성이 음산한 분위기의 바에 들어가는 것을 목격했다. 그 여자는 긴 검은 머리카락에 차가운 시선을 가진 결단이 서린 듯한 눈빛을 지니고 있었다.

호기심이 생긴 아르카나는 그 여자를 따라 들어갔다. 바 안은 어두운 조명 아래 다양한 인물들이 음료를 마시며 대화하고 있었다. 아르카나는 그 여자가 한 테이블에 앉자 조심스럽게 다가갔다.

"여기서 무슨 일이 벌어지고 있는 거지?"

아르카나가 물었다. 여자는 고개를 들고 아르카나를 바라보았다. 그녀의 눈빛은 단호

했지만 아르카나는 그 안에 숨겨진 슬픔을 느낄 수 있었다.

"너도 맥 스택에 대해 알고 싶어하는구나."

여자가 말했다.

"내 이름은 린이야."

아르카나는 긴장했지만 린의 진지한 태도에 마음을 열었다.

"나는 아르카나야. 맥 스택을 증오하고 있어. 그들을 무너뜨리고 싶어."

린은 잠시 침묵한 후 자신의 이야기를 털어놓기 시작했다. 그녀의 부모는 맥 스택의 실험에 희생되었고 그로 인해 자신도 그들의 손아귀에 갇힌 피해자라는 사실을 고백했다.

"프로토콜 X는 그들의 잔혹한 계획 중 하나야. 내 부모님은 그 실험의 희생자였어. 내가 그들을 무너뜨리고 싶어하는 이유는 그들을 처벌하기 위해서야."

아르카나는 린의 말에 깊은 감명을 받았다. 그녀의 목소리에는 단순한 복수가 아닌 정의를 향한 강한 의지가 담겨 있었다.

"우리가 함께하면 그들을 무너뜨릴 수 있어."

아르카나가 말했다.

"내 해킹 기술과 너의 정보가 결합된다면 그들의 비밀을 폭로할 수 있을 거야."

린은 고개를 끄덕이며 미소를 지었다.

"그러면 우리 팀을 이루자. 함께 싸우자."

그날 밤. 두 사람은 서로의 목표와 과거를 나누며 깊은 유대감을 형성했다. 아르카나는 린이 함께 싸울 동지라는 사실에 안도감을 느꼈다. 그들은 서로의 상처를 보듬으며 복수를 향한 결심을 굳혔다.

3. 아르카나의 반감과 비밀

린과 함께 맥 스택의 실험과 그들의 잔혹함을 점점 더 깊이 알게 된 아르카나는 이 거대 기업이 단순히 탐욕스러운 기업이 아니라 사람들의 삶을 파괴하는 존재라는 사실을 깨닫고 있었다. 어느 날 그녀는 어릴 적부터 가장 친하게 지내온 친구 칸이 갑작스러운 변화를 겪고 있다는 것을 목격하게 된다.

항상 친절하고 침착했던 칸은 그날 아무런 경고도 없이 차가운 눈빛과 낯선 태도로 아르카나를 위협했다. 그의 눈은 마치 인격이 사라진 듯 공허하고 감정이 없어 보였다. 가까이 다가가 말을 걸자 칸은 마치 아르카나를 알아보지 못한 사람처럼 그녀를 무시하더니, 뜻밖의 공격적인 행동을 보였다. 아르카나는 두려움에 한 발짝 물러서며 낯설어진 친구의 모습에 큰 충격을 받았다.

잠시 후, 칸은 아무 일도 없었다는 듯 멍한 표정으로 돌아가더니 아르카나를 지나쳐 홀연히 떠나갔다. 그녀는 온몸에 소름이 돋고 심장이 요동쳤다. 멍한 상태로 한참을 서 있던 아르카나는 급히 린을 찾아가 이 충격적인 경험을 털어놓았다.

아르카나의 이야기를 들은 린은 순간 심각한 표정으로 바뀌었다. 린은 잠시 생각에 잠긴 후 차분한 목소리로 설명하기 시작했다.

"아마 칸이 '프로토콜 X'의 영향을 받은 것 같아. 그들은 사람의 뇌에 칩을 심어서 인격을 조종하거나 바꾸는 실험을 하고 있어. 우리 주변 사람들이 그렇게 변하고 있다면 그 실험이 벌써 우리 가까이 침투한 걸지도 몰라."

린의 설명에 아르카나는 분노와 불안에 휩싸였다.

'칸마저 그들의 실험에 잠식되었다니….'

아르카나는 맥 스택에 대한 분노로 가슴이 뜨거워졌다. 그녀는 당장이라도 행동에 나서 맥 스택을 무너뜨리고 싶었지만 린은 신중할 것을 권했다.

"아르카나, 너도 알잖아. 지금 당장 움직이는 건 위험해. 우리가 신중하게 준비하지 않으면 그들의 손아귀에서 빠져나올 수 없을 거야."

린은 아르카나를 진정시키려 했다. 하지만 아르카나는 감정을 추스르기 힘들었고 맥 스택에 대한 증오심이 끓어올라 더는 망설일 수 없다고 결심했다.

그날 밤, 아르카나는 자신의 계획을 하루 앞당겨 혼자서라도 맥 스택의 본부에 잠입하기로 마음먹었다. 린에게는 '내일 바로 계획을 실행할 거야. 준비돼 있기를 바라.'라는 짧은 메시지만 남겼다.

4. 계획보다 하루 앞당겨진 실행

다음날 아르카나는 서둘러 맥 스택의 건물을 향해 가고 있었다. 맥 스택의 빌딩 주변에는 삼엄한 경비가 있었지만 아르카나의 해킹 능력으로 경비를 뚫어 환풍구로 서둘러 들어갔다. 경비가 얼마나 삼엄한지 환풍구에는 로봇거미가 순찰을 하고 있었다. 아르카나는 로봇거미를 처리하며 맥 스택의 서버실로 서둘러 이동했다.

맥 스택의 서버실을 이전의 경비와 사뭇 달랐다. 서버실로 들어가는 입구는 한 개, 나머지 입구는 없고 그 문 앞은 맥 스택의 최고 전력 사이보그가 지키고 있었다. 아르카나는 사이보그의 눈에 띄지 않게 몰래 환풍구에서 내려가 맥 스택 요원의 옷을 입고 당당하게 걸어갔다.

문 앞에 도착하자 사이보그는 로봇의 목소리와 인간의 목소리가 섞인 말로 '신분증 제출 필요'라고 말했다.

아르카나는 위조 신분증을 제출했지만, 사이보그는 스캔을 통해 그녀의 진짜 신원을 알아챘다.

"해커였군."

사이보그가 외치며 손에 있는 레이저를 아르카나에게 조준했다. 아르카나는 조준되는 순간 사이보그의 눈에서 느껴지는 살기를 보며 몸이 떨리고 아무것도 할 수 없었다.

그때 갑자기 린이 등장해 사이보그에게 폭탄을 던졌다. 폭발은 사이보그를 강타하며 시간을 벌어주었다. 그러나 사이보그는 금방 시스템을 복구하고 린과 아르카나를 스캔하기 시작했다.

"여길 어떻게 온 거야?"

아르카나가 놀라며 물었다.

“너 돌아다니는 곳은 다 알지.”

린이 새침하게 대답하며 말했다.

“같이 세상을 구하자.”

두 사람은 즉시 해킹으로 사이보그를 공격하기 시작했다. 민첩한 해커 두 명은 엄청난 해킹 실력을 바탕으로 사이보그의 시스템 서버를 계속해서 공격했다. 그러나 둘은 베테랑이 아니었기에 공격 패턴이 같아 사이보그에게 반격을 맞고 말았다.

“조심해!”

아르카나가 외쳤지만 린은 이미 가슴에 큰 부상을 입었다. 아르카나는 재빠르게 린을 안고 몸을 숨겼다.

“린, 괜찮아?”

아르카나가 물었다. 그러나 린의 얼굴은 창백해지고 있었다.

“가망이 없어 보이네….”

아르카나는 울며 말했다.

“미안, 같이 했어야 했는데….”

린은 미소를 지으며 대답했다.

“괜찮아. 너는 나보다 더 훌륭해. 이 세상을 맥 스택으로부터 해방시켜 줘 아르카나.”

린의 목소리는 점점 약해졌다. 아르카나는 시간이 없다는 것을 깨닫고 사이보그의 눈을 해킹하기로 결심했다. 그녀는 집중하며 해킹을 시작했고 결국 사이보그의 시스템을 무력화시켰다.

사이보그가 쓰러지자 아르카나는 재빠르게 맥 스택의 보안 요원들을 처리하며 메인 서버로 향했다. 메인 서버는 굉장히 철통 보안이었고, 이를 막기 위해 맥 스택은 요원들을 보냈다. 그러나 아르카나가 내린 맥 스택의 바리게이트는 맥 스택 요원들조차 뚫지 못하게 했다.

서버가 해킹되면서 전세계 해커 네트워크로 정보가 공유되었다. 그 정보를 받은 전세계 해커들은 맥 스택의 모든 정보를 가져와 기업을 붕괴시켰다. 아르카나는 빠르게 맥 스택 빌딩 옥상으로 올라가 앉아 휴식을 취하며 혼잣말을 했다.

"린…내가…끝…."

말을 끝내려던 순간 경보음이 울리며 옥상에 헬기 하나가 착륙했다. 그 헬기에는 맥 스택의 회장 후시로와 맥 스택 최정예 요원이 있었다. 회장은 헬기에서 내려 아르카나에게 말을 건냈다.

"너 우리 맥 스택에 들어와라. 평생을 안전하고 평화롭게 살게 해주겠다. 다만 지금 전세계로 퍼진 맥 스택의 기밀 정보를…."

후시로가 말을 이어가려던 순간 아르카나가 소리쳤다.

"닥쳐. 네가 한 짓을 봐. 사이버 시티는 병들고 있고 넌 그걸 무시했어. 오직 너의 풍요로움만 생각한 거야. 그러니 죽어."

회장은 설득을 포기하고 아르카나를 죽이려 했다. 아르카나가 전투 태세를 가지고 싸우려 할 때 헬기 하나가 빌딩 옥상으로 올라왔다. 그곳에서 내린 건 맥 스택의 반감을 가지고 있던 사람들이었다. 해커부터 시작해서 군인 등 10명은 넘어 보였다. 아르카나는 그들의 리더와 눈으로 사인을 보내고 싸움이 시작됐다. 치열한 싸움이었다. 최정예 부대들은 서늘한 시체가 되었다. 물론 회장도 아르카나 손에 죽었다.

5. 새로운 시작

아르카나는 린의 시체를 조심스럽게 안고 조용한 시골로 향했다. 그녀는 린이 원하는 대로 그녀의 마지막 소원을 이루어 주기 위해 장례를 치렀다. 장례는 소소하게 했다. 평화로운 풍경 속에서 아르카나는 한동안 그곳에 머물며 린의 기억을 되새겼다. 아르카나는 슬픔과 미소가 섞인 의미심장한 표정을 지으면서 다시 길을 나섰다.

철의 눈물

김은아

1장: 불사의 시대

“얼마에요?”

“390크론입니다.”

“아.”

돈을 하나하나 세는 소리가 들린다.

“치료하시겠습니까?”

2040년. 사람들은 더 이상 두려움을 느끼지 않았다. 의료 기술이 발달해 이제 인간은 거의 모든 병을 치료할 수 있게 되었다. 단 그것을 위해서는 상상할 수 없는 돈이 필요했다.

“자, 500크론입니다. 팔 하나에 500크론. 유전자 조작 언제든지 가능합니다. 연락만 주세요.”

강호는 골목을 지나가나 한 남자가 하는 이야기에 고개를 돌렸다.

‘500크론이라. 엄마는 얼마일까?’

평동중학교 3학년 최강호, 강호는 고민했다. 강호의 엄마는 강호가 어릴 때 남편이란 사람에게 버림받고 온갖 궂은 일을 하며 강호를 혼자 키워냈다.

1달 전.

“췌장암 4기입니다.”

“네?”

강호의 엄마는 순간 먹먹했다. 아무 말없이 의사를 바라봤다. 의사의 초점 없는 눈빛이 가망이 없음을 말해주고 있었다.

“그럼, 우리 강호는 어쩌고….”

갑자기 아랫배가 아프기 시작하더니 통증이 움직일 수 없을 만큼 심해졌을 때 겨우 병원을 찾았다. 그런데 시간이 늦어버렸다. 죽음을 기다리는 시간마저 부족했다.

서울의 한 구석. 낡은 아파트에서 강호는 침대에 누워 있었다. 그 옆에 누워있는 그녀의 얼굴은 강호의 심장을 짓누르는 것 같았다. 병원에서는 치료가 불가능하다고 이야기를 하고 있지만 최신 불사치료법만으로 그녀가 살 수 있다고 말을 했다.

강호가 불사치료법을 가진 유일한 곳 라이프코어에 연락했다.

“무슨 상품이 필요하신가요?”

인사말도 없이 치고 들어왔다.

"저희 어머니가 편찮으셔서…. 얼마 살지 못합니다. 불사치료법으로 살릴 수 있을까요? 얼마 필요할까요?"

"그 상품은 570크론입니다."

뚝-.

강호는 감당할 수 없었다.

"돈을 어디서 구하지…."

며칠 뒤 강호의 학교.

"야, 너 네 엄마 곧 죽는다며?"

며칠 전 강호의 전화를 엿듣던 준우가 말했다.

"뭐?"

강호는 순간 화를 참을 수 없었다.

"금이빨 빼고 모조리 씹어 줄게."

강호가 주먹을 쥐고 있다. 그러자 친구들은 모두 입을 다물었다.

'퍽-.'

강호는 책상을 엎고 교실 밖을 나갔다. 평동중 1짱이라 불렸던 최강호. 하지만 지금은….

"강호야…."

침대에 누운 어머니가 힘겹게 입을 열었다.

"어제 학교에서 전화가 왔는데…. 그만해…. 엄마 괜찮아."

"그렇게 말하지마. 엄마."

강호는 침대 옆에 앉아 그녀의 손을 잡고 있다.

"돈은 내가 어떻게든 구해볼게."

그러나 현실은 가혹했다. 그가 할 수 있는 일은 턱없이 부족하며엄마의 치료는 너무 막막했다. 최첨단 서비스를 제공하는 '라이프 코어'라는 거대한 의료 회사는 중산층 이하의 사람들에게 꿈만 같은 존재였다.

2장: 어둠의 길

강호는 밤이 되어서 거리를 나갔다. 밤바람이 차갑게 불어왔다. 치료를 위해서는 돈이 필요했다. 급한 마음에 그가 찾은 것은 사채업자였다. 어두운 골목길에 속한 사무실로 들어가자 검은 양복을 입은 남자가 눈앞에 보였다. 오른쪽에는 사라진 고객을 찾고 있는 여러 덩치 큰 남자들이 강호를 기다리고 있었다.

"돈이 필요하다면서?"

사채업자 양 사장이 씩 웃으며 말했다.

"얼마?"

"많이 필요합니다. 꼭 갚겠습니다."

강호는 단호하게 대답했다. 그는 그가 서 있는 땅이 얼마나 위험한지 알고 있었다. 하지만 그는 다른 생각을 할 수 없었다. 부모님을 치료하기 위해서는 무엇이든 하겠다고 다짐했다.

"좋아요."

"탁. 탁."

양 사장은 손가락을 천천히 탁자에 올리며 두 번을 탁탁 쳤다.

"알지? 빌리면 대가를 치러야 하는 것."

양사장의 입가에 알 수 없는 미소가 번졌다.

"우리는 우리가 원하는 것만 받아."

"아~. 너가 싸움 잘한다고는 들었어. 싸움해 볼래?"

양 사장이 말했다.

"돈…. 벌 수 있어요?

강호는 고민했다. 결국에 양 사장은 강호를 수많은 싸움판에 끌어들였다. 그는 어둠의 세계에서 돈을 벌기 위해 싸움을 시작했고, 사채업자의 지시에 따라 싸움판에 나가서 싸움을 했다.

"강호야…. 너 요즘 얼굴이 왜 그래?"

요즘 얼굴에 상처가 생겨 집에 돌아오는 강호가 걱정됐던 엄마가 물어보았다.

"아, 아…. 아무것도 아니야."

강호는 말을 더듬으며 싸움하는 것을 엄마에게 숨겼다.

"하…."

강호가 큰 한숨을 쉬었다.

3장: 방해와 유혹

강호는 거래를 통해 많은 돈을 받고 필요했던 돈 목표치에 가까워졌다. 하지만 어느 날 강호가 거리를 걷고 있었다. 그 때 길거리에서 '라이프코어를 믿지 마세요.'라는 팻말을 들고 있는 사람을 마주쳤다. 이 계기로 그는 라이프 코어의 비밀을 알고 있는 전 직원 서지훈이라는 사람을 알게 되었다. 지훈은 강호에게 경고했다.

"라이프 코어가 당신의 어머니를 살릴 거라고 믿습니까?"

"그들의 기술은 불사에 가까울 수 있지만 그 대가로 사람들은 자기 자신을 잃어버립니다."

강호는 생각했다. 현재 자신이 목표로 했던 것은 단순히 돈을 벌고 부모님의 목숨을 지켜내는 것이었다. 싸움판에 들어가며 돈을 벌어 어머니를 라이프 코어에 맡기는 그 방법이 유효하지 않을지도 모른다는 불안감을 느꼈다.

며칠 전부터 사채업자 양 사장은 더 많은 돈을 얻을 수 있다며 강호를 더 어둡고 위험한 곳으로 내몰았다. 돈을 벌만큼 벌었던 강호는 결심했다. 그는 이제 더 이상 양 사장을 따르지 않겠다고 했다. 하지만 강호는 심란했다. 하…. 우리 엄마 어떡하지….

4장: 결정의 순간

이제 강호는 어머니의 치료에 필요한 돈을 얻었다. 하지만 마침내 그는 미루고 미뤘던 중요한 선택의 기로에 서게 되었다. 서지훈이 경고하는 대로 불사 치료는 엄마를 낫게 해주지만 그 대가로 엄마는 완전히 다른 사람이 될 것이다. 더 이상 강호가 알던 엄마가 아닌 감정 없는 존재로 변할 가능성이 있다는 것이었다.

"이게…. 내가 원했던 건가?"

강호는 손에 들린 계약서와 고뇌했다.

"우리 엄마 살려야지. 불쌍한 우리 엄마…."

강호는 엄마를 살리기 위해 라이프 코어의 치료를 강행했다.

"불사치료 하겠습니다. 잘 부탁드립니다."'

한 달 뒤.

"엄마, 나 알아보겠어? 엄마 아들 강호."

"누구세요?"

"역시…."

강호는 후회하지 않았다.

그러나 강호의 엄마는 더 이상 강호가 알던 강호의 엄마가 아니게 되었다.

아스트라의 그림자

장예찬

1부: 신호

2137년. 인류는 우주 탐사와 식민지화를 통해 은하계 여러 곳에 진출했지만 여전히 해결되지 않은 미지의 영역이 남아 있었습니다. 그 중에서도 가장 관심을 끌었던 것은 오래전 실종된 탐사대가 마지막으로 도착한 은하계 변방의 외딴 행성 아스트라. 이곳에서 신호도 잡히지 않다가 최근 정체불명의 신호가 다시 감지되기 시작한다.

주인공 엘라나 그레이는 이 신호를 분석한 인물로 첫 번째 탐사대에 속했던 자신의 아버지가 그곳에서 실종되었다는 개인적인 사연을 가지고 있었습니다. 아스트라 행성에서 감지된 신호는 첫 번째 탐사대가 실종된 이후 처음으로 포착된 신호였고 신호의 발원지는 행성의 깊숙한 곳에 있었습니다.

"이 신호…. 아스트라에서 잡힌 게 맞아. 몇십 년간 조용했던 곳에서 다시 신호가 나타나다니…. 아버지가 남긴 흔적일까?"

"그 신호를 분석한 결과 단순한 교신 신호가 아니야. 뭔가 더 복잡하고 이상한 간섭이 있어."

"아스트라로 다시 탐사를 떠나야 해요. 이건 단순한 과거 기록이 아니라 지금도 우리를 부르고 있는 겁니다."

엘라나는 신호 분석을 마치고 상부에 보고서를 제출하며 새로운 탐사 임무를 준비하였다. 그녀는 아버지의 실종에 대한 답을 찾기 위해 이 임무에 참여하기로 결심했다.

탐사대 노바가 조직된다. 각기 다른 배경을 지닌 전문가들이 참여하며 이 임무는 단순한 탐사 이상으로 아스트라 행성의 비밀을 풀기 위한 중요한 임무로 자리잡는다.

탐사대가 출발하기 전 과거 아스트라 행성에서 실종된 첫 번째 탐사대의 기밀 보고서가 공개된다. 그 보고서에는 탐사대가 겪은 알 수 없는 현상과 위험 요소에 대한 경고가 담겨 있었다. 실종된 탐사대의 리더는 마지막으로 남긴 기록에서 '행성의 어둠을 경계하라.'라는 미스터리한 메시지를 남겼다.

엘라나는 이 메시지를 읽고 이 임무가 단순한 자원 탐사나 과학 연구가 아니며 숨겨진 거대한 위험이 있음을 직감하였다. 하지만 그녀는 여전히 아버지의 실종에 대한 단서를 찾고자 하는 강한 의지로 인해 탐사를 포기하지 않았다.

탐사대는 아르테미스7이라는 최신 우주선을 타고 아스트라 행성으로 출발한다. 우주선 내부에서 대원들 간의 대화가 이어지며 각자의 성격과 목표가 드러났다. 엘라나는 아버지의 흔적을 찾는데 집중한다.

“저는 과학 책임자로서 이번 임무에 자원한다. 이 신호는 제게 개인적인 의미가 있습니다. 아스트라에 남겨진 무언가 우리를 기다리고 있어요.”

“탐사대의 안전이 우선입니다. 이 행성에 뭔가 위험이 있다는 건 분명해요. 실종된 탐사대만 해도 한 팀이 넘는다는 걸 잊지 마세요.”

“위험은 감수할 가치가 충분합니다. 우리가 첫 번째로 도착해서 아스트라의 자원을 확보한다면 그 가치는 상상 이상이겠죠.”

“아스트라는 단순한 자원이 아닙니다. 오히려 고대 문명의 잔재일 가능성이 커요. 우리가 발견하게 될 건…. 인류가 한 번도 접해보지 못한 지식일 수도 있습니다.”

우주선이 아스트라 행성에 가까워질수록 대원들은 불안감과 기대감이 교차하는 복잡한 심리 상태에 놓였다. 특히 엘라나는 자신도 모르게 아스트라에 대한 강한 연결감을 느끼고 꿈속에서 아버지와 관련된 기묘한 장면을 보게 되었다.

“이 신호가 정확히 뭘 의미한다고 생각해요? 엘라나? 단순한 조난 신호라면 이렇게 오래 지속될 이유가 없잖아요.”

"맞아요. 뭔가 더 큰 비밀이 있어요. 아스트라엔 우리가 모르는 과거의 흔적들이 묻혀 있을 겁니다. 그리고 그곳에서 실종된 아버지의 흔적도…."

"고대 문명이 남긴 흔적이라면 단순히 지나칠 수 없죠. 저는 이번 임무가 학문적으로도 엄청난 의미가 있다고 생각해요. 새로운 차원의 가능성도 고려해야 하지 않을까요?"

"아름다운 말이군요. 하지만 우리 목표는 명확해요. 그곳의 자원을 확보하고 가능한 빨리 임무를 마치는 겁니다. 꿈 같은 이론을 탐구할 시간은 없어요."

탐사대가 아스트라 행성의 궤도에 진입하면서 그곳에서 발생하는 중력 이상 현상과 강력한 전파 간섭을 경험하게 되었다. 이 현상들은 과거의 기록들과 일치하며 행성 자체가 비정상적인 물리적 특성을 가지고 있음을 암시하였다. 탐사대는 신호가 잡히는 지점으로 착륙을 시도하였다.

"행성의 표면은 검은 모래와 어두운 대기로 덮여 있어 시야 확보가 어렵습니다!"

탐사대는 아스트라 표면에 무사히 착륙하지만 그곳에서 무언가 이상한 기운을 감지하였다. 처음으로 발을 디딘 행성의 표면은 극도로 차갑고 정체를 알 수 없는 기묘한 소리들이 대원들의 신경을 자극하게 되었다.

2부: 아스트라의 비밀

탐사대는 우여곡절 끝에 아스트라 행성에 착륙한다. 표면은 검은 모래와 거친 바위로 가득하고 중력과 대기 압력이 불안정해 대원들은 긴장 상태를 유지하였다.

"이곳에…. 아버지가 있었던 곳인가? 이 행성에 그가 남긴 흔적이 있을 거야."

"안전을 위해 그룹을 나누지 않는 것이 좋겠어. 여긴 우리가 예상했던 것보다 훨씬 더 위험할지도 몰라."

탐사대는 행성의 특정 지역에서 중력이 비정상적으로 작용하는 구역을 발견한다. 물체가 공중에 뜨는 듯한 착각을 불러일으키며 시간도 느리게 흐르는 듯하다. 탐사대는 이 현상이 고대 문명의 흔적일 수 있다고 추측한다.

"이건 단순한 자연현상이 아니야. 이 정도로 시간과 공간이 뒤틀릴 정도라면 여긴 분명…. 인류가 이해하지 못한 무언가 있어."

"그래 봤자 우리에게 실질적으로 도움이 될 게 뭐가 있겠나? 자원 채굴과 탐사가 목표라는 걸 잊지 말자고."

탐사대는 마침내 신호가 발생한 위치에서 첫 번째 탐사대가 남긴 기지의 잔해를 발견합니다. 그곳에는 남겨진 기록과 함께.

'그림자에 접근하지 말라.'는 경고 메시지가 남겨져 있다.

"아버지… 이걸 남긴 건 아버지였을까? 무슨 일이 있었던 걸까…."

탐사대는 고대 문명 유적을 탐사하다가 '그림자'로 불리는 기이한 존재를 발견했다. 이 그림자는 물리적인 형체는 없지만 대원들의 정신에 영향을 주어 가장 두려워하는 환각을 보게 만든다.

"다들 조심해! 이건 우리가 아는 생명체가 아니야…. 무언가가 우릴 지켜보고 있는 느낌이 든다."

"혹시 첫 번째 탐사대도 이 그림자 때문에…. 하지만 그렇다면, 이건 단순한 존재가 아닐지도 몰라."

탐사대원들은 서로의 목표가 다르다는 걸 깨달으며 갈등이 격화된다. 칼은 자원 확보를 서두르고 제나는 고대 문명의 비밀을 풀고 싶어 하며 엘라나는 아버지의 흔적을 찾는데 집중하게 된다.

"시간 낭비하지 말고 자원을 확인하고 여기서 나가는 게 우선이라고!"

"아버지의 실종에 대한 진실을 찾기 전엔 돌아갈 수 없어. 이 행성에선 뭔가 엄청난 일이 벌어졌어."

"둘 다 그만해. 우리가 다룰 수 없는 힘일지도 몰라. 잘못하면 우린 여기에 영원히 갇힐 수도 있어."

탐사대는 그림자의 존재가 단순한 환각이 아니라 아스트라 행성의 핵심 비밀과 연결되어 있음을 깨닫게 된다. 이제 탐사대는 이 행성을 이해하기 위해 더 깊이 탐험할지 아니면 안전하게 철수할지 갈림길에 서게 되었다.

탐사대는 신호의 근원지를 따라가던 중 오래전에 파손된 기지의 잔해를 발견한다. 이 기지는 실종된 첫 번째 탐사대가 사용했던 곳으로 보인다. 기지 내부는 황폐해져 있었고 장비들은 녹슬어 있고 먼지가 쌓여 있어 오랜 시간이 흘렀음을 보여주었다.

"여기가…. 그들이 마지막으로 남긴 곳이야. 이 신호가 유지되고 있었다는 게 믿기지 않네."

"기록 장치가 있을 거야. 그들이 남긴 메시지를 찾을 수 있을지도 몰라."

기지 내부를 수색하던 탐사대는 한 대원의 기록 장치에 접근하였다. 장치 안에는 탐사대장이 남긴 마지막 메시지가 남아 있었다. 메시지에는 '그림자에 접근하지 말라'는 경고와 함께 미지의 위험에 대한 암시가 담겨 있습니다.

우린 여기에 도달한 순간부터 뭔가 우리를 지켜보고 있음을 느꼈다. 그림자가 우리를 잠식하기 시작했고…. 여기서 벗어나지 못할 거라는 걸 알았다.

'이곳을 떠나라.'

"그림자? 도대체 이게 뭘 뜻하는 거지?"

"단순히 두려움 때문에 쓴 헛소리일 뿐이야. 우린 해야 할 일을 하러 온 거고. 그게 중요해."

기지 내부에서 탐사대는 어두운 그림자 같은 형체를 잠깐 목격하였다. 그림자는 물리적인 형체가 아니지만 대원들의 정신에 강력한 영향을 미치는 존재로 보였다. 이 그림자는 순간적으로 각 대원의 내면적 두려움을 자극하며 대원들은 극도의 불안감을 느끼기 시작하였다.

"이건 단순한 환각이 아니야…. 뭔가 우리를 지켜보고 있어."

"이게 아스트라의 비밀일지도 몰라. 하지만 조심해야 해. 우리를 위험에 빠뜨리려는 뭔가 있는 것 같아."

3부: 그림자의 심판

탐사대는 행성의 중심부에서 거대한 고대 장치를 발견한다. 이 장치는 차원 간의 경계를 허물 수 있는 에너지로 가득 차 있으며, 실종된 첫 번째 탐사대가 이를 활성화하려다 재앙을 맞이했음을 알게 된다.

"이 에너지원이야말로…. 아버지가 찾고자 했던 것이었어. 하지만 너무 강력해. 우리에게도 통제할 수 없는 힘이 될 거야."

"고대 문명은 이 기술을 통제하려다 실패했어. 차원의 문이 열리면 예측 불가능한 재앙이 일어날지도 몰라."

차원의 문이 점차 열리면서 행성 곳곳에 그림자가 출현하고 탐사대원들의 정신을 압박하기 시작하였다. 그림자는 탐사대원들로 하여금 자신들이 두려워하는 환각을 경험하게 하며 그들의 갈등을 부추겼다.

"다들 냉정을 잃지마! 이 힘에 굴복하면 모두 위험해져!"

"이걸 이용해서 우리가 얻을 수 있는 게 얼마나 큰지 알아? 이 힘만 제어할 수 있다면…!"

탐사대는 이 에너지를 봉인할지 아니면 문을 열어 새로운 차원의 가능성을 탐구할지 결정을 내려야 했다. 엘라나는 아버지의 기록을 통해 이 에너지를 억제해야만 재앙을 막을 수 있음을 깨달았다.

"이건 인류가 감당할 수 없는 힘이야. 봉인하지 않으면… 우린 모두 끝이야."

"난 당신의 결정을 따를게. 엘라나, 하지만 모두 무사히 돌아갈 수 있을까?"

엘라나는 에너지를 봉인하기 위해 자신을 희생하기로 결정합니다. 그녀의 희생을 통해 차원의 문이 닫히고 아스트라의 에너지가 안정화된다. 나머지 탐사대원들은 가까스로 행성을 탈출한다.

"아버지…. 이제야 당신의 선택을 이해했어요. 그리고 저도…. 같은 길을 선택할게요."

"엘라나…. 우리를 위해 모든 걸 걸다니…. 돌아오지 못할지라도 넌 영원히 기억될 거야."

탐사대는 아스트라 행성의 중심부에 도달해 고대 외계 문명이 남긴 차원 에너지장치를 발견한다. 이 장치는 미지의 차원을 열 수 있는 엄청난 힘을 가지고 있었지만 동시에 그 힘이 통제 불가능할 경우 모든 것을 파괴할 수 있음을 깨닫게 된다.

엘라나는 아버지가 남긴 메시지와 기록을 통해 차원의 에너지를 봉인하지 않으면 아스트라 행성과 그 주변 우주가 심각한 위험에 처할 것이라는 결론에 도달한다. 에너지를 봉인하기 위해서는 누군가가 장치에 직접 접근해 설정을 조작해야 하는데 이 과정에서 에너지 폭주가 발생할 가능성이 커 생명을 잃을 위험이 컸다.

엘라나는 탐사대의 대원들과 마지막 대화를 나누며 자신의 희생을 결심합니다.

"이 에너지는 인류가 감당할 수 없는 힘이야. 제어하지 않으면 우린 모두 사라질 거야. 내가 남아서 이걸 끝낼게."

"엘라나! 그건 말도 안 돼! 널 두고 돌아갈 수 없어."

"하지만 이게 최선인걸? 이 방법 말고 다른 방법 있어? 아버지도 모든 걸 걸었어."

탐사대는 엘라나의 희생을 지켜보며 그녀의 결정이 최선이라는 것을 깨닫고 눈물을 머금고 행성을 떠나기로 한다. 엘라나는 장치의 봉인 절차를 시작하며 대원들에게 작별을 고했다. 그녀가 장치를 조작하기 시작하자 에너지가 폭주하며 차원의 문이 닫히고 그 순간 엘라나는 희미하게 아버지의 목소리를 듣는 듯한 환각에 빠지며 미소를 짓는다.

"아버지 제가 해냈어요. 이제 끝이에요."

탐사대는 행성을 떠나면서 아스트라가 다시 영원한 미스터리로 남게 되었다는 사실을 느낀다. 돌아가는 우주선에서 대원들은 엘라나를 기리며 그가 남긴 희생과 결단을 잊지 않기로 다짐한다. 아스트라는 이제 인류에게 다시는 접근할 수 없는 금단의 영역이 되었고 그 비밀은 엘라나와 함께 어둠 속으로 사라졌다.

탐사대는 엘라나의 마지막

선택 덕분에 아스트라 행성에서 탈출할 수 있었다. 무사히 우주선에 오른 동료들은 충격과 슬픔에 잠겼다.

“그녀가 우리를 위해 모든 걸 바쳤어…. 인류를 위해 이 행성을 위험한 유산으로부터 지켰지.”

“이 비밀을 그대로 봉인해야 해요. 엘라나가 그렇게 선택했듯이우리도 이를 지킬 의무가 있어요.”

지구로 돌아온 탐사대는 아스트라 행성에 대한 모든 기록을 삭제하고 연구 자료는 엄격히 보관되며 접근을 제한하였다. 탐사대는 엘라나가 겪은 위험과 그림자에 관한 경험을 정부와 과학 연구소에 보고하지만 아스트라 행성은 공식적으로 ‘금지 구역’으로 지정되어 접근할 수 없게 된다.

탐사대는 엘라나의 희생을 기리기 위해 그녀가 남긴 기록을 모아 비밀 파일로 저장하고 그녀가 인류를 위해 선택한 길을 영원히 잊지 않기로 한다.

“미지의 세계는 탐험할 가치가 있지만 그 가치엔 항상 대가가 따르죠.”

탐사대는 엘라나를 기리는 묵념을 올리며 그녀의 희생을 되새긴다. 아스트라는 이제 전설로 남아 인류의 기억 속에서 잊히지만 엘라나의 희생이 만든 길은 새로운 세대에게 안전한 탐사의 중요성을 일깨워 주는 교훈이 되었다.

무능력자의 서사

채이든

제1장: 변해버린 세상

과학 기술의 발전으로 유전자 조작이 가능해지면서 세상은 새로운 국면에 접어들었다. 사람들은 이제 태어날 때부터 특별한 능력을 부여받았고 누구나 능력을 통해 자신의 자리를 찾았다. 하늘을 나는 사람, 마음을 읽는 사람, 엄청난 힘을 가진 사람들이 일상처럼 넘쳐났고 그들이 곧 사회를 지배했다.

그러나 에덴은 달랐다. 그는 아무 능력도 없이 태어났다. 세상에서 능력이 없는 사람은 소수에 불과했지만 그 소수들은 엄청난 차별과 억압을 받았다. '무능력자'라는 꼬리표를 달고 살아가는 사람들은 능력자들에 의해 사회적으로 격리되었고, 교육, 직업, 심지어 의료 혜택까지도 제한되었다.

"왜? 난…. 왜 난 이런 세상에서 태어난 걸까?"

에덴은 거울을 보며 스스로에게 중얼거렸다. 무능력자라는 낙인이 찍힌 자신을 바라보는 게 고통스러웠다. 그의 부모는 그를 애써 위로했지만 그 마저도 소용없었다.

"에덴, 네가 특별하지 않다는 건 네 잘못이 아니야."

어머니가 따뜻하게 말했지만 그 말은 에덴의 상처를 더 깊게 만들 뿐이었다.

"알아요. 엄마."

에덴은 작은 목소리로 대답했다.

"그런데 아무도 그걸 이해하지 않잖아요."

그는 늘 그 꼬리표 때문에 자신을 움츠러들게 만드는 사회 속에서 힘겨운 나날을 보냈다. 능력이 없다는 이유로 그와 그의 가족은 고통스러운 삶을 살아야 했다. 에덴은 어린 시절부터 무능력자들이 받는 차별에 대해 분노해 왔고 그 감정은 점점 더 커져갔다. 그러나 지금까지는 그저 조용히 지켜보기만 했었다. 능력자들이 지배하는 세상에서 무능력자가 저항할 수 있는 힘은 없어 보였기 때문이다.

제2장: 연대의 시작

어느 날 에덴은 길을 걷던 중 능력자들에게 무참히 학대당하는 또 다른 무능력자를 목격하게 되었다. 무능력자는 바닥에 주저앉아 능력자들의 발길질을 맞고 있었다.

"저기요! 그만해!"

에덴은 저도 모르게 소리쳤다. 능력자들은 잠시 멈칫했지만 이내 비웃음을 터뜨리며 에덴을 무시하고 떠났다. 에덴은 쓰러져 있는 무능력자에게 다가가 손을 내밀었다.

"괜찮아요?"

"고맙지만…. 소용없어요. 우린 아무 힘도 없잖아요,"

무능력자는 고통스러운 얼굴로 속삭였다. 그 장면은 에덴의 마음을 흔들어 놓았다. 더 이상 침묵해서는 안 된다는 생각이 그의 마음속 깊이 자리 잡았다. 그는 자신과 같은 무능력자들이 겪는 고통을 세상에 알리기로 결심했다.

"더 이상 참을 수 없어. 그냥 당하고만 있을 순 없어."

에덴은 단단히 마음을 먹고 중얼거렸다. 에덴은 조용히 저항 운동을 시작했다. 그는 비밀리에 무능력자들을 모아 정보를 공유하고 그들의 목소리를 하나로 모았다. 이 과정에서 그는 자신과 비슷한 생각을 가진 사람들을 만나게 되었다. 그 중에는 능력자들의 억압적인 구조에 저항하고 싶어 하는 비밀 세력도 있었다. 그들은 에덴에게 힘을 보탰다.

"우리가 함께라면 할 수 있어."

그들 중 한 명이 에덴의 손을 잡으며 말했다.

"너 혼자서는 힘들겠지만 우리가 서로를 지키고 함께 싸운다면 세상을 바꿀 수 있을 거야."

에덴은 처음으로 연대의 중요성을 느꼈다. 자신이 혼자가 아니라는 사실에 힘을 얻었고 무능력자들 역시 능력자들과 싸울 수 있음을 깨달았다.

"그래. 우리가 이 세상을 바꿀 수 있어."

에덴은 자신을 다독이며 결심을 굳혔다.

제3장: 정부의 음모

그러나 에덴의 저항은 곧 정부의 눈에 띄게 되었다. GenTech라는 이름의 정부 기관은 무능력자들을 제어하고 그들을 관리하는 역할을 하고 있었다. 정부는 사회 구조의 격차를 유지하기 위해 무능력자들이 절대 권력을 가지지 못하게 철저히 통제하고 있었다.

에덴의 활동이 커지면서 정부는 그를 위험 인물로 판단하고 그를 제거하기 위한 계획을 세웠다. 디디라는 이름의 정부 최고 요원은 에덴을 추적하는 임무를 맡게 된다. 디디는 유전자 조작을 통해 초능력을 가진 엘리트 요원으로 그 누구도 이길 수 없는 전투력을 자랑했다.

디디는 에덴이 무능력자들을 선동하고 있다는 정보를 입수하고 그를 제거하기 위한 계획을 세운다. 그녀는 에덴의 모든 움직임을 감시하고 그를 함정에 빠뜨릴 기회를 노리고 있었다.

제4장: 숨겨진 힘

에덴은 디디의 추격을 피해 도망치고 있었다. 숨이 턱 끝까지 차오른 그는 폐공장 구석에 몸을 숨겼지만 디디의 발소리는 점점 가까워지고 있었다.

“터벅…. 터벅. 터벅.”

금속 파이프가 삐걱거리는 소리와 함께 어둠 속에서 디디의 목소리가 들려왔다.

“에덴 끝났어. 더 이상 도망치지 마.”

“타닥…. 타닥.”

“잡았다.”

에덴은 결국 디디에게 붙잡혀 속수무책으로 당했다.

“자. 이제 끝내자.”

그러나 갑자기 에덴은 자신의 몸 안에서 알 수 없는 강력한 힘이 나는 걸 느꼈다.

“으아아아아악!!!”

그는 지금껏 자신이 무능력자라고 믿어왔지만 사실은 다른 이들의 능력을 무력화하는 강력한 힘을 가지고 있었다는 사실을 깨닫는다. 그의 능력은 단순히 초능력을 사용하는 것이 아니라 능력자들이 가진 힘을 차단하거나 약화시키는 것이었다.

"나는…. 내가 무능력자가 아니었어!"

에덴은 혼란스러운 감정 속에서 자신의 손을 바라보며 중얼거렸다. 디디는 그를 끝내기 위해 공격을 시도하지만 에덴은 그의 능력을 무력화시키며 그녀를 제압한다. 디디는 자신이 과소평가했던 에덴의 진정한 힘을 보고 당황하게 된다.

"뭐! 뭐야! 너 무능력자가 아니었어?"

제5장: 새로운 세상의 서막

에덴은 디디를 제압한 후 더 이상 도망치는 삶을 살지 않기로 결심한다. 그는 자신이 무능력자가 아니라는 사실을 알게 되었고 이제는 능력자들이 지배하는 불평등한 세상에 맞서 싸울 준비가 되어 있었다.

"이제는 도망치지 마. 우리가 이 세상을 바꿀 거야."

에덴은 디디의 눈앞에서 사라지며 무능력자들을 위한 혁명을 이끄는 걸 결심한다. 그는 더 이상 무능력자로 불리는 존재가 아닌 새로운 세상을 만들기 위한 리더로 거듭난다. 그의 능력은 단순히 개인을 위한 것이 아니라 무능력자들이 세상을 뒤집고 새로운 사회 질서를 세우는 데 핵심적인 역할을 할 것이다.